LA FIN DE
LA PLAINTE

FRANÇOIS ROUSTANG

LA FIN DE
LA PLAINTE

ÉDITIONS
ODILE JACOB

© ÉDITIONS ODILE JACOB, JANVIER 2000

15, RUE SOUFFLOT, 75005 PARIS

http://www.odilejacob.fr

ISBN : 2-7381-0758-3

« Se connaître
est la démangeaison des imbéciles. »
G. Bernanos

« C'est le corps tout entier qui est l'esprit. »
Gao Panlong

AVANT-PROPOS

Un ami qui me veut le plus grand bien, mais que chagrine mes fréquentations de cette chose étrange, à ses yeux peu recommandable, me pressait de lui dire enfin ce après quoi je courais. Je ne trouvai à cet instant et sans doute à son intention d'autre réplique que celle-ci : « Je cherche à mettre un terme à la plainte. » Il estima que, s'il en était ainsi, quelque crédit pouvait m'être accordé. Était-ce là une plaisanterie ? Le mieux n'est-il pas d'essayer de montrer qu'il n'en était rien, mais sans se servir du mot fatal : l'hypnose ?

Donc, pour commencer, qu'est-ce que la plainte ? Manifestation d'une peine ou d'une souffrance, elle se caractérise par un excès à leur égard. Selon La Fontaine, « la douleur est toujours moins forte que la plainte » ou, selon Diderot, « la plainte surfait toujours un peu les afflictions ». À travers ses dires, elle s'écarte de ce qui est ressenti, elle y est infidèle, elle y ajoute quelque chose de son cru. Au lieu d'être une pure transposition vers le dehors, à la manière d'un abcès qui cherche à se vider, elle exagère et se détache de son origine. Elle devient un artifice. Elle ne respecte pas la juste douleur et la juste peine, elle les entoure d'un surcroît. Sans doute a-t-elle d'abord pour but de les manifester pour les diffuser et les répandre, et ainsi

9

les exténuer et les apaiser. Mais l'écart vise bientôt à les protéger pour que rien n'en soit changé. Je me plains pour laisser intact mon chagrin, pour n'avoir pas à y toucher, à l'aborder ou à l'affronter. Plainte qui s'adresse à l'entourage pour qu'il ne m'invite pas à me glisser à nouveau dans le cours des choses, plainte qui se campe sur des positions imprenables. Plus rien ni personne ne saura me consoler.

La plainte aurait pu jouer le rôle d'un rite de passage, être une esthétique mise en forme de la douleur, une réorganisation dans la beauté des expressions d'un désordre perçu dans un premier temps comme irréparable, une élégie pour commencer à clore un deuil. Mais elle devient bientôt, parce qu'elle dure, une fixation répétitive qui alimente le chagrin au lieu de l'épuiser. L'écart dès l'abord instauré s'évanouit, car la peine acquiert l'intensité de la plainte qui la surpassait. Mais la plainte par nature fait sans cesse renaître l'écart et celui-ci engendre à son tour une augmentation de la peine ; on entre alors dans un cercle infernal qui éloigne peu à peu de la première réalité de la douleur et qui ouvre, dans la complaisance, sur une dépression chaque jour plus irrémédiable.

C'est que la plainte est un refus de la réalité qui s'impose, celle qui a fait naître la peine. Un événement, qui est venu rompre le cours de mon existence et mon système relationnel présent, exigerait tant de modifications et de fatigues que je ne puis m'y résoudre. Je préfère nier que quelque chose ait eu lieu. Rien n'est arrivé, et je laisserai dans l'état mes habitudes de penser, de sentir et d'agir. Le regard qui plus tôt était posé sur le monde environnant se fige.

Mais puisque l'événement insiste, je dois trouver un autre moyen d'y échapper : je regrette son apparition, je déplore les faits, je veux, espère et revendique un temps autre et un autre espace que ceux qui pèsent sur moi désormais. Je ne peux me les approprier et m'en rendre responsable de quelque manière. C'est donc à l'autre que doit en être attribuée la faute : le destin, la société, l'hérédité, les

10

géniteurs. La plainte en vient à porter plainte et à se répandre en accusations.

Comme le jugement n'est jamais rendu et que la condamnation tarde à venir, car l'événement ne se laisse pas prendre au piège et continue à développer ses conséquences, alors tout me devient ennemi et j'adopte en permanence la figure du persécuté. La plainte a beau crier à l'injustice, récriminer et se promettre la vengeance, car « il y a dans toute plainte une dose subtile de vengeance [1] », rien n'y fait. Je m'obstinerai dans les procès. C'est l'ordre des choses qui doit changer et non pas mes propres sentiments. Alors, la division est partout et nulle réconciliation n'est possible.

Il est une autre forme de plainte qui semble collée à notre peau de modernes repus et qui serait risible ou méprisable si elle n'était douloureusement ressentie. Ce n'est pas alors un écart, c'est un abîme qui la sépare de la peine, car cette dernière a toutes les apparences d'un artifice aussi tenace et inconsistant qu'un rêve. On se plaint de tout et des riens, alors que les possibilités du bonheur nous entourent. Il n'est pas rare de recevoir une personne qui dit être malheureuse et qui se répand en plaintes à fendre l'âme de l'interlocuteur le plus froid. Mais, au fur et à mesure que le discours se développe, il se délite et se réduit bientôt à une poussière qu'il suffit de balayer. « Mon mari m'aime et m'entoure d'attentions, mes enfants poussent comme il faut, mon travail m'intéresse. En résumé, je suis malheureuse. » Ou bien, c'est un grand gaillard solide pour qui rien ne va. Ce thérapeute qui est persuadé du contraire et qui prétend le voir comme un homme inventif susceptible, sinon aujourd'hui de joie, du moins d'allant et de légèreté, est un sourd incapable. Lorsque de tels visiteurs entendent en réponse : « Mais vous allez très bien, Madame » ou bien :

---

1. Friedrich Nietzsche, « Divagations d'un "inactuel" », dans *Le Crépuscule des idoles*, Paris, Gallimard, 1974, p. 127, § 34.

« Il ne sera pas besoin de longtemps, Monsieur, pour que vous retrouviez le goût de la vie », l'entretien se termine par un éclat de rire, parce que les yeux se sont ouverts sur l'évidence d'une absence de peine véritable, ou bien commence un long échange pour que la petite fille cesse d'attendre un certain regard attendri de sa mère, ou que le petit garçon ne soit plus attristé de n'avoir pas eu jadis des forces égales à celles de son père.

Serait-il étonnant ou scandaleux, dans ces cas, de ne pas vouloir s'attarder à ces plaintes et de ne pas se soucier de leur trouver consolation ? Les consoler ne serait rien d'autre qu'une invitation à les redoubler alors que les dénuder permettra d'en guérir. Car, s'il est vrai que ces sortes de plaintes sont liées à une blessure de l'enfance et que le thérapeute ne peut pas ne pas les prendre en compte, il est plus vrai encore qu'elles sont l'effet du refus de grandir ou du regret d'avoir grandi. C'est à ces derniers qu'il s'agira d'être attentif pour y mettre le fer de la décision en renonçant à l'attente d'un passé autre et en s'orientant dans le présent vers le futur. Plus haut, la plainte était le fruit de l'impossibilité de vivre, parce que la blessure était si profonde qu'elle interdisait une nouvelle croissance ; ici, l'obstination à ne pas grandir garde intacte une part de soi infantile.

Mais pourquoi cette nostalgie de l'enfance qui recouvre d'un sombre voile la totalité de l'existence ? Parce qu'ainsi sans doute, dans cette souffrance entretenue, nous avons l'impression d'exister à notre propre manière, avec cet étroit secret incommunicable que nous déversons pourtant sans cesse sur ceux qui nous approchent. C'est notre petit capital, notre fonds narcissique qu'il faut prendre soin de ne pas dilapider et dont chaque jour la présence est à vérifier comme un avare le fait de sa cassette. La plainte est là pour nous protéger de ce bonheur si proche qui nous emporterait vers les risques de la générosité, de l'invention gratuite ou de l'aventure amicale ou amoureuse. Il s'agit donc de demeurer insatisfaits et, pour être certains que ne se perde pas notre moi chéri, de continuer à nous répandre en reproches et en ressentiments, de demander aux autres ou aux événements qu'ils nous donnent ce que par principe nous ne recevrons pas et, pourquoi pas enfin, d'entretenir une jolie dépression pour que soit entendue une plainte que nous n'avons pas l'intention de faire cesser.

Fondée peu ou prou, l'histoire de la plainte commence donc toujours par la fermeture sur soi et se poursuit avec le déni de la réalité pour s'achever en exigences et en revendications qui viennent frôler la paranoïa. On voit l'importance d'y mettre fin. Mais comment ? Le début de la plainte était caractérisé par un écart ou un abîme entre la peine et son expression. Plus elle s'étend, plus grandissent l'écart ou l'abîme. Ce n'est plus seulement la douleur réelle ou supposée qui est mise à distance, c'est également ce qui la touche de près ou de loin, ce qui la cause et qui en est la conséquence. Il s'agit donc de réduire ces distances. Mais comment, encore une fois ?

De la façon la plus simple et la plus directe. En ne supportant plus que la plainte excède la peine, en ajustant à la douleur son expression, sans y rien ajouter ou retrancher, en exigeant du dire l'exactitude la plus fine, en se faisant, du fossé ouvert par l'événement, l'observateur le plus avisé. Non plus la vengeance, mais coûte que coûte la réconciliation, plus le regret mais la reconnaissance de l'inexorable, plus la rigidité du plaintif, mais l'élégance de qui affronte à nouveau, plus les lamentations inextinguibles, mais l'approche du silence qui tout embrasse. Non pas retrouver sa place, elle est perdue ou lointaine à jamais, mais trouver ou même inventer une place dans un univers intérieur et extérieur qui ne sera jamais plus comme hier et dont le changement doit être peu à peu reconnu, assimilé, aimé. Comment y parvenir ?

Il faut bien commencer par tourner le dos à ses manières habituelles de vivre, de penser, de sentir, ne pas hésiter à obscurcir son regard pour qu'il ne reconnaisse plus ses repères coutumiers, et donc ne pas prendre peur devant l'impression de se perdre. La plainte se nourrissait de références qui convenaient autrefois et qu'elle s'obstinait à croire encore valables et nécessaires. Elles devront être abandonnées pour que cesse la plainte.

La confusion qu'il s'agit de traverser malgré la crainte de l'égarement ouvre alors sur un champ de possibilités. « C'est d'ordinaire avec notre être réduit au minimum que nous vivons ; la plupart de nos facultés restent endormies, parce qu'elles se reposent sur l'habitude qui sait ce qu'il y a à faire et n'a pas besoin d'elles[2]. » Il suffit de lever le poids de l'habitude pour que s'éveillent des forces dont nous ne soupçonnions pas pouvoir disposer. Alors nous sommes capables de nous mettre en mouvement en fonction des choses et des êtres qui changent à chaque instant. Il s'agit donc de rien moins, chaque jour, que de refondre notre existence.

Cette refonte pourrait avoir lieu si l'on acceptait de se soumettre à quelques exercices. Le premier vise à rendre actuelle l'unité de l'esprit et du corps. Il n'est pas besoin d'expliquer longuement son utilité en la matière. Certaines expressions populaires le font voir aisément : celui qui est bien dans sa peau n'aura pas de raison de se plaindre, au contraire de celui qui est à côté de ses pompes. Cela revient à dire que tout ira bien si l'on réussit à faire adhérer l'esprit au corps, à ce que rien de l'esprit n'échappe au corps ou que l'intelligence soit celle du corps et rien d'autre. Intelligence du corps entendue dans les deux sens qui doivent s'identifier : intelligence tout entière occupée par l'attention au corps et corps qui est intelligence parce qu'il mémorise toute l'histoire de la personne, parce qu'il perçoit en même temps tous les paramètres d'une situation, parce qu'il se situe dans l'environnement qu'il organise. En ce sens, l'intelligence première et fondatrice est celle du corps propre ; toutes les autres en sont dérivées.

---

2. Marcel Proust, *À l'ombre des jeunes filles en fleurs*, Paris, Gallimard, 1992, p. 216.

L'exercice aura pour but de faire que le corps ne soit pas gêné dans le déploiement de son intelligence. Pour cela faire taire toute intelligence séparée du corps, toute conscience qui viendrait prétendre à quelque connaissance qui ne serait pas l'effet de l'intelligence du corps. Donc vider sa tête de tout projet autre que de laisser faire cette intelligence, abandonner nos soucis de comprendre et de gérer nos vies, descendre là où le changement se fera de lui-même parce que nous laisserons faire, ne pas résister à l'aveuglement de la conscience, car cet aveuglement n'est que l'effet du trop de lumière venue de l'intelligence du corps. Ici, en particulier, mettre dans son corps la plainte avec ses causes véridiques ou prétendues, les faire pénétrer dans ses épaules, dans ses bras, dans son ventre et dans ses pieds. Exercice quotidien à refaire ou qui ne devrait jamais cesser.

Le deuxième exercice, conséquence du premier, vise la relation. Non pas une relation d'intérêt, de désir, d'émotion, de sympathie, de pensée ou de parole, mais purement et simplement une relation où pour un moment un être humain est reconnu dans son pouvoir et dans ses limites, où rien n'est exigé que d'être là dans son propre espace. Ce qui signifie inviter ou provoquer à la justesse, à être ce qu'est chacun et rien d'autre, à ce que le corps habite à la perfection sa place, son poids et son volume, que les gestes ne débordent en rien le mouvement qu'ils tracent, que le regard s'établisse sans s'écarter en rien des objets, que la voix soit exacte dans sa convenance aux paroles. Pour chacun, être juste ce qu'il est sans tenter de séduire, sans se faire valoir, sans non plus se mettre en dessous de sa valeur, sans se questionner sur son effet sur l'autre, sans bien sûr vouloir se conformer à son désir. Pas de comédie, pas de tragédie, le seul plain-chant.

Le troisième exercice, conséquence des deux premiers, nous emporte dans le jeu des correspondances. Il s'agit non pas d'être d'accord, mais d'être en accord. Être d'accord, c'est viser à un équilibre entre des forces contraires, imposer silence aux excès et rechercher un consensus grâce à des compromis. Être en accord, c'est se fondre dans les échos qui se répondent, c'est faire avec tout et rien de la beauté et de l'harmonie, c'est renoncer à la définition de ce qu'il faut faire et du comment agir au profit d'une unité sans cesse délaissée et retrouvée, c'est apprendre à s'amuser et à danser avec les personnes et les événements. Il n'est pas question de s'adapter vaille que vaille aux modifications incessantes, ce qui supposerait un perpétuel effort de rectification. Partager plutôt le mouvement même des choses et des êtres, y trouver la singularité à force de s'y perdre, ne pas forger sa place, mais attendre qu'elle se forme et qu'elle nous soit octroyée.

En effectuant l'unité de l'esprit et du corps, en portant les gestes à leur plus grande justesse, en laissant l'accord se répandre, ces exercices décrivent une sorte d'art de vivre ou une manière d'être au monde qui se situe au-delà ou en deçà des dogmes et des règles. Comme l'oracle de Delphes qui « ne parle ni ne cache, mais fait des signes [3] », elle n'est que dans les actes où elle s'incarne. Elle se place au-delà de la religion parce qu'elle porte en elle tous les liens, elle est en deçà parce qu'elle ne se prévaut d'aucune autorité. Elle est au-delà de la morale parce que, comprenant tout, elle ne laisse sa chance à aucune échappatoire et aucun effet pervers, elle est en deçà parce qu'elle ne peut être fixée par une formulation adéquate. Non pas une nouvelle religion qui affronterait les religions ou une morale qui abolirait les morales, mais une manière de vivre qui les engloberait, qui serait là où le sens est donné avec la force. Une tonalité qui fonde parce qu'elle enveloppe, qui me dépasse et se trouve pourtant à ma portée, ou encore qui ne me fait pas peur et ne m'impressionne pas, mais qui m'invite.

Faut-il à cette évocation en appeler à la mystique ou à la magie, à la mystique comme s'il s'agissait d'atteindre les confins du monde, à la magie parce que là seraient la puis-

---

3. Héraclite, *Fragment 93*.

sance et le pouvoir ? Ces mots de mystique, d'occulte ou de magie ne seront jetés en injures que pour discréditer l'entreprise ou pour la fustiger comme un retour subreptice au religieux. Pourtant ce style de vie ne peut être séparé comme une entité distincte, il n'apparaît jamais comme tel, il n'est que mêlé aux petites choses, ces choses infimes qui livrent seulement par lui un goût et un grain qui ne pouvaient être soupçonnés par la plainte et l'arrogance.

Sans doute les inspirés de l'art ou de la poésie savent immédiatement de quoi il est ici parlé, ou les sculpteurs qui façonnent les formes et l'espace. Pour nous qui ne sommes ni artistes, ni poètes, ni sculpteurs, pour nous qui ne sortons rien de nos pinceaux, de nos plumes ou de nos ciseaux, il suffit de savoir patienter, de s'installer dans une attente dépouillée qui ressemble au désespoir. C'est le vide lui-même de nos existences qui appelle le souffle qui va les mouvoir. Il n'y a rien d'invisible, de secret ou de caché, il y a seulement le creux de ce qui se touche, de ce qui se sent et de ce qui se voit, et qui met tout en partage de proche en proche : l'empiétement des choses et des êtres les uns sur les autres qui les rend à l'unité d'une caresse.

Depuis plusieurs millénaires les Chinois appellent cela le *Tao* [4], force qui meut l'univers, mais qui ne peut en être distinguée. C'est un ordre qui anime et qui n'est nullement autre que ce qui l'anime, même s'il se divise en êtres multiples, ou encore une transcendance qui s'identifie à l'immanence, un au-delà qui ne dépasse en rien l'en deçà. Pour être investi de cette force et de cet ordre, il suffit d'être en phase avec lui, d'entrer dans son mouvement et son animation. C'est lorsque le *Tao* s'étiole parmi les humains qu'ils doivent recourir à des expédients, les plus vénérables idéaux ou la rigueur éthique : « La Grande Voie périclita, alors régnèrent Bienveillance et Justice... Les pays sont-ils dans l'anarchie, on ne voit plus que ministres fidèles. » Parce que l'on n'est plus en accord avec l'énergie qui parcourt l'univers et

---

4. Traduit le plus souvent en français par « la Voie ».

l'humanité avec lui, on invente des règles pour la mimer et s'en protéger. Nos certitudes, nos préceptes, nos normes et nos principes font obstacle à la circulation généralisée des choses et des êtres. S'en détourner, c'est redonner leur chance aux liens premiers qui ne trompent pas : « Rompez avec la Sagesse, renvoyez le Savoir, le peuple s'en portera cent fois mieux, rompez avec la Bienveillance, renvoyez la Justice, le peuple retrouvera piété filiale et amour paternel[5]. » Utopie, pensera-t-on, ou simple évidence qui serait capable de remodeler nos existences.

Bien que plusieurs des textes[6] qui suivent aient été écrits pour accéder à une demande, tous sont mus par une seule question lancinante : que faire et comment faire pour qu'une existence soit modifiée, de quelle modification peut-il s'agir, qu'est-ce qui se trouve à son principe, qu'est-elle en droit d'exiger de la part du thérapeute et de la part du patient ? Les réponses apparaissent toujours limitées, partielles, insuffisantes, parce que la spécificité de l'humain nous échappe, tant sa richesse est infinie. Elles devront donc être reprises sans cesse sous des angles divers.

Le dessein de ce livre pourrait se résumer en trois temps : d'abord se débarrasser du narcissisme dans la pratique et de la psychologie dans la théorie, ensuite creuser le vide par le jeu et par l'attente, enfin participer à l'histoire de la vie et aux rites où elle s'incarne dans le quotidien.

Lou Mas del Aire, juillet 1999.

---

5. *Tao Te King*, chap. 18 et 19, traduction Claude Larre, Paris, Desclée de Brouwer, 1977.

6. Deux d'entre eux ont paru dans des revues : « Comment changer et en finir avec la psychologie ? » dans *Générations*, n° 8, 15 décembre 1996, sous le titre « La psychologie existe-t-elle ? », et dans *Filigrane, écoutes thérapeutiques*, vol. 8, n° 1, printemps 1999, « De la demande et du désir de guérir », sous le titre « Seuls les poètes ».

I

NARCISSE ET PSYCHÉ
OU L'ILLUSION DE LA GUÉRISON
PAR LA CONNAISSANCE DE SOI

L'histoire racontée par Ovide dans ses *Métamorphoses* est bien connue. Liriope, la mère de Narcisse, vient interroger l'oracle pour savoir si son fils verrait son existence se prolonger dans une vieillesse avancée. L'oracle dont les réponses sont infaillibles fait connaître son verdict : « S'il ne se connaît pas », « *Si se non nouerit* ». La condition pour atteindre à l'âge de la sagesse est donc posée : ne pas se connaître, surtout ne pas savoir qui l'on est, car ce savoir équivaut à un arrêt de mort. « Longtemps ce mot de l'augure parut vain ; il fut justifié par l'événement, par la réalité, par le genre de mort de Narcisse et par son étrange délire. » Ovide veut donc nous avertir que nous ne pouvons pas lire ce qu'il en advint de Narcisse, la fascination mortelle de sa propre image dans le miroir de l'eau, sans le mettre en rapport direct avec le propos de l'oracle : « *Si se non nouerit.* » L'autoconnaissance est fatale. Et voici, immédiatement après, l'explicitation du moyen terme, de ce qui lie inexorablement l'autoconnaissance et la mort : « Chez beaucoup de jeunes gens, chez beaucoup de jeunes filles il faisait naître le désir ; mais sa beauté encore tendre cachait un orgueil si dur que ni jeunes gens ni jeunes filles ne purent le toucher. » « *Nulli illum juvenes, nullae tetigere puellae.* » Notation capitale : celui qui ne veut être touché ni

19

par les jeunes gens ni par les jeunes filles, parce qu'il veut se connaître, est un individu sans corps. (« Oh ! que ne puis-je me séparer de mon corps », « *O utinam a nostro secedere corpore possem* ».) Il est déjà frappé de mort.

En contrepoint l'histoire de Psyché, telle que la raconte Apulée également dans ses *Métamorphoses*. Psyché est une jeune fille dans l'éclat de sa beauté, à l'égal de Vénus. Et cependant ni roi, ni prince, ni même homme du peuple ne demandent sa main. Apollon, consulté par son père lui enjoint d'exposer sa fille sur un rocher au bon vouloir d'un monstre cruel. Au milieu des pleurs et des lamentations, l'oracle est exécuté. Bientôt le rocher se transforme en jardin. Psyché est entourée de servantes qu'elle ne voit pas, mais qu'elle peut entendre. Après un repas de rêve elle va se coucher. Dans la nuit elle est approchée par un mari inconnu. « Il est monté dans le lit, a fait de Psyché sa femme et, avant le lever du jour, est reparti en hâte. » Les choses allèrent ainsi pendant quelque temps. Psyché goûtait la douceur de cette présence « et le son de la voix mystérieuse consolait son abandon ». Le mari, qui n'est autre que Cupidon, c'est-à-dire Éros, apparaît la nuit et disparaît avant qu'elle ne s'estompe. Les mains peuvent le toucher et les oreilles l'entendre. Mais jamais il ne doit être vu. Amour a maintes fois prévenu Psyché de ne pas chercher à connaître son visage : « Si tu le vois, tu ne le verras plus », « *Non uidebis si uideris* ». Poussée par deux sœurs perfides, Psyché s'est munie d'une lampe et, lorsque Cupidon est endormi, elle l'éclaire et contemple la beauté de son corps. « C'est ainsi que, sans le savoir, elle se prend elle-même à l'amour de l'amour », « *Sic ignara Psyche sponte in Amoris incidit amorem* ». Mais voilà qu'une goutte d'huile tombe sur l'épaule droite de l'amour. « Le dieu, sous la brûlure, bondit, et quand il vit sa foi trahie et souillée, il s'arracha aux baisers et aux embrassements de sa malheureuse épouse et s'envola sans mot dire. » Il n'y a plus d'amour, mais seulement la terrible vengeance de Vénus. Psyché retrouvera les faveurs de Cupidon, mais elle devra traverser de redoutables épreuves : trier des graines, ramasser de la laine de moutons sauvages, descendre aux Enfers. C'est-à-dire, ordonner l'éparpillement, amener la violence à la douceur, surmonter la menace et la peur de la mort.

Narcisse, la passion du regard et de la vue. Psyché, la méfiance du regard et de la vue.

Psyché. Cet unique mot grec dans le texte latin d'Apulée nous invite à reprendre à son sujet la tradition qui le porte. Psyché, c'est l'âme bien sûr, mais l'âme comme souffle vital, comme principe de vie ; elle est celle qui anime le vivant, qui fait que le vivant est un corps animé. Son moteur, nous dit Aristote, c'est le désir, *epithumia*, déjà quelque chose d'Éros, quelque chose de l'amour. Psyché n'a pu trouver aucun homme, aucun prince, aucun roi pour la contenter. Il lui a fallu attendre l'amour lui-même, le *cupido* latin. Mais ce mot ne nous dit plus autre chose que les enfants grassouillets du baroque ou des peintures de Boucher. Il faut l'appeler amour ou Éros avec les connotations que ce terme a dans notre langue sous les traits de l'érotique ou de l'érotisme. Le psychique, c'est l'amour qui n'a que la seule fonction d'animer, de rendre vivant, plus vivant le vivant. Sans psyché il n'y a que le cadavre, ce qui n'est plus ni animal ni humain. Mais, sans corps, il n'y a pas de psyché et pas davantage de psychique et de psychisme. Psyché n'est pas le corps, mais toujours quelque chose du corps. C'est encore Aristote qui le dit. Il n'y a pas de psyché qui ne soit tournée vers le corps, qui existe sans corps. Elle est toujours orientée vers le dehors, vers l'extérieur, vers le monde. Elle ne peut exister, elle ne peut avoir de consistance que si elle se manifeste dans et par un corps. Et nous ne pouvons la saisir, la connaître et la comprendre que sous les traits du corps animé. L'âme, la psyché, le psychique ne se connaît jamais lui-même.

Psyché ne peut pas voir, parce que le voir suppose la possession. Mais on ne possède pas l'amour, parce qu'on ne possède pas le souffle vital. On peut seulement en être habité. Si on le connaît, ce ne peut être que dans son altération corporelle, que dans son détour ayant pris corps. La vue de l'Amour, la vue de Psyché qui se regarde dans l'amour, la vue du psychique ne peut que se terminer fort mal. À la vue de l'Amour, Psyché est prise d'une folle envie de se rassasier, « elle se penche sur lui et le dévore de larges baisers passionnés ». Et c'est alors l'éveil et la disparition. Elle ne s'est pas contentée de regarder, car le voir engendre immédiatement le besoin de dominer et la domination à son tour se prolonge en dévoration. C'est donc le voir qui dans sa logique annule et éclipse. Le souffle vital ne peut subsister que dans la nuit, parce qu'il ne se tient jamais en lui-même indépendamment de ce qu'il anime. Interdit à la connaissance, interdit à la vue, c'est tout de même.

Comment pourrait-il voir et, bien moins encore, se voir ? À moins de tomber dans l'amour de l'amour, « *in amoris incidere amorem* », c'est-à-dire dans la résorption absolue, dans l'autoannihilation radicale. Narcisse, ena-mouré de son amour, se consomme et se consume. Son âme a dévoré son corps en se retournant sur elle-même. Il a voulu connaître sa psyché, et pour cela il a voulu la voir. Il dit : « Si seulement je pouvais me séparer de mon corps. » Mais la chose est déjà faite par la courbure de l'image qui le fait revenir à lui. « Je brûle d'amour pour moi. » « J'allume la flamme que je porte en mon sein. » Une flamme qui le brûle, le dévore et le consume. Voir est la condition du connaître. Connaître le souffle qui anime, c'est vouloir le saisir sans égard pour ce qui est animé, dans l'irrespect du corps animé par le souffle, c'est négliger ce corps et le désanimer, c'est déjà le considérer comme un cadavre. « *Perque oculos perit ipse suos* », « Il meurt victime de ses propres yeux ».

Ainsi donc l'amour, le souffle vital, la vie, le désir, Éros ne peut être vu ; il peut seulement être touché et entendu. Mais d'abord le toucher. Pourquoi Psyché peut-elle sans limite toucher l'Amour et pourquoi la consumation de Nar-cisse est-elle scellée par son refus d'être touché (« *nullae teti-gere puellae* ») ? Le toucher est ce qui fait exister le corps, l'animé de l'âme. Sans lui, nous dit Aristote, il n'y a pas d'être vivant qui puisse exister. Un vivant peut manquer d'ouïe, de goût, de vue, d'odorat, il ne peut manquer de toucher. Le toucher est l'indispensable nutrition de l'animé. Car le corps ne saurait subsister s'il n'est pas nourri du perpétuel contact avec l'environnement proche et lointain qui le définit. Nourriture parce que définition. Qu'est-ce qu'un corps animé, c'est-à-dire un corps tout simplement, si ce n'est une surface recouverte de peau, de poils, de fibres ou d'écailles tout entière en rapport avec l'extérieur et dont l'extérieur définit précisément les contours ? S'il n'y avait pas d'enveloppe qui enveloppe le corps, s'il n'y avait pas une autre enveloppe qui enveloppe la propre enveloppe du corps, il n'y aurait tout simplement pas de corps. Cette enveloppe nourrit le corps parce qu'en le circonscrivant elle le définit. Et cette enveloppe mobile, qui touche le corps tout entier, sans cesse accompagne le corps qui ne cesse de se mouvoir. Il suffit de ne pas oublier que le toucher ne se réduit pas à la possibilité pour la main d'appréhender, de tâter, de tester et de caresser. Car c'est tout le corps en son volume et en sa surface qui appréhende, tâte, teste et caresse, parce qu'il est continuellement touché par l'extérieur. Notre corps touche et se meut sans discontinuer, même dans le sommeil, sinon nous ne pourrions jamais nous éveiller. Vivant, le corps humain est touché et il est mû constamment, tandis qu'il touche et se meut. Il est toujours au monde.

La tradition, qui commence en Grèce, se poursuit au Moyen Âge et se perpétue dans quelques textes de nos temps, s'est interrogée sur l'organe du toucher. S'il n'est pas seulement le tact de la main, s'il est toucher du corps, c'est le corps tout entier qui est organe. Mais alors il n'est pas organe, il n'a pas d'organe, car l'organe est toujours une partie spécifiée du corps. Et s'il n'a pas d'organe, le toucher devient le fondement continu et permanent des autres sens. Il devient la sensibilité comme telle. Comme l'écrit Jean-Louis Chrétien, « il assure l'unité du corps, tout entier tactile, en le livrant au monde et à lui-même ». Et plus loin : « Les sens communiquent par leur commune appartenance à un unique corps que le toucher constitue comme vivant. » Il s'ensuit que la psyché est indissociable du toucher. « Puisque nous touchons avec tout notre corps, notre âme *est* l'acte de toucher[1]. »

Amour avait donc raison de prévenir Psyché : tu peux me toucher, mais non pas me voir, car me voir est mettre une distance excessive entre ce qui anime et ce qui est animé. L'âme tombe alors dans le gouffre qui sépare le regard de ce qui est regardé. Contrainte de revenir sur elle-même, elle se change en Narcisse qui sombre dans les flots. L'amour regardé est celui de l'illusion des amants qui rêvent de se fondre en un seul, amour qui voudrait que l'autre soit mon même, toute différence abolie, amour dévorant qui supprime l'altérité ; il voudrait en finir avec les corps qui ne peuvent que s'emboîter l'un dans l'autre, qui jamais ne peuvent fusionner quel que soit le feu qui les brûle. Le feu ronge la chair et change les os eux-mêmes en cendres. Au contraire Amour qui touche, âme qui est le toucher en acte, qui touche le corps et qui est le toucher du corps. Ces amours peuvent se rejoindre et subsister l'un dans l'autre, l'un par l'autre.

Et maintenant pourquoi la voix, pourquoi Amour peut-il se faire entendre à Psyché et pourquoi Narcisse ne peut-il ouïr de sons que provenant de sa triste Écho délaissée, pauvres petits bouts de fins de phrases tronquées ou déformées ? Parce que et en tant que Psyché est perméable à ce qui passe, ne cherchant pas à saisir et à garder, se laissant conduire d'heure en heure et, à l'opposé, parce que Narcisse veut posséder à jamais, le regard crispé sur son image et tendant ses bras vers lui-même. Si, entre l'œil et la main qui appréhende et comprend, il existe une proximité, c'est une proximité inverse qui relie le toucher du corps et la voix : tous les deux sont du côté du lâcher prise. Mais, alors que le toucher peut demeurer toujours lui-même parce qu'il est en dehors de lui-même, il faut que la voix disparaisse dès qu'elle s'est fait entendre. Elle ne dure pas et toutefois, comme elle

---

1. Jean-Louis Chrétien, *L'appel et la réponse*, Paris, Minuit, 1992, p. 128-129.

se fait selon son destin chant et musique, elle est la durée du rythme animant le corps jusqu'à la danse. Le toucher du corps lâche prise parce qu'il est vivant et que l'âme qui touche en aimant l'établit dans la confiance. La voix lâche prise en s'effaçant dès qu'elle a touché l'oreille et fait vibrer le corps tout entier. Elle n'a pas besoin de durer, car, de voix en voix, le silence lui donne un fond sur lequel sa trace, comme sur le sable, pourra marquer son pas et l'effacer.

Vous connaissez sans doute les sonates de Beethoven pour piano et violon, interprétées par Clara Haskil et Arthur Grumiaux. Je ne sais s'il existe plus parfait dialogue d'amour. Chacun prend sa place en soulignant la place de l'autre, chacun est un creux pour que l'autre vienne s'y étendre, il épouse les formes de l'autre et ne tient et n'élève la voix que parce que l'autre, loin de se cacher dans le convexe qui le définit, devient le concave de l'autre. Ils se suivent, ils s'approchent, ils se caressent, ils se soutiennent. Le piano s'entend encore quand le violon a repris et le premier n'a d'autre soin en jouant que de faire déjà entendre le retour du second. Jamais ils ne se séparent, le dire de l'un n'est que préparation au dire de l'autre, à sa mise en valeur, à sa meilleure présence, à sa plus grande beauté. L'un et l'autre sont tellement singuliers, à la pointe du meilleur d'eux-mêmes, que la singularité de l'autre n'a que s'y lover. Chacun dispose de l'autre, parce qu'il se dispose à l'autre. Écoutez les mêmes sonates interprétées par Casadesus et Francescatti. Deux virtuoses incontestables. Tout est parfait, mais l'essentiel fait défaut, comme si chacun semblait jouer pour lui-même. Si on ignorait l'autre version, celle de l'amour, celle de la voix qui ne retient pas, qui donne parce qu'elle est à sa plénitude, entièrement du corps entier par l'âme qui anime, on penserait que Narcisse a raison.

Changement de décor : Narcisse parmi nous. Il s'est déguisé en narcissisme. Que lui est-il arrivé ? Pour faire carrière dans notre culture, il a voulu se changer en concept. À l'inverse de Psyché, sa comparse en métamorphose, il n'en avait pas la carrure. Certes, sous nos yeux médusés, il y a bien eu, pour tenter de réduire la Psyché au Narcisse, la tentative audacieuse, comique ou ridicule, comme on voudra, d'un de nos brillants esprits. Dans une sorte d'introduction à un volume justement intitulé *Psyché*, il exécute un de ces tours de passe-passe dont il est coutumier. Citant Apulée dont la Psyché ne peut voir, il l'assimile à la psyché, grand et double miroir monté sur un dispositif pivotant. Et voilà : Psyché est devenue Narcisse. Je cite : « La femme, disons Psyché, l'âme, sa beauté ou sa vérité, peut s'y réfléchir, admirer ou parer de la tête aux pieds. » Contresens total, contresens voulu et répété par ce sophiste, mais contresens bien dans le vent, nécessaire pour que puisse se continuer l'illusion de notre culture selon laquelle plus on se regarde, mieux on se connaît. Et mieux l'on se connaît, mieux l'on existe et mieux l'on se porte. À nous, esprits déliés d'une culture individualiste exacerbée, Narcisse ne donne pas la nausée. Nous en raffolons. Il se pourrait cependant que cette réduction de Psyché à Narcisse ne soit pas pour tous tolérable. Pas besoin d'être méchant pour se réjouir de la fin de celui qui prend son corps pour de l'eau. Comme certains le pensaient de la ciguë de Socrate et de son désastreux *gnôti seauton*, si Narcisse a bu la tasse, c'est bien fait pour sa figure.

Mais j'oubliais ce pseudo-concept de narcissisme, affublé d'une livrée primaire, puis d'une secondaire. Narcisse premier se prend donc pour Psyché et il voudrait en faire l'office, celui d'assembler et d'organiser. Il dit pouvoir présider aux premiers élans du moi face au chaos, supposé caractéristique de l'univers du nouveau-né. Mais cette situation décrite comme originaire est doublement absurde. Il n'y a au début nul chaos, même pour le fœtus dans le ventre de la mère. Toutes les recherches sur la psychologie de l'enfant, qui s'étendent sur plus de trente ans, toutes les expériences rapportées par les éthologues, toutes montrent que le nouveau-né est capable dès la naissance d'organiser son monde, c'est-à-dire de différencier les choses et les personnes. Le fœtus lui-même après quelques semaines ne se soumet pas au rythme de sa mère ; il a sa manière à lui de structurer le temps, de s'approprier son corps et le milieu liquide où il se meut. Donc Narcisse, et son infatuation moïque, vient tirer des ficelles sur le vide. Il ne saurait mettre de l'ordre dans un chaos qui n'existe pas. C'est Psyché qui s'en charge en secret, animant le corps organiquement et organisationnellement, animant le corps déjà humanisé, introduisant dans un monde humain, qui sent, perçoit et discerne. Narcisse Ier – et c'est la seconde absurdité – ne saurait en aucun cas surmonter la confusion, puisqu'il est lui-même la confusion, puisqu'il se confond lui-même. S'embrassant lui-même, il perd toute distance, toute altérité et donc toute différenciation. Le Narcisse absolu, faussement représenté par César, Wallenstein ou Napoléon, le Narcisse qui n'aime personne et s'aime seulement lui-même ne peut être que confus, le principe de toute confusion, comme il se voit chez le dictateur paranoïaque, survivant d'une mise à mort généralisée.

Narcisse II, second ou secondaire n'a pas plus d'existence. En se prétendant l'amour, libido lui-même, Narcisse, face à l'objet, s'exclame : « Plus je grossis, plus il maigrit. » Ou se faisant théoricien et distinguant la libido du moi et la libido d'objet : « Plus l'une absorbe, plus l'autre s'appauvrit. » Propos consternants. Dans le monde humain, et lorsque Psyché, dans son débat avec Amour, travaille dans le secret de la nuit, il n'y a, il ne peut y avoir que réciprocité. Le rapport à soi et le rapport aux autres ou au monde sont corrélatifs. La formule serait donc : plus le moi absorbe, plus l'objet s'enrichit ou plus le moi s'appauvrit, plus l'objet disparaît. Dire que le toucher est le fondement de tous les sens et qu'il est indispensable à l'existence du vivant ne suggérait pas autre chose. Car nul ne touche s'il n'est touché, nul n'a un intérieur qui ne soit à chaque instant soutenu et supporté par l'extérieur. Il est amusant de voir les commentateurs du texte sacré tentant de sauver leur Narcisse. Ils nient et affirment, ils s'embrouillent dans des explications qui montrent à qui sait lire la vacuité du concept de narcis-

27

sisme. Narcisse Iᵉʳ n'a jamais pu sortir des contrées mythologiques et Narcisse II contredit l'expérience et se perd dans les brumes idéalistes.

Ce qui n'est jamais pris en compte, c'est Psyché animatrice du corps. Car il existe une subjectivité préégoïque, une sensorialité bien en place précédant la constitution d'un moi, une possibilité d'organiser les perceptions et les sensations toujours déjà à l'œuvre non seulement temporellement, mais structurellement ou topiquement, pour reprendre le vocabulaire consacré. Tout ce qu'évoque l'importance du toucher est bien la constitution d'un corps proprement humain, d'un corps organisé et animé par le souffle. Tant que l'on considère que l'être humain n'existe en tant qu'humain que par un moi capable de se dire et de se réfléchir, Narcisse peut sembler remplir une fonction. Mais alors il faudra supposer un corps organisé biologiquement, sans l'être psychiquement, un corps abandonné au chaos des pulsions et soumis à l'énergie déliée. Ce ne serait pas véritablement un corps et bien moins un corps humain toujours déjà capable du discernement de l'esprit, discernement impossible sans le toucher universel d'un corps.

Narcisse doit être exclu du psychisme en tant qu'il joue son rôle. Il ne saurait entrer dans le monde humain que sous le chef de la maladie, la maladie la plus typiquement humaine et la plus désastreusement humaine, celle qui fait sortir l'homme de son corps et donc du monde, en vue d'une réversion vers lui-même, c'est-à-dire d'une perversion de son statut. Le terme de narcissisme avait d'ailleurs été inventé pour décrire « un comportement pervers en relation avec le mythe de Narcisse[2] ». « *Spem sine corpore amat ;*

---

2. Jean Laplanche, Jean-Bertrand Pontalis, *Vocabulaire de la psychanalyse*, Paris, PUF, 1971, p. 263. Les auteurs du *Vocabulaire* sont très conscients de la difficulté de la conception freudienne : « Prise à la lettre, une telle conception risque tout à la fois de contredire l'expérience en affirmant que le nouveau-né n'aurait aucune ouverture perceptive sur le monde extérieur et de renouveler en des termes d'ailleurs naïfs l'aporie idéaliste, aggravée ici par une formulation "biologique" : comment passer d'une monade fermée sur elle-même à la reconnaissance progressive de l'objet ? »

corpus putat esse quod unda est », « Il se passionne pour une illusion sans corps ; il prend pour un corps ce qui n'est que de l'eau ». Le suprême de la perversion est peut-être de penser que le psychisme a une existence, qu'il y a une réalité psychique, que l'on peut connaître le psychisme, alors que c'est le corps psychisé qui seul existe.

Narcisse pense que guérir, c'est refaire le fonctionnement d'un psychisme, dont il serait possible de connaître au préalable les mécanismes. Psyché pense que guérir, c'est réapprendre à toucher et à être touché, pour faire ou refaire un corps et lui permettre de se mouvoir dans l'environnement. Car Psyché c'est toujours déjà le corps, et le corps c'est toujours déjà le monde. Guérir, c'est avoir un corps par la sensation et le dire, le dire de la sensation bien sûr. Sentir pour l'humain est déjà l'avoir dit, car on ne sent que dans une culture et avec les mots et les façons d'être d'une culture. Pour que ce soit le corps qui sente, il faut qu'avant la distinction des cinq sens, il y ait la transmodalité, ou le sens commun, et qu'avant le sens commun il y ait tout le corps. Il faut qu'en exercice nous refassions le chemin inverse de notre culturation. Il nous a fallu oublier le corps nu dans le liquide amniotique (*cf.* le plaisir inégalable de nager totalement nu dans l'eau, sorte de corps à la peau continue, sans orifice), puis le corps qui transmodalise ses sensations avec la plus grande inconscience, puis la découverte distincte des cinq sens.

Impossible de ne pas croire un instant d'abord que l'on va pouvoir se guérir en se connaissant, en sachant pourquoi. Mais, à ce jeu, se brûler si fort *(uror amore mei)* que jamais plus on ne s'en avise. Car on sait maintenant d'expérience que « se connaître, comme l'écrivait Bernanos, dans la préface des *Grands Cimetières sous la lune*, que se connaître est la démangeaison des imbéciles ». Pourtant il y aura encore et toujours la cohorte de ceux qui recommencent, qui n'en ont pas assez de s'être brûlés et qui peu à peu se consument dans la tristesse, la dépression et bientôt la mélancolie sans fond.

Champions de la plainte, les Narcisses ferment les yeux à ce parcours fatal et tentent de justifier par une répétition inlassable la direction erronée qu'ils ont prise. Ils pensent soulager la souffrance qui s'exhale de leur recherche folle, alors qu'ils s'enferment dans ce dont ils prétendent sortir. Il n'y a plus d'issue pour eux que l'appel à la pitié ou à la compassion. Les plaintes qui se prolongent au-delà de la décence d'un chagrin ou d'un deuil se développent comme un cancer qui va tout dévorer, parce que, au lieu de se multiplier comme les cellules à la naissance, elles prolifèrent sur le vide de l'intérêt pour soi.

Ainsi les amours qui ne se peuvent sont faits par leur plus grand côté des amours de soi. Les amours possibles sont de l'autre bord. Ils sont ce soutien qui se soutient de soutenir, ils se forment parce qu'ils informent les multiples formes des détails de la vie, ils suivent les méandres infinis d'une douce pente. Ils ne craignent rien, puisqu'ils sont le réel même. Nulle répétition ne peut en sortir, puisque la vie qu'ils épousent ne cesse de les faire inventer. Mais Psyché tiendra-t-elle plus que quelques nuits ? Elle veut voir, et par là donne à Narcisse de nouvelles chances de se mourir.

II

LA MANIPULATION THÉRAPEUTIQUE
OU COMMENT RÉANIMER LE CORPS

Il y a de nombreuses années, je me suis trouvé rendre visite à un enfant qui se faisait soigner pour une faiblesse des os. J'ai vu opérer dans cette clinique de Berck un véritable artiste. Périodiquement il devait refaire le plâtre d'une jambe pour soutenir la fragilité de ce membre qui s'était tordu sous le poids du corps et en même temps pour rectifier la courbure malencontreuse. Il lui fallait se conformer à la déformation, l'épouser en quelque sorte telle qu'elle était, telle en effet qu'elle n'aurait pas dû être, et à la fois très légèrement, c'est-à-dire très peu à chacune des séances, rétablir la forme de la jambe, celle commune à tous les garçons vigoureux. Il passait et repassait tout au long sa main, pleine d'un enduit qui allait bientôt sécher. Déjà il dessinait dans l'espace le rétablissement total, mais il ne l'effectuait pas encore. Le mouvement de son bras et de tout son corps semblait se soumettre au défaut, mais c'était pour le corriger imperceptiblement. Par cette sorte de danse, la plus subtile et la plus ferme, ce médecin m'avait montré, sans que j'aie pu jamais l'oublier, ce que pouvait être le rapport d'un corps humain à un autre corps humain, le travail d'une main qui ose remodeler la vie et qui pourtant demeure une caresse, un mélange de respect, de douceur et d'audace.

Au sens premier, c'est cela que désignait la manipulation : l'usage de la main pour opérer sur quelque substance. Qu'est-il arrivé pour que la manipulation puisse évoquer une manœuvre malhonnête, les manipulations électorales, la manipulation des foules, de l'information ou de la bourse ? Comment la manipulation, préposée jusqu'alors à décrire le travail du chercheur et de l'artisan, a-t-elle pu, pour s'y pervertir, s'étendre au domaine du politique ? Probablement le terme s'est encanaillé lors de son séjour dans cette branche de la prestidigitation qui repose sur la seule habileté manuelle. Les doigts prestes du magicien, créant les illusions qui nous fascinent, ont dû réveiller dans les esprits le souvenir des puissants qui mettent les foules en marche vers des mirages et dont les discours et les opérations frauduleuses se parent un temps des attraits de l'efficace et du vrai. Dans le laboratoire, les mains opéraient ce que déjà leurs mouvements signifiaient dans leur visée. Tout entières elles étaient commandées par ce qu'elles devaient accomplir. Or voici venu le temps, temps qui n'a pas commencé hier, où des humains jouent de leurs doigts, de leurs phalanges et de leurs poignets pour détourner le regard de ce qu'ils effectuent en secret à leur seul profit. Captivés par les gesticulations en tout genre, les yeux ne peuvent apercevoir les combinaisons réelles qui s'exécutent. Un double usage des mains se dessine, ou plutôt un usage à double face, à double fond, comme le sont les valises des contrebandiers. Les mains humaines capables de mentir, d'attirer sur des mouvements visibles l'attention qui se détourne alors de faits ou d'actions pourtant manifestes. Peut-être nous laissons-nous éblouir pour n'avoir pas à regarder.

Manipulation aurait donc deux sens. L'un favorable qui renverrait à l'usage de la main en chimie, dans l'artisanat, dans l'art, et donc aussi dans l'art de guérir, l'autre défavorable qui aurait d'abord sa référence dans les manœuvres d'ordre politique. Favorable le mot aurait été entendu de manière littérale, défavorable il devrait être pris dans un sens figuré ou métaphorique. Dans le premier cas on touche avec la main de façon prolongée, on n'hésite pas à montrer comment travaille sa main et comment le corps entre en jeu dans une continuité naturelle et transparente. Dans le second cas, celle des manipulations économiques ou politiques, on est contraint d'imaginer un tricheur qui opère, comme l'on dit, en sous-main : c'est-à-dire sous la main visible une autre main cachée.

Cependant, les deux sens, favorable et défavorable, ne recouvrent pas la distinction entre littéral et figuré. Car le sens figuré recouvre un sens littéral. Quand on ne voit pas ce qu'accomplit la main, elle est cependant à l'œuvre. Lors des manipulations politiques ou économiques, il y a encore une manipulation au sens premier du terme ; il y a, par exemple, une main qui met quelques gros billets dans une enveloppe, qui fait un petit voyage avec cette enveloppe en main et qui la dépose, selon la légende, dans la main très sûre d'un banquier suisse. Quand on parle de manipulations électorales, on pense que ce terme est une métaphore. Mais il y a là beaucoup de manutentions, celle des bulletins de vote, celle d'inscrire sur les listes électorales des votants fictifs, celle de signer de faux rapports des voix. Et les manipulations boursières elles-mêmes se terminent au moins sur des lignes d'ordinateurs qui nécessitent des mains qui frappent sur un clavier pour faire lire sur l'écran les modifications. Toutes les rumeurs qui font les coups de bourse, il faut bien qu'à un moment ou à un autre une main les transcrive et leur donne quelque apparence.

Mais, voici qui est capital, ces mains sont-elles encore des mains humaines, tant elles en viennent, dans leur pauvreté gestuelle, à ressembler aux appareils qu'elles activent ? Les mots et les chiffres ne sont plus habités par une écriture personnelle. Il n'y a même plus parfois de manipulation de la marchandise ; elle peut demeurer dans quelque entrepôt et voyager par satellite, pour changer de cours, d'Europe en Amérique avant de repasser par l'Asie. La marchandise peut être ignorée, morte ou avariée. Ce ne sont donc pas les termes de littéral et figuré, de favorable et défavorable, de mélioratif et péjoratif qui rendent compte de la distinction des deux sens du mot manipulation, ce sont les termes de vivant et de machinique, d'humain ou de fabriqué. Il y a, pourrait-on dire, non pas deux sens du mot manipulation, mais deux façons opposées de la comprendre et de l'utiliser. Dans un premier cas les corps sont à l'œuvre par l'intermédiaire des mains, dans le second cas les corps humains sont transformés en machine.

D'un côté donc la foule qui se laisse manipuler par les slogans et les vociférations d'un orateur fanatique ; cette foule, on peut la dire composée de robots qui ne pensent plus leur existence, mais qui sont pensés par un autre. D'un côté, le peuple qui ne ferme pas ses oreilles à la lâcheté ou à la suffisance et qui est déjà un organisme désarticulé, un cadavre que l'histoire va balayer. Ou encore l'individu à la recherche d'un maître qui déciderait à sa place, ou d'un guide qui le dispenserait de la fatigue de trouver sa propre voie ; un individu déjà transformé en mécanique. Lorsque la manipulation est attendue, parfois revendiquée ou exigée, il est naturel que le non-humain du robot ou de la machine conduise à l'inhumain de la barbarie.

De l'autre côté, du côté du vivant, la manipulation toutefois n'est pas purement et simplement heureuse, car la main qui sent la déformation l'accompagne un moment pour mieux pouvoir la reformer. Il y a donc, inclus dans cette manipulation favorable, quelque chose d'un forçage, d'une pression ferme inévitable. Il s'agit en effet de contre-carrer une errance, de détourner de la voie coutumière en vue d'ouvrir une autre voie. Le vivant qui est là ne saurait continuer à se détruire, il faudra bien le bousculer, le provoquer, l'inciter. Nous devons donc nous rendre à l'évidence : la manipulation qui tend à susciter une vie plus ample et plus intense est inséparable d'une certaine contrainte et d'un appel à la soumission obligée. Pour tout dire, la vie qui se pointe à l'horizon ne saurait aller sans un arrachement des habitudes paralysantes, sans un passage par la mort. Et cela, quels que puissent être l'art ou la subtilité du gouvernant, de l'éducateur, du thérapeute. Nous entrons donc dans le domaine où la manipulation la plus favorable rejoint les traits de la manipulation au sens péjoratif. L'élan de la vie inclut le risque du mortel.

Un jour, dès la première séance, par des chemins qui seraient trop longs à décrire, tout s'est passé comme si, à cette femme, sa propre existence, confisquée jusqu'alors par l'entourage, avait été rendue. Il s'est ensuivi une période où la possibilité du suicide était permanente. Sous les strates fossilisées, j'avais perçu une source intacte que j'avais imprudemment libérée. Les psychiatres savent bien que rien n'est plus dangereux pour un patient qu'une amélioration décisive. Lorsque la vie pénètre à flot dans un organisme sclérosé, elle risque de le tuer, comme il arrive aux vieillards qui ne supportent pas la poussée du printemps.

Certains pensent que la manipulation est toujours détestable, qu'elle manque de l'élémentaire respect de la personne, que, derrière elle, se profilent tôt ou tard les abus de pouvoir, les débordements des intégristes et même les horreurs communes aux fascisants. Pour conjurer définitivement ces excès, on propose, en psychothérapie, par exemple, non seulement de ne pas toucher, mais de ne pas voir, non seulement de ne pas voir, mais de ne pas parler. Un silence lointain et détaché nous conduirait à la perfection du respect. Il serait garanti par la non-intervention. Moins on en dit, moins on en fait, moins on participe, et plus on aurait de chance de laisser intact la sacro-sainte liberté du patient.

Cette position ne paraît guère tenable. Comme si le retrait, la distance, l'évitement mettaient à l'abri de la manipulation frauduleuse, comme si de telles attitudes n'étaient pas au contraire la manière la plus retorse et donc la plus irrespectueuse de se donner bonne conscience tout en pesant lourdement sur l'interlocuteur. En psychothérapie, comme dans toute relation humaine, on ne cesse jamais de manipuler, c'est-à-dire directement ou indirectement de vouloir influencer le partenaire. Dès que l'on parle, dès que l'on fait un geste, on impose son propre point de vue et on met tout en œuvre pour qu'il soit non seulement entendu, mais accepté. Et si l'on ne parle pas, si on se replie dans le silence, il y a fort à parier que l'on essaie alors de devenir invulnérable, que l'on veut éviter le risque de dévoiler son ignorance, son incompréhension ou sa sottise. On prétend préserver le respect, on y manque par la rigidité de la mise à distance.

La manipulation est toujours une réponse, la pire comme la meilleure, car elle doit tenir compte de la situation singulière de l'interlocuteur pour tourner ses résistances et introduire subrepticement de quoi changer le cours de sa vie. Selon le modèle fourni par le médecin de Berck, la manipulation est une réponse à double fond : elle accepte ce qu'elle se charge de refuser. Le thérapeute reçoit le symptôme et il laisse son corps s'en imprégner pour en reproduire en lui les exacts contours. Mais ce n'est là qu'une feinte, car il va en sous-main se mouvoir dans le dialogue afin d'utiliser ce symptôme comme ingrédient de l'harmonie qui n'est pas encore. Ce geste double, il ne le fait pas une fois, il le répète à chaque réplique du comportement, des manières et du langage de l'autre.

Voici entre beaucoup un exemple de dialogue que l'on doit supposer se dérouler avec la lenteur impliquée par la multiplication des silences. Une jeune femme se dit bloquée dans ses relations avec ses proches. Elle vit dans la peur d'être agressée. Et naturellement se montre agressive, rejetant toute proposition. Je ne peux lui répondre que par une attention extrême et une détente prolongée de mes sens à la fois en alerte et libres. Je m'allège pour recevoir ses attaques et ses refus. Je n'ai nul espoir de réussir à la calmer. Puis je lui demande si elle peut imaginer que, un jour, ce blocage aura disparu :

– Si je surmonte ce blocage, j'aurai un châtiment.

– Mais qui donc voulez-vous châtier ?

– La pire chose que je puisse faire à mes parents, c'est de rester bloquée.

– C'est eux qu'il faut punir ?

– Cela veut dire que je suis dans la haine de mes parents.

– Cela veut dire que vous avez besoin de cette haine pour vivre.

– Serait-ce un besoin d'être méchante ?

– Essayez de vous réconcilier avec la haine et la méchanceté.

– Cela me fait penser à la psychose, je ne suis pas séparée de ma mère.

– Ne vous en détournez pas. En vous en détournant vous y fonceriez tête baissée.

– C'est l'horreur.

– Essayez d'entrer quelque peu dans cette horreur.

– Je ne peux pas.

– Trouvez une autre petite voie à vous. Faites sur ce chemin quelques pas.

– Un vrai chemin à la campagne. Je n'ai pas de repères.

– Trouvez la bonne position pour marcher. Vous êtes bien habillée, vous n'avez pas froid.

– Je n'arrive pas à me sentir en train de marcher. Je suis en été, en short, un chemin sans arbre.

– Continuez tranquillement.

– Cet été avec mes enfants ou des balades avec ma mère. (À ce moment je me dis que nous allons retourner dans la haine et que j'ai perdu. Mais je laisse faire sans effort, amusé par cette haine qui ne me semble pas tout à fait sérieuse.) Elle reprend :

– Non, avec une amie qui ne prenait pas les sentiers battus. Un jour, on ne retrouvait pas le chemin, j'avais peur, je ne lui faisais pas confiance, bien qu'elle ait été du pays.

– Est-ce que vous pouvez lui faire confiance ? Regardez comme elle est sereine.

– Je ne vois pas devant moi.

– Vous la sentez tranquille ?

– Oui.

– Elle sait, elle est perdue, mais elle va se retrouver.

– C'est exactement ce qu'elle disait (elle ferme les yeux).

– C'est merveilleux une fille qui peut se perdre et se retrouver.

J'interromps ce dialogue. Il n'était là que pour montrer comment peuvent s'entrelacer les propositions et les réponses et comment les réponses engendrent d'autres propositions. Si du moins on se laisse guider par le fil des répliques sans crainte de ses propres dires inadéquats, toujours prêt à prendre appui sur les dires de l'autre. Il est clair qu'elle avait senti ma tranquillité, bien que j'aie été perdu moi aussi, et elle avait réintroduit, sous les traits de cette amie, ma tranquillité malgré la perte des repères.

Si l'on voulait trouver un symbole du dialogue thérapeutique protéiforme qui ne stagne jamais, qui rebondit à tout propos, qui, délaissant une voie, en invente une autre, qui profite des moindres failles pour se faufiler parmi les défenses, qui joue sans cesse, qui leurre et découvre, il faudrait sortir dans les rues de Naples. La circulation y est fabuleuse, extravagante, éblouissante. Les mouvements des voitures ou des deux-roues ne sont jamais commandés de l'extérieur par quelque règle ou quelque police. Vous ne verrez point les protagonistes marquer l'arrêt. Tous semblent passer en même temps au même point. Se jaugeant du regard, du klaxon ou de l'accélérateur, les Napolitains estiment avec exactitude comment le voisin ou le vis-à-vis va réagir, dans quelle direction et à quelle vitesse il va se déplacer. Tout bouge dans une réciprocité à laquelle le non-initié ne peut prendre part et qui devient pour lui un danger. Les quelques feux rouges parsemés dans la ville sont autant d'aberrations tombées d'une autre planète. S'y fier relève de la plus téméraire imprudence et prouve que l'étranger a voulu se préserver du ballet généralisé par des lois rigides importées, alors qu'il faudrait se fondre dans la souplesse, l'aisance, l'audace de ces trajectoires concertées. En vérité ce sont des corps vivants et non point des machines qui circulent.

Puis-je vous proposer un autre modèle de manipulation thérapeutique ? Glenn Gould invite Yehudi Menuhin à jouer quelques sonates pour piano et violon, et il le manipule de façon éhontée. Ce saltimbanque de Gould se promène dans la partition de Beethoven avec une liberté et, pour tout dire, avec une impertinence qui confine à la trahison. Il est habité par une telle connaissance de la musique et par une telle force que Menuhin finit par se laisser convaincre. Mais, pour pouvoir se laisser faire et répondre et faire rendre son instrument, Menuhin a dû puiser à l'extrême pointe de sa virtuosité. S'il veut entrer quelques instants dans la désinvolture de Gould, il lui faut aller au-delà de sa maîtrise en ce lieu où il va retrouver tout ce qu'il est, en ayant abandonné tout ce qu'il croyait être. Au cours de l'adagio espressivo il est manifestement irrité, comme s'il disait : « Mais enfin, monsieur du piano, un peu plus de sérieux et de respect, c'est tout de même Beethoven ! » Au scherzo il ne s'en laisse pas moins contaminer par la fabuleuse intelligence de Gould et le voilà parti, dans l'adagio suivant, à danser avec son insolent compère. Il est sorti de ses propres idées, non pas en négligeant ses dons, mais en les surpassant. Transmutation facilitée par le plaisir que prend Gould à soutenir avec discrétion cet extrême talent qu'il admire. Quelle présence des mains, des oreilles, des corps qui entrent en vibration dans le dialogue !

Ces apologues nous invitent à insister sur le fait que les dialogues thérapeutiques ne se déroulent jamais sur le seul registre de la parole. Le dire, en effet, ne va jamais seul. Des chercheurs ont filmé différents types de conversation. Le ralenti montre clairement que des interlocuteurs, en apparence immobiles, accordent peu à peu les déplacements de leurs corps pour entrer dans un rythme commun. Impossible de s'entendre si l'on renonce à danser ensemble. De même, la caméra peut constater, lorsqu'un enfant prend le leadership dans un groupe scolaire, que tous ceux qui l'écoutent partagent peu à peu les mouvements de sa main, de son bras, de son buste et de ses jambes.

Des thérapeutes en ont tiré la conclusion que, pour entendre un patient, il était bon d'adopter sa posture et tout spécialement son rythme respiratoire ; ou bien, pour rompre un dialogue qui s'enlise, il suffisait de ne plus entrer en correspondance par les gestes élémentaires ou d'en effectuer d'autres à contretemps. À l'inverse, vous pouvez faire aisément l'expérience suivante : s'il vous arrive de trouver le mot propre qui qualifie à cet instant l'état du patient, vous voyez celui-ci chercher et trouver une position de son corps plus conforme à sa réponse aux paroles formulées. Il ne lui est pas possible de penser avec justesse sa situation dans son monde, sans que le corps s'adapte à cette justesse.

Le rappel de ces évidences permet d'ouvrir le chemin de la manipulation thérapeutique dans d'autres directions. Tel homme, par exemple, ne peut pas se détacher de la blessure causée par une injure continue de son enfance ; il s'est installé dans une plainte meurtrière et, comme cela est toujours avec la plainte, il se condamne à ne plus se mouvoir. Il ressasse indéfiniment les mêmes griefs à l'égard des mêmes personnages, il cherche auprès de chacun une considération qu'il n'a pas connue, mais par ailleurs il est incapable de la recevoir puisqu'il n'a pas eu l'occasion d'être modifié par l'estime et d'avoir forgé en lui les ingrédients nécessaires au recevoir. Le voilà donc pris entre deux murs contre lesquels il se cogne. Route barrée qui va nécessiter un détour, le détour le plus long possible, celui qui passe par l'abandon de son problème. Il est comme un enfant qui s'énerve de plus en plus à la recherche du sommeil et auquel on raconte une histoire qui le mène à se quitter pour pénétrer dans le vaste monde de la nuit. À cet homme traqué, il va falloir faire perdre la tête pour que son corps entre en jeu, lui parler de la marche qu'il aime à pratiquer, de l'appui à prendre, pas après pas, sur ses pieds, de la quête de son centre de gravité, de son installation dans ce centre, du balancement de tout son corps autour de ce centre, de l'espace qu'il parcourt. Inviter quelqu'un à faire maintenant, assis dans ce fauteuil, les gestes que ces mots suggèrent peut paraître manipulation ridicule. Elle a cependant pour avantage de détourner l'attention d'une blessure qui demeure inguérissable si l'on s'obstine à y penser. Cette manipulation, qui semble faire fi du respect pour cet homme, parce qu'elle se désintéresse de sa souffrance, peut cependant atténuer son mal, car il souffre de son obstination à souffrir à nouveau cette injure pour en attendre réparation. Cette dernière n'aura lieu que si, ne cherchant plus à demander des comptes et à vouloir régler des comptes, il remodèle son rapport au monde en réanimant son corps, c'est-à-dire sa vie propre.

Comment décrire encore, d'une autre manière, cette manipulation dont je tentais de donner au début une métaphore à travers l'image de ce médecin qui remodelait les jambes ou les bras ? Je suis de plus en plus persuadé qu'il ne s'agit pas de métaphore. Il y a quelque temps une femme est arrivée après une interruption de quelques semaines dans un état de crainte extrême, visible dans ses yeux et dans sa façon de se recroqueviller. Il n'était pas question de la brusquer et même pas de lui proposer une extension de son corps. Je me suis efforcé de l'entourer, de tracer autour d'elle un cercle protecteur. D'une part en pesant pour moi-même de tout mon poids afin de donner à ma présence une assurance sans faille, une absence d'angoisse, une confiance élémentaire, naïve, simpliste, résumées par le fait que j'étais bien là et que je pouvais attendre. D'autre part en me laissant aller à des gestes à peine visibles, mais pour moi suffisamment clairs qui entouraient la personne de façon à la mettre à l'abri de toute agression. Cette femme était à ce point fragile que l'usage de mes mains, accompagné des paroles les plus sobres, devait être d'une précision parfaite ; aucune mollesse, mais non plus aucun tremblement. Je savais, pour l'avoir expérimenté à mes dépens, que le plus petit geste de moindre adéquation serait utilisé par elle pour accentuer sa souffrance.

Après avoir ainsi créé et maintenu cet environnement dans lequel elle pouvait se situer sans panique, je me suis permis de lui proposer un léger déplacement de sa main ou, si c'était trop, d'un doigt afin de mieux se disposer dans son existence. Après de nombreuses tentatives infructueuses, je lui demandai si elle pouvait seulement imaginer que son doigt ou sa main s'orientait favorablement. Tout ceci a été effectué avec une extrême lenteur et, après un long temps, ses yeux et ses paroles ont montré que la panique avait disparu. L'immense plainte qui montait de tout son corps sans pouvoir cesser a fait place à quelque paix.

Ce jour-là, j'ai compris que ce qui déterminait la réussite ou l'échec résidait dans l'intensité de la présence en geste et en parole, dans la fermeté et la précision des postures et des mots, c'est-à-dire la participation aux mouvements réciproques. Ce qui réclame un investissement à la fois tranquille et total, dénué de crispation, indifférent à la réussite.

Si je m'obstine à vouloir décrire, péniblement sans doute, une telle expérience, c'est qu'elle est au cœur même de notre travail. Nous savons et nous disons souvent que l'essentiel d'une psychothérapie réside dans la qualité de la relation. Mais, après avoir dit cela, nous restons cois. Or il me semble de plus en plus évident que cette relation si difficile à saisir est une affaire d'espace et de mouvement dans l'espace. Les paroles n'étant là qu'à titre d'épiphénomène et d'accompagnement. Il s'agit d'un espace fait de danse et de musique, comme il a été déjà suggéré par les apologues de la circulation napolitaine et de la sonate de Beethoven. Les gestes élémentaires que nous ne cessons de produire, les paroles modulées par la voix créent un espace de correspondance et d'harmonie qui préfigure l'intégration du symptôme, et donc sa disparition, dans une totalité vivante. Nous pouvons danser comme des singes et chanter faux, alors il ne se passe rien. De temps à autre, je dis bien de temps à autre, laissant les dieux nous inspirer, nous atteignons au sommet de notre art dans la plus grande sobriété de moyens. Il s'ensuit une efficacité de notre danse et de notre chant qui prend des allures de magie. Pourtant il n'y a là rien de magique, il n'y a même pas à faire appel à une énergie ou à la transmission d'une vertu mystérieuse, il y a simplement à considérer les échanges qui se tissent dans un espace habité par le rythme et qui multiplient, sans la moindre usure, les forces mises en jeu. L'*aïsthésis* des sensations devient l'esthétique de la beauté.

Le thérapeute qui manipule est à la recherche d'une forme capable de changer en une totalité vivante un corps, dont les membres étaient épars. À l'instar du médecin qui remodèle des jambes et des bras en traçant dans l'espace des figures qui ne sont pas encore, mais qui déjà se profilent, le thérapeute, en tant que et dans la mesure où il est lui-même animé par la vie, va dessiner, grâce à l'accord dans lequel il est entré, la figure de demain susceptible de faire accéder l'interlocuteur à l'unité de son corps propre.

Que signifie être vivant ? Qu'est-ce que cette forme à transmettre ? Un vivant est un corps organisé par une forme qui le projette comme corps dans un environnement auquel il doit s'adapter. Par l'intermédiaire des sens, ses mouvements déterminent son rapport au milieu, qui à son tour le détermine ; alors qu'il marque ce milieu de son action, il n'est que la résultante des mouvements qui s'y produisent. S'il en est bien ainsi, pour redonner vie au patient ou pour faire cesser sa plainte, le thérapeute va devoir se retirer au centre où pour lui cette forme est à l'œuvre et de là aiguiser ses sens au point de se rendre adéquat à tous les aspects de la présence de l'autre. Le centre vital est atteint par le parcours de la totalité de l'espace. Il crée ainsi le milieu ou l'environnement auquel le patient, comme vivant, est fait pour s'adapter. À ce contact du thérapeute présent et pressant qui l'entoure de toutes parts, le patient sera invité à réagir en activant sa propre sensorialité et, par là même, à faire appel à la forme propre de son corps vivant. De patient il deviendra l'agent de sa propre existence.

Dans les années 1970, l'adaptation était considérée comme une aberration qu'il fallait éviter à tout prix. S'adapter à la société de consommation, même si les thérapeutes d'alors en profitaient sans état d'âme, était jugé comme un reliquat honteux de la bourgeoisie. On pensait qu'une thérapie ne pouvait que se mettre au service de la révolution. Ces naïvetés ne sont plus de mise aujourd'hui. L'adaptation du vivant à son environnement n'a rien à voir avec la soumission à l'idéologie dominante. Elle est réanimation du corps, et par là même réactualisation de son rôle dans le système actuel des rapports aux êtres et aux choses, elle est développement et déploiement de ses possibilités dans le réel où il est placé. Quelle que soit l'originalité de son parcours, l'être humain doit reprendre à son compte les impératifs de l'aventure qui a commencé avec l'apparition de la vie.

En ce sens, la manipulation réciproque, bientôt généralisée, c'est-à-dire, au bout du compte, le traitement d'un organisme dans les échanges que son corps humanisé peut entretenir avec l'entourage proche ou lointain, cette manipulation ne se distingue pas de la guérison. Elle est la guérison en acte. Toute manipulation réciproque et généralisée est en elle-même thérapeutique. L'individualisme occidental qui a cru découvrir l'existence d'un psychisme séparé et qui a voulu le soumettre à une cure spécifique a dû déclarer forfait. Si cette cure réussit, ce n'est pas pour les raisons que l'on met en avant, ce n'est pas par l'analyse des mécanismes intérieurs à ce psychisme supposé, c'est parce que la psyché, qui est le souffle vital, retourne au corps et à son environnement. Comme l'avait pensé Aristote, la psyché est quelque chose du corps[1], quelque chose de corporel, dont les organes sont les sens. Le psychisme séparé ne peut jamais se guérir. La guérison psychique – si ce mot a un sens – passe par la sensorialité, par son rétablissement, son élargissement, son épanouissement. Nous ne souffrons pas de réminiscences, comme on le pensait au début du siècle, mais de défaut de sensorialité.

Pour le thérapeute, l'effort indispensable à la pression

---

1. Aristote, *De l'âme*, traduction, notes et index par J. Tricot, Paris, Librairie philosophique J. Vrin, II, 2, 20, p. 79.

qu'il exerce en vue d'une transformation se change alors en plaisir. Nullement le plaisir d'avoir bien fait et moins encore le contentement d'avoir été assez malin pour trouver la solution, mais la seule joie de constater que la vie circule à nouveau et qu'elle reflue vers lui. Si le thérapeute ne s'inscrivait et ne se perdait lui aussi dans la relation, non seulement il ne découvrirait pas le moyen de sortir de l'impasse, mais il n'atteindrait pas à la modestie qui, comme chez Gould, laisse place à l'admiration face au surgissement de l'autre au-delà de ses limites.

La thérapie alors pourrait bien être comparée à l'édification d'un jardin chinois. « En son jardin, écrivent Pierre et Susanne Rambach, son domaine privé de longévité, l'homme chinois fait en sorte que soient visibles ou lisibles les traces du passage des énergies vitales, tout autant dans la composition des éléments naturels : l'eau, la pierre, la végétation, que dans les éléments fabriqués : pavillons, murs et ponts, socles et lattis. Ainsi l'homme en son jardin pourra se régénérer par les émanations d'énergies des éléments qui l'entourent[2]. » Dans ce contexte culturel, l'être humain n'est pas invité à dominer la nature, comme nous l'ont enseigné les premiers chapitres de la Genèse, mais à percevoir son sens et son cours, pour s'y introduire et en tirer profit. Un fleuve coule bien dans un sens, inévitable, le vent souffle bien dans un sens, imperturbable, les plantes grandissent bien dans un sens. La sagesse est d'y entrer et de s'y soumettre pour en capter la force. Or la thérapie n'est rien d'autre qu'un espace privilégié, composé comme le jardin chinois, pour faire jouer les énergies propres de la personne, celles qu'elle va pouvoir éveiller, celles qu'elle va recevoir de son univers proche ou lointain, celles déjà transformées par la présence discrète ou insistante du thérapeute.

Nous avons été séduits par la croyance en un sens de l'histoire, un sens donné une fois pour toutes et perçu par

2. Pierre et Susanne Rambach, *Les Jardins de longévité, Chine Japon*, Lausanne, Skira, 1987, p. 22.

quelque leader qu'il fallait suivre. Il y a bien un sens à l'histoire, à celle de chaque individu en ce monde. Mais il change à chaque instant comme le vent et parfois comme les fleuves qui sortent de leur lit pour n'y revenir plus jamais. Le sens constant, durable, assuré, c'est celui auquel il faut s'adapter tous les jours, parce qu'il est composé d'une multitude de sens qui arrivent de toutes parts vers le patient qui se dispose à les recevoir. Une longue patience, un apprentissage indéfini, une écoute subtile sont nécessaires pour les détecter.

Si nous ne pouvons pas soupçonner la présence du tigre ou du dragon, nous pouvons peut-être sentir la puissance du souffle vital qui ne gît pas seulement dans les corps animés, mais dans tout ce qui compose l'existence d'un individu en société, dans son environnement culturel et cosmique : mélange de montagne et d'eau, de yang et de yin, de force abrupte et de subtilité, de détermination et de soumission. Le jardin chinois ne s'éloigne pas de la nature et du cosmos, il intègre la matière inchangée et même l'horreur des pierres torturées et nous prépare ainsi à mieux vivre dans le tourbillon du monde. De même la thérapie aiguise tous les sens dans un espace construit afin de pouvoir ensuite les affronter et les assumer dans les dimensions réelles de la vie. Le jardin chinois ne laisse rien au-dehors. Il reconstitue en miniature l'harmonie disharmonique ou furieuse du monde, ainsi la thérapie doit demeurer le laboratoire le plus brut possible. Une harmonie qui est celle du cosmos faite aussi de terrible et de fantastique parce que, malgré toutes les catastrophes, il y a de l'harmonie et de la beauté, il y a de la vie. Et même la mort en fait partie. S'asseoir ou se promener dans le jardin de longévité, c'est rendre maniable l'univers, c'est avoir le cosmos à sa main, afin d'être manié en retour par la puissance du cosmos. La guérison ne serait rien d'autre qu'entretenir notre jardin chinois, le recomposer sans cesse et nous y promener pour préparer une nouvelle existence dans le grand monde.

Le jardin chinois possède encore une autre caractéristique qui peut être pour nous de la plus haute importance : il n'est pas possible d'en découvrir l'ensemble sans le parcourir. On pourrait penser que le thérapeute doit avoir présent à l'esprit la totalité du processus s'il veut pouvoir y faire avancer le patient. Mais un tel présupposé impliquerait que le thérapeute soit un spectateur immobile qui resterait extérieur au processus en cours. Attitude qui ne renvoie pas seulement dans notre culture à la caractéristique du jardin français, mais qui est au principe de l'observation scientifique. Or il ne peut en être ainsi dans une cure. Le thérapeute doit se mouvoir sans cesse et se laisser guider, séquence par séquence, en fonction des mouvements propres de l'interlocuteur. Il n'a pas à dominer l'ensemble de la situation, il doit par son déplacement continu faire apparaître l'espace de l'autre, lui donner existence et le déployer. La maladie est toujours un recroquevillement figé, alors que la guérison commence et s'achève dans une mobilité réciproque, dont l'autre nom est l'énergie qui circule. Le Qi (tchi) est le mouvement qui habite l'espace mutuel.

Il est clair désormais que la manipulation peut être thérapeutique si elle est un mouvement de la main et du corps accordé au monde ; elle est alors la thérapie en acte. Mais une dernière question se pose : cette manipulation est-elle éthique ? Bien qu'il soit en lui-même synonyme de morale, le mot éthique désigne plus particulièrement de nos jours soit la réglementation d'un domaine nouveau qui avait échappé jusqu'alors à la morale traditionnelle, soit les normes imposées à telle corporation, soit encore les impératifs selon lesquels une personne décide de conduire son existence. On parlera de l'éthique des manipulations génétiques, de l'éthique des garagistes, de l'éthique de tel ou tel individu. Dans ce contexte, on pourrait se demander quelle est donc l'éthique à laquelle les psychothérapeutes doivent se soumettre pour éviter la détestable manipulation thérapeutique.

C'est ainsi que la question de l'éthique est le plus souvent envisagée. Lors d'une rencontre consacrée à l'éthique de l'hypnothérapie, je m'étais proposé de montrer que la technique était fondue dans la relation, qu'elle dispensait de l'éthique parce qu'elle l'incluait. Je m'étais fait accuser d'être à la fois illogique et immoral. Le critique soulignait l'importance d'une réflexion éthique spécifique : « L'hypnose étant resituée comme un outil, peut-être moins sujet que d'autres à dérapages, mais dont l'usage, comme celui de tout outil, se doit d'être mesuré et donc soumis à des critères définissant dès lors une nécessaire éthique. »

Si l'hypnose, ou toute autre technique thérapeutique, n'est qu'un outil, n'est qu'un instrument, l'objection a toute sa valeur. L'outil ne dit pas par lui-même les usages moraux ou immoraux que l'on peut en faire. Un fusil peut être utilisé pour s'amuser au tir au pigeon d'argile ou pour chasser par plaisir ou afin de se nourrir, mais il peut l'être aussi pour tuer sans raison. Donc une éthique devient nécessaire pour en limiter ou en déterminer l'usage. Il est imaginable de se servir de l'hypnose pour exercer, par exemple, un pouvoir discrétionnaire, pour créer de faux souvenirs dommageables, pour provoquer des actions néfastes.

Mais que présuppose l'idée selon laquelle les techniques thérapeutiques sont des outils ? De deux choses l'une : ou bien l'instrument est étranger à celui qui s'en sert et il faudra alors ajouter une règle pour en faire bon usage, ou bien l'instrument ne fait pas nombre avec la personne qui l'utilise, c'est-à-dire qu'il en est l'émanation, et dans ce cas la pratique inclut l'humanité et la moralité de la personne. Lorsqu'un thérapeute joue au maître dans la relation à son patient, lorsqu'il veut dominer la situation, lorsqu'il n'est pas en état de partage et de participation, il a l'impression de manier des outils, il risque alors, au sens défavorable du mot, de manipuler son interlocuteur. Il faudra (mais ce sera sans doute en vain) lui imposer des garde-fous, soit les éléments d'une éthique. Ce sera sans doute en vain parce que l'essentiel sera manqué. L'éthique ne sera qu'un cautère sur une jambe de bois. Au contraire, si la technique, comme celle du pinceau pour le calligraphe, a été assimilée par une longue méditation, si elle n'est que l'ombre portée d'une attention extrême, elle sera déjà imprégnée de la plus personnelle et de la plus respectueuse des éthiques.

Tant que l'outil ne prolonge pas la main au point d'être encore la main qui redresse, réoriente et déploie, éthique, manipulation et thérapie restent trois mots qui s'opposent et se dispersent comme les éléments d'une machine. Mais si l'éthique est la manipulation qui guérit, les deux termes ne font qu'un. Alors la régulation, comme dit le Zhong Yong[3], est l'équilibre à usage ordinaire dans la réalité du monde.

---

3. Zhong Yong, *La Régulation à usage ordinaire*, texte traduit, introduit et commenté par François Jullien, Paris, Imprimerie nationale Éditions, 1993.

III

COMMENT CHANGER OU EN FINIR
AVEC LA PSYCHOLOGIE

Si l'on parcourt la littérature consacrée à la thérapie familiale, il est impossible de ne pas être frappé par le contraste entre, d'une part, l'abondance des schémas proposés pour comprendre les mécanismes intérieurs propres à la famille et, d'autre part, la discrétion sur les conditions requises pour qu'un thérapeute soit véritablement thérapeute, c'est-à-dire pour qu'il puisse inventer ce qu'il importe de faire ou de dire à un instant donné. Contraste, en quelque sorte, entre un volumineux dictionnaire des rapports familiaux et l'esquisse à peine visible de l'acte thérapeutique. Des textes, qui se sont étendus longuement sur l'exposé de différentes techniques, s'achèvent sur la brève affirmation que rien ne peut se faire de valable sans l'ingéniosité du thérapeute. Mais il n'est pas dit en quoi elle consiste. Ou bien, après avoir montré qu'un apprenti thérapeute doit nécessairement gravir un certain nombre de degrés pour accéder à la maîtrise, l'auteur mentionne dans une conclusion de quelques lignes que, ce qui compte par-dessus tout et qu'aucune formation ne peut garantir, c'est l'expérience, le savoir-faire ou le génie propre du thérapeute. Rien n'est suggéré de la nature de cette expérience, de ce savoir-faire, de cette génialité. Et encore : au terme du compte rendu passionnant d'un cas, on peut lire : « Finalement, la description de la séance de réseau que j'ai proposée ne donne pas de détails au sujet des mouvements spécifiques de l'équipe thérapeutique. » Ce à quoi il est ajouté avec un laconisme qui laisse songeur : « En terme global, notre position fut éminemment pragmatique [1]. » Tout se passe donc comme si, lorsque l'essentiel est abordé, à savoir l'opération de l'opérateur, chacun donnait sa langue au chat. Il y a d'autres exemples du même type. Deux thérapeutes ont cessé de vouloir comprendre le jeu d'une famille, elles se laissent aller à une intervention totalement improvisée qui a, disent-elles, des résultats inespérés. Mais elles n'ont plus d'autre souci par la suite que de répéter cette forme d'intervention. Elles auraient pu s'interroger sur le lien intrinsèque entre le renoncement à comprendre et l'improvisation efficace. Elles ne l'ont pas fait, préférant sans doute se protéger de ces moments créatifs qui ne vont pas sans une peine spécifique et une désagréable obscurité.

Nul ne songe évidemment à minimiser l'importance d'une longue formation, la valeur de l'analyse des systèmes ou des structures, la nécessité d'acquérir des techniques. Nous savons bien, en effet, que tout champ d'action implique, pour s'y mouvoir, un apprentissage jamais achevé et un effort permanent de généralisation, donc de modélisation. Mais, comme l'efficacité de ces connaissances acquises et de ces pratiques éprouvées dépend dans ce domaine d'un quelque chose qui, à tous, apparaît comme le cœur ou le nerf, ne serait-il pas utile de le cerner davantage ? Vous m'objecterez peut-être que ce cœur ou ce nerf, cet essentiel indispensable échappe par définition à nos prises, car, s'il était possible d'appréhender l'improvisation du thérapeute, nous aurions tout autant à notre main l'inspiration du poète. Cette objection très sérieuse ne me décourage pas, elle m'oblige seulement à déplacer la difficulté : si la trou-

---

1. Carlos E. Sluzki, « Se marier et se démarier », dans *Générations*, décembre 1995, n° 5, p. 51.

vaille ou l'invention ne peut être comprise, au moins ne serait-il pas inimaginable de dire quelque chose des conditions de son surgissement.

Mais d'abord, pourquoi présupposer une trouvaille ou une invention à l'origine du changement chez le ou les thérapisants ? Une telle chance n'est pas donnée tous les jours aux thérapeutes et ils n'en obtiennent pas moins des résultats. De cela toutefois je ne suis pas si sûr. Et d'abord, même dans le cas où nous ne faisons que répéter, il est nécessaire que notre intervention revête, pour les interlocuteurs, des allures d'énigme ou de nouveauté. Que cela soit suscité par leur ignorance de nos procédures ou par le décalage culturel entre leurs habitudes de pensée et les nôtres, peu importe ; ce qui compte, c'est qu'ils soient désorientés pour pouvoir réorienter leur vie. De plus, il nous faut distinguer les modifications partielles ou temporaires de celles qui font prendre à l'existence une courbure inédite. Les premières sans doute peuvent s'effectuer par la pure application de techniques appropriées, mais certainement pas les secondes. Et encore les premières ne seront que de surface, bientôt effacées, si la singularité de l'individu ou du groupe n'est pas perçue, si la technique reste au niveau du général, si elle est proposée à une ou plusieurs personnes sans se soucier de ce qu'elles ont en propre. Or la trouvaille ou l'invention ne fait rien d'autre que donner ou formuler, à partir de cette singularité, ce qui convient à tel moment pour celui qui se trouve dans cette position. Le degré d'efficacité d'une intervention – donc l'ampleur du changement en perspective – se calcule par le degré de sa précision ou de son adéquation à telle singularité. L'échelle de mesure ira de l'intervention la plus générale, comportant le minimum d'efficience, à l'intervention la plus singulière pour un maximum d'efficience. Improviser, inventer, être inspiré se trouve donc dans la dépendance étroite du tenir compte, tout le compte et rien que le compte, des spécificités de la personne, de la famille, ou de l'institution.

Si l'improvisation heureuse suppose l'accès à la singularité[2] du ou des thérapisants, la question de la nature de l'improvisation nous renvoie à une autre, préalable : comment est-il possible d'accéder à cette singularité ? La réponse est simple, même si elle demande à être déployée : on y accède par le sentir. De quoi s'agit-il ? Dès que pour la première fois nous ouvrons la porte à quelqu'un, on peut dire que les jeux sont faits. Nous ne savons pas ce qu'il en sortira : pair, noir ou manque, mais tout est déjà mis en place pour les scénarios qui vont suivre. Je me souviens de cette analysante qui m'a reproché longtemps ce premier regard que j'avais porté sur elle et qu'elle avait ressenti comme un rejet. Elle ne s'était pas trompée. J'avais perçu immédiatement sa grande souffrance et j'avais décidé non moins immédiatement de ne pas m'en charger. Son insistance avait bientôt usé mon refus et une longue histoire avait pu commencer. Peu importe ici ce qui a pu advenir. Je veux seulement souligner que, dès les premiers instants, une impression réciproque est à l'œuvre, même si pour beaucoup elle reste enfouie, ignorée, cachée. Lors du premier entretien, nous ne pouvons pas ne pas voir la manière dont la ou les personnes s'asseyent, les orientations de leur corps, leur crispation ou leur aisance, la torsion de leur dos, la place de leurs pieds, la manière dont leurs yeux nous délaissent ou s'accrochent au contraire à nous comme à une bouée. Nous entendons le timbre des voix, le rythme de leur

---

2. J'entends par singularité la manière propre à chacun de manifester son rapport aux êtres et aux choses, c'est-à-dire le type de comportement qu'il reproduit inlassablement, le mode de ses répétitions. Si nous y prêtons attention, il n'y a que des singularités : « La diversité est si ample, que tous les tons de voix, tous les marchers, toussers, mouchers, éternuements... On distingue des fruits les raisins, et entre ceux-là les muscats, et puis Condrieux, et puis Desargues, et puis cette ente. Est-ce tout ? en a-t-elle jamais produit deux grappes pareilles ? Et une grappe a-t-elle deux grains pareils ?, etc. » Pascal, *Œuvres complètes*, Paris, Gallimard, Bibliothèque de la Pléiade, 1957, p. 1095. « Qu'on ne dise pas que je n'ai rien dit de nouveau : la disposition des matières est nouvelle ; quand on joue à la paume, c'est une même balle dont on joue l'un et l'autre, mais l'un la place mieux », *ibid.*, p. 1101.

débit verbal, leur capacité à s'exprimer. Nous sentons l'odeur de leur angoisse, l'épaisseur de l'atmosphère qui s'impose, l'ardeur ou la nonchalance de leur requête, l'unité ou la dispersion qu'ils manifestent. Tout cela et bien d'autres choses encore. Nous sommes donc aux prises avec une accumulation de données que nos sens ont captées consciemment ou inconsciemment et qui vont faire bien plus que colorer la relation : elles en seront la base et le fondement.

Face à ce déferlement d'impressions, qu'allons-nous faire ? Que devrions-nous faire pour que la singularité de cette personne, de cette famille, de ce groupe nous apparaisse ? Eh bien, nous ne devrions rien faire, surtout ne rien faire que d'être là. Il n'est même pas question de chercher à rendre conscient cette multitude d'éléments ; le processus serait immédiatement freiné, puis arrêté, car nous réfléchirions au lieu de sentir. Même si des idées nous viennent ou des hypothèses ou des évidences, nous devrions les négliger et les laisser s'envoler comme des feuilles au vent d'automne. Nous devrions nous laisser faire et attendre. Seule cette attente dans le plus total loisir va, en effet, permettre l'unification progressive de ces sensations multiformes. Car nous sommes vraiment là, tous sens ouverts comme autant de capteurs déployés, affinés. Le sens va naître des sens, car ils nous disent une complexité particulière que nous n'avons jamais appréhendée auparavant, puisque nous ne nous sommes jamais trouvés auparavant devant cette personne, cette famille, ce groupe. Et ce qui vaut pour la première séance vaut encore pour les suivantes ; nous n'avons jamais été auparavant en ce jour, à cette heure, avec ces personnes qui se trouvent dans cette situation à ce jour et en cette heure. Mais comment un sens singulier se dégage-t-il ? Tout simplement parce que nous sommes devenus les porteurs de tous les sens, de toutes les sensations et impressions qui s'activent. C'est en nous que retentit cette singularité, parce que nous laissons exister ce qui la forme, parce que nous autorisons à circuler en nous ce dont elle est faite. Il peut arriver que ce sens singulier tarde à se faire connaître, alors il nous faut encore l'attendre de la même façon, sans rien faire d'autre que d'attendre et d'ouvrir nos sens. Il n'y a pas de cas où le sens singulier ne vienne enfin. Car plus nous attendons ainsi, plus l'autre ou les autres, se sentant accueillis et déjà rassemblés, nous manifestent ou nous disent, parfois dans les gestes ou les mots les plus ordinaires, ce qui fait aujourd'hui qu'ils sont quelqu'un ou ensemble quelques-uns. Car le sentir ouvert, par lequel nous nous laissons modeler, amplifier et concentrer, fait sur les interlocuteurs une douce pression qui les conduit à se sentir eux-mêmes, à se sentir et donc à exprimer directement ou indirectement ce qu'ils ont en propre.

Supposons que ce qui précède soit justifié, c'est-à-dire que le changement du ou des thérapisants ne soit possible que par l'improvisation-invention du thérapeute et que cette improvisation ne soit elle-même possible que par le sentir étendu et intensifié, la question qui nous importe se dédouble alors en celle-ci : quelle est, pour le thérapeute, la condition du sentir véritable et qu'est-ce qui chez lui fait barrage au sentir ?

La première condition, c'est la confiance. Non pas confiance dans sa signification générale de confiance en soi ou en l'autre, mais dans sa signification particulière de pouvoir se fier à ses sens et de n'avoir pas peur de passer dans ses sens, de réduire le corps à n'être qu'âme sensitive, de donner sa pensée aux sens de telle sorte qu'ils pensent par eux-mêmes. Et comment pensent-ils par eux-mêmes ? D'abord par leur mise en alerte, à la manière du guetteur qui ne perd de vue, d'oreille ou de flair aucun indice lui permettant d'estimer les distances, les directions, les vitesses ou les écarts. Le thérapeute, sans penser, pense tout cela en même temps, il en fait la synthèse et en mesure les valeurs relatives. Si leur mouvement n'est pas entravé, les sens ne cessent pas de penser et de renouveler leur pensée, car la pensée n'est rien d'autre que l'acte par lequel les différences sont rassemblées et hiérarchisées en une totalité organisée. Sous l'effet de la fatigue, les sens peuvent bientôt se fermer, mais ils peuvent aussi, par une attention accrue, ne pas se reposer sur ce qu'ils ont déjà pensé ; ils peuvent vérifier que leur pensée présente est inadéquate et la congédier pour la complexifier encore. Je ne suis jamais certain d'avoir senti ce qu'il y avait à sentir, parce que j'avais déjà interprété et qu'il n'y a sans doute pas de sentir sans interprétation. Du simple fait que j'ai déjà senti hier et bien plus tôt, mes sens ont été à la fois éduqués et engorgés. Le sentir intact est déjà le pur cultivé ou culturé. Je ne sens que ce que l'époque et le lieu qui m'ont élevé m'autorisent à sentir et à percevoir ; et cela qui est ma richesse apporte avec elle ma limite et ma raideur. Je vais devoir y porter remède.

C'est pourquoi la deuxième condition du sentir est la liberté. Elle est l'inverse de la confiance. Autant la confiance colle à la chose, autant la liberté s'en détache. C'est d'abord la liberté des mouvements du corps. Face à certaines personnes dont l'abord est rendu difficile soit par leur souffrance, soit par leur mollesse ou leur agressivité, soit encore parce que la force de leur personnalité nous intimide, il nous arrive d'être figés ou du moins tendus. Si nous ne retrouvons pas la mobilité dans notre espace, nous ne pourrons, de l'autre ou des autres, que recevoir avec parcimonie, et nous choisirons de mettre à distance ce qui risquerait de nous troubler, de nous blesser ou de nous écraser. Il arrive, pour surmonter la panique, d'en appeler à notre mémoire et d'y chercher si ce cas ne ressemblerait pas à quelque autre déjà rencontré et si nous ne pourrions pas lui appliquer une solution déjà mise en œuvre. Peine perdue, il serait préférable de nous laisser prendre par cette circonstance nouvelle et de trouver l'aisance de s'y mouvoir. Nous le pouvons toujours si nous nous contentons d'investir la précision de notre propre place et la gamme de nos possibilités. Pour cela ne tenter nul recours à nos acquis antérieurs en vue d'un éventuel soutien. La liberté ne s'appuie sur aucun référent, aucune référence, aucune certitude, aucune compétence. Une désinvolture étudiée, fruit d'un immense travail, est seule capable de préparer l'ouverture du sentir. Malgré une longue expérience, malgré tout ce qui a été assimilé, tout ce qui a été engrangé, les mains sont vides. Ne tenir pour assuré rien de ce qui auparavant a été pensé, cru ou estimé. Ne rien retenir. La mesure de la liberté est celle du peu d'espoir, d'une incroyance tous azimuts, d'une immoralité ou d'une amoralité radicales, car rien n'est bien ou mal, il suffit que ce soit. Tant que le thérapeute pense, ne serait-ce que sur un seul point, qu'il est quelque bon thérapeute respectable, sa liberté n'est pas encore au lieu de l'invention. L'alpha et l'oméga du bon thérapeute, c'est qu'il n'y en a pas et que nul ne saurait le devenir, si ce n'est par effraction, à cette heure où les masques de la prestance sont arrachés. Son savoir doit être réduit à l'état de la culture, dont on dit qu'elle est ce qui reste quand on a tout oublié. C'est lorsque l'on sait peu que l'on croit savoir quelque chose. Plus tard viennent l'obscurité et le doute, qui seuls peuvent affiner les sens. La liberté pour voir, entendre et sentir forge donc et soutient le thérapeute anti-Narcisse. La confiance met en jeu la sensorialité, la liberté est son mouvement.

Quiconque a fait l'essai de cette voie reconnaît qu'elle n'est pas sans peine, car, à travers la solitude qu'elle impose, elle nous mène avec sûreté à l'angoisse. Le thérapeute qui tourne des yeux inquiets vers les techniques apprises, comme autant d'Euménides pour qu'elles viennent à son secours, sait très bien à quoi s'en tenir. Plus il se dirige vers l'arsenal où puiser des armes efficaces pour trouver la clef de ce cas, de cette famille, de cette institution, plus la peur risque de le submerger. Du moins s'il est lucide et ne s'aveugle pas de fausses certitudes rassurantes, il reconnaîtra que, dans le passé, nulle solution vraiment adéquate n'a pu être donnée à cette circonstance singulière. Reprenant le chemin de sa liberté, il fera l'expérience d'une angoisse à double face. Au-dessus, pourrait-on dire, il y a les résultats d'un long apprentissage qui se transforment en carcan et qui l'enserrent, lui interdisant de se mouvoir à l'aise dans l'espace thérapeutique. C'est le côté étroitesse toujours inclus dans le défilé de l'angoisse. Et puis, il y a plus important, au-dessous, le côté trop vaste de l'abîme des possibles sur quoi s'ouvre la route par-delà le défilé. Aucun changement n'est à l'horizon si des possibilités nouvelles imprévisibles, inattendues, déconcertantes ne manifestent leur poussée. C'est cela qui, au premier chef, est angoissant, car nous ne pouvons, par définition, en avoir la maîtrise, ni savoir exactement où elles vont nous mener. Bien des thérapeutes veulent ignorer cc passage qu'ils redoutent. Leurs techniques de réassurance, pour eux-mêmes et pour les thérapisants, sont toujours prêtes à fonctionner. Mais, selon toute vraisemblance, elles vont leur faire manquer le moment essentiel de la création.

Les possibles sur lesquels ouvre l'angoisse ne sont pas contenus dans quelque réceptacle secret, que d'aucuns nomment l'inconscient, mauvais ou bon, peu importe. Ces possibles sont là, ils étaient là et sont désormais découverts, nullement inventés, parce que le sentir s'est élargi et intensifié, parce qu'il a été désensablé comme les puits du désert toujours prêts, si on les respecte, à donner l'eau en abondance. La liberté, qui, par l'angoisse, s'est détachée de ses manières trop habituelles de penser, de réagir, de se relier, cette liberté touche la vie dans son jaillissement. Elle ne s'agrippe plus à rien de ce qu'elle pouvait avoir connu, elle se dépouille du passé et de son apparence de destin. Elle n'a besoin ni de projet, ni de confirmation, ni même d'encouragement. Il suffit qu'elle se laisse pousser par l'instinct et la fraîcheur du sentir qui se déploie.

En d'autres termes, le trop-plein de sentir crée le vide de la pensée discursive et c'est cela qui angoisse. Mais ce vide de la pensée discursive, et même ce vide de toute représentation, de toute image deviennent le commencement d'une pensée qui est action. L'expérience du trop-plein de sensations, comme toucher continu de l'espace existant, permet d'appréhender le réel dans son ensemble, dans sa complexité et sa configuration vivante, dans le principe de son organisation active et dans ce qui lui fait obstacle. C'est de là que les possibles surgiront. L'inspiration n'est alors rien d'autre que cette naissance d'une harmonie, soudaine parce qu'elle n'est pas prévue par la conscience claire, impérieuse parce qu'elle recompose les éléments constitutifs de notre rapport au réel.

Mais, encore une fois, pourquoi cette jeunesse des sens serait-elle thérapeutique tant du côté du thérapeute que des thérapisants ? Si nous sommes malades ou malheureux, c'est que le sol de nos existences s'est appauvri, que, détournés des circonstances nouvelles qui s'imposent à nous, nous nous sommes laissés aller à la plainte, que notre nappe phréatique est au plus bas niveau, qu'il nous faut donc les reconstituer pour que puissent y pousser des arbres et des fleurs. Quel est ce fonds qui nous a permis et nous permettra d'accéder un jour à la possibilité de penser et d'agir par nous-mêmes indépendamment de l'entourage, à parler en notre nom, à devenir agents et responsables de nos vies ? De nombreuses études ont montré que, dès les premiers instants, les nouveau-nés ont la faculté d'appréhender le monde environnant des personnes et des choses, de les différencier et de les organiser de façon cohérente et hiérarchisée. Les nourrissons ne distinguent pas ce que l'on nomme les modalités sensorielles, c'est-à-dire les cinq sens que nous avons pris l'habitude de répertorier. Ils passent de l'un à l'autre et, par exemple, ce qu'ils distinguent par la bouche, ils peuvent le repérer par le regard. C'est le sentir dans sa globalité qui les rend capables de s'introduire et de se mouvoir dans le monde humain, c'est par le sentir seul qu'ils sont déjà totalement humains et c'est sur la base du sentir qu'ils pourront construire les marches qui vont les mener à la réflexion et au langage. Ce que nous appelons subjectivité et que nous sommes sans cesse enclins à détacher de ce point de départ pour en faire un site intérieur qui se suffirait à lui-même, cette subjectivité est toujours d'abord un contact sensible du corps avec ce qui le touche et peut le toucher. Il nous faudra donc revenir à la sensorialité pour renouveler le plus secret et le plus intime, ce que nous considérons comme le plus cher et le plus respectable de l'être humain.

On retrouve un phénomène semblable chez les enfants de six ou sept ans qui sont capables de jouer avec les différents niveaux logiques qui sont inclus dans les montres ou les jeux électroniques, autrement dit qui sont immédiatement en contact avec les hiérarchies qui imitent celles que suppose la vie. Quelques années plus tard, dûment éduqués à la pensée abstraite, ils n'ont plus ce contact immédiat et sont devenus incapables de faire fonctionner ces objets sans recourir à des instructions.

Dans un petit livre, Antoinette Muel décrit une méthode fondée sur « l'attention accordée à la perception des sensations ». Elle explique : « Le fait de prendre conscience de l'environnement en recevant le message du monde sensible de façon plus fine et plus différenciée apporte un apaisement aux maux de l'âme et la possibilité d'une meilleure intégration dans le groupe social. » Les exercices qu'elle propose mettent en jeu l'attention : « Attention à la notion d'équilibre, à celle d'orientation dans l'espace et dans le temps, attention aux odeurs, aux goûts, aux sons, aux couleurs et aux sensations tactiles, attention aux rythmes[3]. » Quand on est accoutumé aux tours et détours de la littérature consacrée aux thérapies, à la masse des volumes destinés à l'élaboration de théories et à leurs sophistications de plus en plus affûtées, on ne peut qu'estimer un peu trop simple, voire un peu simplette, une telle méthode. Mais si, par hasard, sa simplicité ressemblait à celle de l'œuf de Christophe Colomb ? Dire les effets d'une réorientation dans l'espace, énoncer ce que les sens nous apportent, parler les rythmes qui nous possèdent, ne serait-ce pas à la fois nous soumettre aux faits qui s'imposent, sans rien y ajouter ou en retrancher, nous situer par rapport

---

3. Antoinette Muel, *L'Éveil de l'esprit*, présenté par Françoise Dolto, Paris, Le Livre de Poche, 1995, p. 45 et 47.

à eux en vue d'une action plus efficace, rompre les barrières qui nous tiennent prisonniers, en un mot recomposer notre monde ? Il y a là les secrets d'un précieux alliage entre confiance et liberté, par quoi se préparaient la découverte de la singularité et l'improvisation efficace.

Antoinette Muel n'invite à rien de moins qu'un réapprentissage de la parole. Non pas de la parole interprétative qui tend à soumettre les êtres et les choses à des systèmes de référence préalablement enregistrés. Non pas davantage de la parole explicative qui aurait pour mission de trouver les causes et de dire, à la suite des médecins de Molière, « pourquoi votre fille est muette », car la recherche des causes ouvre la voie de spéculations aussi séduisantes qu'inutiles. Il ne s'agirait même pas de la parole descriptive en tant qu'elle se tiendrait à distance de la chose. Ce qui est visé par cette méthode est une parole adéquate, adhérente, adhésive qui ne laisse aucun interstice entre ce qui est senti et ce qui est dit, une parole qui parcourt, qui épouse la continuité de ce qui advient, qui explore et qui visite, bref une parole qui touche au sens littéral du mot.

En fin de compte cette parole ne fait rien d'autre qu'exprimer la pensée inscrite dans le sensoriel, dont il a été question plus haut, c'est-à-dire la pensée du sensible humain. La sensation pense, non seulement parce qu'elle distingue le chaud du froid, le sec de l'humide, le haut du bas, mais parce qu'elle discerne ce qui ouvre au vivant son espace de développement, c'est-à-dire le futur dans le présent. Il s'agit de tourner la pensée vers le corps, de remettre sans cesse la pensée au corps, pour redoubler la finesse du sentir, l'intensifier, l'élargir et ainsi la réhumaniser.

Lorsque le thérapeute s'est si bien effacé au contact du thérapisant, la situation se retourne. Il pensait que sa tâche était d'improviser et d'inventer pour permettre le changement et pour cela il s'était dépouillé jusqu'au sentir sans médiation ; il s'aperçoit alors qu'il n'a rien à faire, rien à découvrir ou à imaginer, que la réponse qu'il cherche lui est fournie au fur et mesure par le thérapisant. Car l'appréhension du sentir est réciproque. Ce qui manquait au thérapisant, c'est l'extension du sentir qui le sort maintenant de la considération étriquée de son existence. Tout symptôme est une restriction, un rétrécissement, un court-circuit qui nous plonge dans l'obscurité. À l'inverse, parce que le sentir du thérapeute a pris de l'ampleur, il a suscité la même amplitude chez le thérapisant et, sur cette plage étendue, le symptôme, relié à l'ensemble, a perdu son isolation. Il se trouve environné maintenant par les forces qui relèvent sa faiblesse et le font ainsi disparaître. Le thérapisant sait alors où se cache la solution, du moins la solution de la solution, et il va la dire à sa manière. Tout au long de la cure, si le thérapeute tient le fil de la singularité et s'il apprend à le suivre à travers ses métamorphoses, il permettra au thérapisant d'en saisir l'extrémité. Il suffit de peler l'oignon du malheur pour que ses peaux successives retirées laissent à la fin entrevoir le cœur. Celui qui est inspiré et qui improvise n'est plus le thérapeute, mais le thérapisant, car c'est lui qui détient la clef de la parole qui modifie.

Arrêtons-nous un instant pour mesurer le chemin parcouru. Nous étions partis de la question de savoir ce qui, du côté du thérapeute, était nécessaire pour permettre le changement chez le thérapisant. Nous avions répondu qu'il était conditionné par la trouvaille ou l'improvisation du thérapeute et que cette trouvaille ou improvisation était elle-même conditionnée par le développement de sa sensorialité. Et voilà que nous découvrons maintenant que la même condition vaut pour le thérapisant : lui aussi pour pouvoir changer doit refonder l'usage de ses sens. Serions-nous tombés dans un cercle vicieux ? À moins que nous n'ayons fait rien d'autre que définir le cercle dans lequel la thérapie doit tourner, se diffuser et se développer, en un mot son site particulier et spécifique. Qu'est-il opéré dans une cure, si ce n'est dégager, décrasser, désengorger, réanimer le système sensori-moteur, celui de la sensibilité et du mouvement, ce par quoi Aristote déjà caractérisait le vivant[4] ?

N'est-ce pas la vie qui, par l'usage de la sensorialité et de la motricité, invente, improvise, se joue des hasards et des sauts, et accomplit toutes ces tâches par sa recherche d'une meilleure adaptation à l'environnement proche et lointain ? Toute trouvaille de la vie a pour visée la recomposition de son monde. En réactivant le mouvement induit par les sens, thérapeutes et thérapisants imitent la vie qui meurt aux formes anciennes pour en faire surgir de nouvelles. La vie réinvente à partir des multitudes de possibles.

Tout est en place maintenant pour que soit posée à nouveau la question : quel est l'obstacle au sentir, levier de tout le processus, qu'est-ce qui fait barrage à l'investissement du sensoriel dans sa transmodalité ? La réponse tient en peu de mots : c'est la psychologie. Ce terme signifie, en effet, étude de la psyché ou, si l'on utilise une notion qui a vu le jour à la fin du siècle précédent, étude du psychisme. Dès que l'on emploie ce mot, on suppose qu'il y a des faits psychiques observables et que l'on pourrait connaître et décrire les mécanismes intra-psychiques. Impossible ici de s'engager dans ce débat. Qu'il suffise de faire quelques remarques. Lorsque Freud se laisse aller à construire un appareil psychique, au chapitre VII de la *Traumdeutung*, il prend soin de souligner qu'il s'agit d'une fiction, il affirme que ce n'est là rien d'autre qu'une spéculation et qu'il ne faut pas confondre la maison avec l'échafaudage ; il aurait pu ajouter que son montage avait une consistance identique à celle du discours par lequel il l'exposait, que sa valeur n'était autre que rhétorique. Platon, lorsqu'il dessine les traits de la cité idéale pour en faire le modèle de l'âme, de la

---

4. Aristote, qui a défini l'âme par ses fonctions et non pas, comme Platon, par ses capacités, caractérise le vivant par la sensorialité et le mouvement. Dans cette perspective, transposée dans notre domaine, changer ou guérir ne serait rien d'autre que devenir plus vivant ou redevenir vivant.

psyché, nous dit que c'est là le récit d'un rêve [5]. Depuis vingt-cinq siècles nous n'avons pas avancé d'un iota, ou plutôt nous nous sommes enfoncés toujours plus avant pour chanter le triomphe d'un individualisme illusoire. Maintes fois la psychologie a fait l'objet de critiques radicales et, lors des dernières décennies, par des esprits aussi vigoureux que Canguilhem ou Merleau-Ponty. Mais nous ne réussissons pas à en tenir compte. Nous voulons oublier que l'invisible ne peut pas être détaché du visible, que la psyché ne peut pas être sans corps, qu'elle n'a donc en elle-même aucune réalité. Elle ne peut en effet être connue que par le corps et comme animation du corps. Cela ne veut pas dire que nous n'ayons pas de pensées, de représentations, d'émotions ou de sentiments. Cela signifie que pensées, représentations, émotions et sentiments, sous leur mode d'expression subjective, ne font rien d'autre qu'exprimer par le corps un aspect de notre rapport au monde. L'intériorité n'est jamais que par sa relation avec l'extériorité et ne peut être connue que dans et par l'extériorité.

Mais la question n'est pas pour nous ici et aujourd'hui de savoir si, et en quel sens, la psychologie existe ou n'existe pas. Nous avons à nous demander si l'étude de la prétendue réalité psychique ou la connaissance de ses mécanismes peut être de quelque utilité pour produire une modification dans l'existence. Nous avons en mémoire les anecdotes qui circulent autour du : « J'ai tout compris, rien n'a changé. » Les psychanalystes savent bien que la prise de conscience n'a jamais guéri personne. Non seulement le souci de soi ou le regard tourné vers soi-même n'opère aucun changement, mais il peut avoir les conséquences les plus néfastes. On peut les répertorier cliniquement sous trois chefs : narcissisation, déréalisation, dépression. À force de se préoccuper de sa prétendue vie intérieure, de ses pensées, de ses fantasmes et de ses rêves, on se perd dans l'analyse de soi, on

---

5. Platon, *La République. Du régime politique*, traduction Pierre Pachet, Paris, Gallimard, Folio Essais, 1993, p. 244.

devient, comme Narcisse, amoureux de sa propre image et on lui substitue l'intérêt que devraient avoir les choses et les êtres de chair et de sang. Il s'ensuit que la réalité n'a plus de consistance. Quand « l'autre scène », celle justement des fantasmes et des rêves, devient la scène principale, l'imaginaire acquiert plus d'intérêt et de force que la banalité des situations quotidiennes. Un voile de plus en plus épais sépare de ce qu'il y aurait à entreprendre, car on pense n'en savoir jamais assez avant d'engager une action. De préalables en préalables toujours nécessaires à inventorier, c'est le cours de la vie qui se dessèche. L'organisme n'étant plus irrigué par le toucher du monde, la dépression est au rendez-vous.

Il n'y a pas à s'étonner alors que maintes cures aient pour thème favori les variations sur la plainte. Si la réalité psychique est invitée à se déployer sans limites, si elle est revêtue de la valeur suprême, comment ne se plaindrait-elle pas de la pâle réalité quotidienne, comment lui viendrait-il à l'idée qu'il s'agit d'en tenir compte et de s'y soumettre ? L'insatiable plainte se nourrit de l'indétermination infinie des rêves et des fantasmes. Par ailleurs, comme la réalité extérieure continue à s'imposer et qu'elle refuse de se plier aux désirs infantiles, la seule voie ouverte est celle de la répétition des pleurs et des gémissements. Cela peut durer des lustres sans que quoi que ce soit se trouve modifié, à moins que, dans des cas favorables, la plainte en vienne à fatiguer le patient au point qu'il s'en éveille, ou à exaspérer le thérapeute qui sortira de son attentisme.

Faudrait-il alors renoncer à scruter nos intentions, à réfléchir nos émois, à analyser nos pensées ? Très certainement. Si du moins c'était possible. Mais nos habitudes intellectuelles et affectives s'y opposent et il faut bien tenir compte de cette infirmité. Si l'on nous interdisait de raconter nos vies par le menu, d'exprimer nos souffrances, de pleurer, de dire nos frustrations, nos regrets, nos ressentiments, nos haines et nos amours, nous aurions l'impression d'être incompris ou même d'être contraints à l'enfermement. L'inexorable du dire de soi ne peut pas ne pas être respecté. Mais quand il s'apaise ou s'épuise, c'est alors que l'essentiel commence et que les faits apparaissent, grâce à leur nudité, dans leur force. Par exemple, s'il est demandé au thérapisant de recommencer le récit qu'il vient de faire et cela, autant qu'il est possible, plusieurs fois, une modification radicale se fait jour. L'émotion et les larmes disparaissent. Il n'est plus question de ce que l'on ressent, mais de la situation à laquelle on se trouve affronté. D'une plainte, qui risque fort de n'être qu'un ressassement, la perspective s'est ouverte sur une action à entreprendre pour transformer dans la réalité ce qui peut l'être. En quoi consiste cette opération, si ce n'est en un retour à la sensorialité qui a été dépouillée des ajouts intellectuels ou affectifs venus troubler les messages qu'elle reçoit ? Alors le sentir nous transmet notre exacte position dans le monde et les moyens de nous y mouvoir avec plus d'intelligence, de finesse et d'habileté.

Le besoin de se raconter n'existe pas dans d'autres cultures, qui peuvent être tout aussi humaines. Au lieu de poser l'âme et le corps comme des substances à réunir [6], ce qui conduit l'Occident à penser que leur séparation est possible, la tradition chinoise, par exemple, se borne à distinguer avec constance le corps vivant et le cadavre. Rien d'étonnant que ses poètes sachent dire et transmettre l'immédiateté des impressions fugitives, les petites ou grandes sensations par quoi l'homme se fait l'écho des montagnes, des fleuves, des nuages et du vent, et devient l'hôte

---

6. « Ignorant la distinction radicale de la raison et des passions, les Chinois ne pouvaient concevoir que l'esprit puisse être totalement indépendant des sens : le philosophe Gao Panlong (1562-1626), cherchant à savoir ce que le maître Cheng Hao (1032-1085) avait voulu dire par "l'esprit doit être maintenu dans l'ensemble corporel", finit par trouver une explication qui le satisfît entièrement : "l'ensemble corporel" n'est qu'une façon de parler du corps. "J'étais très heureux de cette découverte, dit Gao Panlong, car [dans ces conditions] l'esprit n'était pas seulement une chose 'd'un pouce carré' : c'était le corps tout entier qui était l'esprit". » (Jacques Gernet, *Chine et christianisme. La première confrontation*, Paris, Gallimard, 1982, p. 203.)

d'un univers de correspondances. Lorsque ces poètes chinois parlent du sentiment de la nature, ce n'est jamais, comme chez nos romantiques, pour dire l'effet que peut avoir sur eux cette nature, une nature reflet de leurs états d'âme, c'est pour exprimer une participation et une réciprocité, parce que leur sentiment est autant le leur que celui de la nature. Une réorientation dans l'espace commande alors une nouvelle orientation dans l'humanité.

Il ne devrait plus être possible de définir l'humain par la seule capacité ou nécessité d'exprimer l'intime. Ou alors il faut s'entendre sur le second terme. Lorsque Kawabata, dans *Nuée d'oiseaux blancs*[7], fait de la cérémonie du thé le sujet unique de l'un de ses romans, il ne s'éloigne pas un instant de la vie secrète de chacun de ses personnages. La description des sentiments ou des émotions se déploie dans le registre de la description des choses et des mouvements des corps. C'est en ce sens qu'il n'y a pas pour lui de psychologie. Une Japonaise me disait son embarras, lorsque, à son arrivée en France, elle était invitée à dire ses sentiments. De cela il n'avait pas été question dans son enfance ou dans son adolescence. Carence grave, pensons-nous, misère et mépris de l'individu. Et si c'était une autre manière d'être humain, dont, par référence culturelle, nous pourrions tirer profit ? Car nous sommes malades de la complaisance à nous dire. Une petite cure de désintoxication par absorption de quelque cachet d'Orient serait pour nous du meilleur effet.

On a vu que l'investissement du sentir était le moyen radical d'opérer une modification sérieuse de l'existence. À partir de là nous pouvons revenir un peu en arrière et nous payer le luxe d'une petite incursion sur le terrain de la théorie. Ce qui pourrait se dire de la façon suivante : l'accent mis sur le sentir marque à la fois la fin de la psychologie, donc la fin de la plainte, et la restauration de la psyché. Passons par une remarque de vocabulaire. Tant que l'on parle de psyché, on est enclin à se souvenir qu'il s'agit

---

7. Kawabata Yasunari, *Nuée d'oiseaux blancs*, Paris, Albin Michel, 1981.

de l'âme. Même si ce mot est entaché par son appartenance au vocabulaire religieux, il n'est guère possible d'éviter sa proximité sémantique avec le corps. En passant de psyché à psychique ou psychisme, la langue a intentionnellement créé une entité distincte, relevant d'un monde à part qui pouvait donc être considéré et étudié en lui-même. Dès sa création le mot psychisme a dérivé pour se confondre avec la conscience. C'est cette signification que Freud a dû affronter. Il était donc justifié à prétendre que le psychisme était aussi inconscient. Mais puisqu'il maintenait, comme une évidence, l'existence d'un psychisme séparé, il n'a fait qu'épaissir la confusion. Il aurait fallu retourner aux sources et affirmer le psychisme comme toujours d'abord inconscient, puisqu'il ne tenait son existence que de l'animation du corps [8]. Abandonner le terme de psychisme ou de psychique et revenir à la psyché, c'est ne pas la séparer du corps en mouvement dans son espace. La psyché est le souffle vital, l'âme, c'est-à-dire ce qui anime le corps vivant, la pensée du corps. Elle est donc le corps lui-même, en tant qu'il est organiquement constitué et qu'il est apte à se mouvoir dans le monde.

Si nous tenons pour supportable ou pour exact ce qui précède, nous ne verrons plus de différence de nature entre thérapie individuelle, thérapie familiale et intervention en entreprise. On entend dire que la théorie psychanalytique serait adaptée pour la cure individuelle, que la thérapie familiale aurait besoin de la théorie systémique et que, pour les unités plus larges, il faudrait se référer au socioculturel. Mais la coupure n'est pas à faire entre individuel et collectif, entre système fermé et système ouvert, entre système indé-

---

8. Freud a placé les deux mots en parallèle dans le titre d'un article de 1890 : *Psychische Behandlung (Seelenbehandlung)*, traduction française dans *Résultats, idées, problèmes*, Paris, PUF, 1984. Les traducteurs prennent soin d'indiquer que les deux mots traitement psychique et traitement d'âme sont ici, comme plus tard dans l'œuvre freudienne, rigoureusement équivalents. Il n'y a donc aucune chance de trouver chez Freud le sens traditionnel du mot âme comme principe d'animation du corps.

pendant et système dépendant. Dans tous les cas de figure, il s'agit, par le mouvement donné aux sens et par leur intelligence renouvelée, de modeler à nouveau l'espace à la fois clos et ouvert dans lequel se prépare l'action. Impossible de sentir juste si l'on n'habite pas sa place, mais impossible de trouver sa place si la justesse du sentir n'est pas donnée. Que la place propre soit solitaire, familiale ou sociale, la base du rapport aux autres qu'est le sentir est donc la même dans tous ces cas. L'opération du thérapeute, par son sentir, sera donc toujours la création d'un espace fermé-ouvert au sein duquel les êtres, les choses, les événements pourront se mouvoir les uns les autres à partir de leurs places respectives. Le thérapeute pourrait bien n'être alors qu'un batteur muni d'un tambourin qui rythme l'espace de tous et de chacun pour le leur rendre familier et pour qu'ils s'y mettent à leur place.

IV

DE LA DEMANDE ET DU DÉSIR
DE GUÉRIR

Certains pensent que la psychanalyse est dans une situation de crise[1]. Elle serait sécrétée soit par les difficultés internes du petit monde analytique, soit par les bouleversements sociaux et les exigences subséquentes des institutions de soin. Depuis la naissance de la psychanalyse, nous ne sommes évidemment pas les premiers à venir buter sur ce genre d'obstacles et à tenter de les surmonter. Nous savons que nous ne pouvons pas nous contenter d'une position défensive, comme si la psychanalyse avait été définie une fois pour toutes et que la soumission à son orthodoxie (mais laquelle ?) était susceptible de nous protéger. C'est la pratique, accompagnée d'une rigueur intellectuelle intransigeante, qui doit seule nous guider. En une formule que nul ne peut récuser, Winnicott a marqué la direction de notre nord : « Nous sommes psychanalystes, pratiquant l'analyse. Sinon alors nous pratiquons quelque chose d'autre que nous estimons adapté à la circonstance. Et pourquoi pas[2] ? » La question est donc de savoir comment il est possible, dans notre travail, d'utiliser notre

---

1. *Filigrane, écoutes thérapeutiques*, vol. 8, n° 1, printemps 1999. Dossier : « Malaise dans la clinique ».
2. Cité par Octave Mannoni, « La part du jeu », dans *L'Arc*, n° 69, 1997, p. 44.

expérience d'analystes pour affronter avec justesse la variété des circonstances. Nous serions invités à entrer dans l'aire du « jeu » dont seuls les poètes écrivent encore le nom : « liberté ».

Et d'abord, pourquoi faudrait-il opposer d'une part le refus, cher à la démarche psychanalytique, de répondre à la demande parce qu'elle vise à satisfaire un besoin, et d'autre part l'exigence des institutions qui sont sous-tendues par une promesse de guérison et d'adaptation ? La demande peut être considérée comme un point de départ ; c'est là que se trouve aujourd'hui l'interlocuteur. Pourquoi faudrait-il commencer par le débouter de sa position ? D'ailleurs une demande n'est déjà plus ce qu'elle était l'instant d'avant par le seul fait qu'elle a été formulée, car elle est alors située dans une relation qui la transforme. Cette demande n'est pas, en effet, celle d'un client qui vient chercher une baguette de pain et qui n'attend rien d'autre si ce n'est qu'on la lui donne avec un éventuel sourire en prime. Elle n'est pas non plus celle adressée à un médecin qui rédige une ordonnance ou à un pharmacien qui en fournit les prescriptions. Le client est ici impliqué dans sa demande et c'est bien lui qui va devoir changer quelque chose à ses habitudes de penser, de sentir ou d'agir s'il veut conquérir ce qu'il souhaite. Il suffit donc de laisser se déployer cette demande pour faire apparaître les conditions et les possibilités de l'obtenir. Entendre la demande est alors le moyen de commencer une relation qui ne saurait la laisser intacte. Car l'entendre, c'est laisser résonner de multiples façons les divers paramètres qui constituent celui qui la formule, c'est donc soupçonner déjà mille choses importantes le concernant et placer cette requête dans un contexte élargi. Ce que, comme thérapeutes, nous voyons, sentons, éprouvons, même sans le dire, nous le retournons à l'interlocuteur, et il ne peut plus se rapporter à sa demande comme s'il ne l'avait pas donnée à l'entretien.

Soit une personne qui vient à l'hôpital ou au dispensaire pour cesser de fumer. De nombreuses questions vont se poser. A-t-elle véritablement envie de se passer de ce plaisir ? Est-ce que cette histoire de tabac est comme un train qui en cache un autre ? Est-ce que cette demande exprime quelque chose de grave ou d'anodin ? Peut-être que cesser de fumer présage d'autres transformations nécessaires ou les suppose ? Ou bien encore la venue de cette personne n'est-elle qu'une manière de tester une fois de plus l'impuissance du thérapeute, afin de ne rien changer à sa propre existence ? En laissant parler la demande, en la dépliant dans toutes les directions qu'elle peut avoir, elle va revêtir d'autres sens. Si l'on se contentait de dire explicitement ou implicitement : je néglige votre demande, allongez-vous et associez, on perdrait le contact ténu qui permettrait à une relation transformante de s'instaurer.

Nul besoin donc de négliger la demande. En l'exploitant au maximum, on lui fait rendre ce que la démarche psychanalytique est censée faire venir au jour. Par exemple son ambivalence, son déplacement, la fuite qu'elle comporte ou son caractère d'écran. Elle n'est plus la demande de satisfaction d'un besoin ; elle dit déjà de quelle authenticité est porteur le désir de changement. Ce premier pas, cette première investigation pourrait bien d'ailleurs être requise dans tous les cas. Nous savons bien que n'importe qui à n'importe quel moment n'est pas apte à commencer une psychanalyse. Un travail préalable s'avère donc nécessaire et il faudra bien qu'il prenne son point de départ dans la demande. Si le désir de changer (et en conséquence la possibilité) n'existe pas, ou s'il est engoncé dans des réticences et des refus, ou encore dans des impuissances à miser gros pour mener à bien cette aventure, la psychanalyse risque fort de s'enliser et de produire des effets nuls ou destructeurs. S'attarder à la demande est indispensable et se trouve donc être déjà une manière de s'engager sur le terrain du désir.

Il n'empêche que le souci d'entendre la demande ouvre sur deux options fort différentes : ou bien on peut la tenir à l'écart et en quelque sorte l'oublier pour entreprendre l'aventure de l'analyse dont on ne sait ni le temps qu'elle durera ni sur quoi elle aboutira, ou bien on peut la garder sans cesse en point de mire pour commencer à y répondre effectivement à chaque séance en fonction des possibilités actuelles du patient. Cela est un choix stratégique qui est commandé soit par la formation ou les inclinations du thérapeute, soit par la détermination du patient qui accepte ou refuse de s'éloigner de la recherche explicite d'un résultat. Au cas où serait prise la seconde option, le cadre et le processus de la cure vont être modifiés de fond en comble. Viser constamment un impact de la cure dans l'existence, c'est-à-dire vouloir opérer dès aujourd'hui une modification dans la relation du patient à lui-même, aux autres et à l'environnement aura des conséquences multiples sur le travail du thérapeute et sur ce qui sera exigé de son interlocuteur. Indubitablement on est passé du côté de la psychothérapie, bien que soit respecté, comme on l'a vu, un des impératifs de la psychanalyse.

Le choix de la psychothérapie ne saurait ouvrir à la facilité. Comme le suggérait Octave Mannoni à propos de Winnicott : « Dans l'analyse classique, il voyait un élément irremplaçable de la formation des analystes, mais on a parfois l'impression qu'il aurait aimé la réduire à cela. Les psychothérapies plus libres l'intéressaient davantage et, dans ses écrits, elles occupent plus de place. Il pensait que les analystes classiques avaient "encore beaucoup à apprendre de ceux qui font des psychothérapies". Les psychothérapies exigent des analystes plus expérimentés, justement à cause de la liberté plus grande... On ne trouvera pas tant des règles nouvelles dans ses écrits, que beaucoup d'occasions de se demander si les règles que nous observons ne sont pas quelquefois plus conventionnelles que techniquement fondées. Il ne pensait pas avoir une "cause" à défendre [3]. »

---

3. Octave Mannoni, art. cité, p. 44.

Sommes-nous enfermés alors dans les rets de la guérison adaptative ? Si l'on entend par guérison le retour au *statu quo ante*, il ne peut en être question, même si les apparences sont contraires. Un homme vivait fort bien, à son dire, jusqu'à ce que la maladie mortelle d'un neveu lui rappelle la mort tragique de son frère et le jette dans l'angoisse. Après quelques séances il avait retrouvé sa sérénité. Mais dire qu'il était revenu au *statu quo ante* serait inexact. Ces quelques entretiens avaient modifié ses relations à ses parents auxquels, un moment, il ne pardonna pas de l'avoir maintenu si longtemps dans la plainte, de même que ses relations à lui-même, car il ne supportait plus de se promener dans la vie comme un enfant auquel il était arrivé un grand malheur. À plus forte raison, dans des cas où le mal à vivre plus ancien et plus secret tarde à tourner sur ses bases, le retour à l'état antérieur est impossible. Ce que l'on nomme guérison est toujours alors l'effet de l'invention d'une nouvelle modalité d'existence.

S'agirait-il donc d'une adaptation ? Le mot seul semble abominable aux oreilles psychanalytiques, sorte d'injure décisive, capable de faire taire toute personne qui, dans le cercle élitiste des nôtres, oserait l'employer ou s'en approcher à travers des locutions semblables. Si le but était de s'adapter à notre civilisation marchande pour devenir un de ces robots soumis au vouloir de quelque faux-self qui vide tout être humain de sa substance et de son pouvoir critique, il ne saurait être poursuivi. Mais si la visée est de mettre fin à l'inhibition et à la rigidité pour que le patient, devenu agent, retrouve son mouvement et puisse à chaque instant s'adapter aux personnes et aux circonstances, que pourrions-nous craindre de l'adaptation ? Le mieux que puisse produire une thérapie n'est-il pas de susciter une liberté qui prend toute chose avec force et souplesse pour en extraire la quintessence ? Non pas, comme l'effectuent peut-être certaines psychanalyses, l'engendrement de Narcisses toujours prêts à se pencher sur eux-mêmes pour se scruter et se perdre dans les interprétations de leurs faits et gestes, mais une sorte de mobilité généralisée qui sait s'absorber dans l'action et dans des projets audacieux qui interdisent de regarder en arrière.

Le désir de guérir de la part du thérapeute, c'est-à-dire celui de modifier le cours d'une existence, serait toutefois une vaine violence s'il n'était lesté par l'indifférence au résultat de l'entreprise. Et c'est ici que la démarche psychanalytique reprend ses droits. Elle a raison de fustiger comme une orthopédie dépourvue d'humanité l'usage de techniques prétendues efficaces qui visent à redresser des comportements. Sans doute peuvent-elles être salutaires pour obtenir de petites modifications ou des modifications passagères, mais elles sont incapables d'engager le demandeur dans un renouvellement de son rapport à lui-même, aux autres et à l'environnement. La mise entre parenthèses du symptôme et donc le non-souci de la guérison doivent donc être interprétés comme une manière de faire entrer en action celui qui veut améliorer son sort ou comme une façon de lui dire que le principe du changement est en lui et que l'on ne peut vouloir à sa place. Cette mise entre parenthèses et ce non-souci deviennent ainsi des ingrédients nécessaires à la relation qui a été instituée. Mais ils ne représentent qu'un côté du travail du thérapeute.

L'autre côté demeure bel et bien le désir de guérir, même si ce verbe prend un sens qui n'est familier ni à la médecine ni aux instances sociales. La démarche psychanalytique ne saurait se défausser de cette évidence. Lorsque le psychanalyste pratique ce métier pour un autre, c'est bien qu'il poursuit un but à son égard. Il propose l'analyse non pour le simple plaisir d'analyser ou seulement pour comprendre, mais bien d'une manière ou d'une autre pour apporter quelque chose d'important ou de nécessaire à l'existence. Même ceux qui pensent que le désir est désir du manque, même ceux qui veulent que chaque analysant fasse l'expérience de la déréliction ou de la désubjectivation, même ceux-là ont une visée, ils se sont fait une idée de ce que devait être un humain et ils cherchent à y conformer leurs analysants ; en un mot ils veulent les guérir de quelque chose, ne serait-ce que de leurs illusions. Donc eux aussi, à leur façon, n'échappent pas au désir de guérir. Ils feraient mieux de le reconnaître au lieu de jouer à ceux dont les mains pures ne s'abaissent pas à la recherche d'une quelconque efficacité. C'est un leurre de penser que le désir du psychanalyste puisse être sans objet, car le désir qui se veut sans objet prend encore pour objet le sans-objet, ce qui, entre parenthèses, ne peut pas ne pas avoir de conséquences pour le moins risquées.

Pour que l'indifférence à la guérison de la part du thérapeute, soulignée à juste titre comme capitale par la démarche analytique, ne soit pas une abstraction vide, elle doit donc sans cesse prendre appui sur le désir de guérir. Cette indifférence est là pour rendre à ce désir sa force et sa justesse, pour le creuser jusqu'à la découverte de la source. Supposons que le thérapeute veuille que le demandeur accède à sa demande. Pour qu'il en soit ainsi, il lui faut ne rien dire, ne rien faire et même ne rien penser qui soit incompatible avec les souhaits ou les possibilités de son interlocuteur. Mais, comme il ne sait pas, avant d'avoir dit, fait ou pensé, ce qui convient pour susciter cette liberté qui fait face, il faut qu'il puisse parler, agir et penser en toute liberté, c'est-à-dire avec une totale ouverture à l'écho que ses paroles, ses actes ou ses pensées pourront avoir. C'est cela l'indifférence à la guérison : un détachement radical à l'encontre de ses propres faits et gestes et de l'écho qu'ils pourront recevoir, une insensibilité à la réussite qui ne sera jamais son affaire, mais celle de l'autre, une acceptation égale de l'échec qui lui sera peut-être attribuable, une inlassable patience pour surmonter le découragement et pour imaginer l'ouverture d'autres voies. Il lui faut à la fois s'affirmer et se préparer au doute.

Car c'est une interlocution dans laquelle le thérapeute s'engage. Il n'a jamais raison une fois pour toutes. À chaque instant ce qu'il exprime comme souhaitable pour le patient doit pouvoir être rectifié, déplacé et même refusé. Il ne peut progresser que par tâtonnements, c'est-à-dire à travers une succession d'essais et d'erreurs. C'est au patient à confirmer ou infirmer la voie dans laquelle il lui est proposé de s'avancer. Le thérapeute doit être prêt à se tromper sans cesse, car jamais il ne formule ce qui est exactement enviable ou supportable pour son interlocuteur. Cela suppose un suspens à l'égard de toutes les idées reçues. S'il impose, croyant universel ou immuable, ce qu'il a pu apprendre dans les livres ou au cours de sa formation, s'il veut s'en tenir à quelques vérités ressassées qu'il prend pour des évidences, il ne permettra pas au patient d'accéder à sa singularité. Or, c'est la découverte ou la redécouverte de cette dernière qui est l'une des clefs du changement. Quand on lit les cas rapportés par Freud, il est visible qu'il invente après coup pour chacun d'eux une nouvelle théorie. Preuve qu'il a laissé se développer une spécificité qui d'abord l'a longtemps déconcerté. Et peu importe que ces cas aient été des réussites ou des échecs, ou que la théorie proposée paraisse adéquate ou inadéquate pour rendre compte de ce qui s'est passé, c'est la démarche dont il faut s'inspirer.

La liberté du thérapeute implique, en effet, qu'il renonce à prendre appui sur quelque théorie que ce soit, qu'il ne se réfère à aucune orthodoxie, qu'il ne se soucie pas d'appliquer une technique, mais qu'il soit tout entier présent pour commencer une relation sans armes ni armures. Octave Mannoni disait volontiers que la théorie analytique ne servait aux psychanalystes qu'à se protéger de l'angoisse suscitée par la nouveauté ou l'étrangeté de leur position. Pour reprendre un mot cher à Winnicott, c'est à un jeu que nous sommes conviés, jeu qui nous oblige sans cesse à retrouver notre place dans le champ qui est à chaque instant défini par le patient. C'est dire que notre tâche est plongée dans un flot continu d'expériences imprévisibles et que nous ne saurions donc à aucun moment nous y installer[4]. N'y a-t-il pas beaucoup de paresse dans l'attitude du psychanalyste qui ne supporte pas d'être débouté de ce qu'il a appris de son rôle et qui se fige dans un silence lointain ?

Mais comment décrire plus avant cette relation ? Comment est-il possible de conjuguer l'indifférence à la guérison et la passion de guérir ? Où peut conduire la liberté d'entreprendre sans tabou, sans aucun besoin de reconnaissance par les pairs, sans fidélité à aucune doxa[5] ? Sans doute à une angoisse qu'il ne serait pas bon de refouler, qu'il serait préférable de laisser envahir tout l'espace, car elle va conduire le thérapeute au dépouillement de tous ses oripeaux de certitudes pour se réduire à la nudité d'une présence, celle d'un humain à la recherche de son humanité face à un autre contraint à la même recherche. Si le patient demande à être délivré d'une souffrance, d'une peine, d'un symptôme, c'est que le rapport qu'il entretient avec lui-même, avec les autres ou avec l'environnement est par quelque endroit faussé ou rigidifié, c'est-à-dire que son humanité a perdu ou n'a jamais trouvé quelque chose qui la définit, sa mobilité relationnelle. Pour répondre à sa

---

4. « Une invention en psychanalyse n'est jamais une technique. Elle n'est féconde que pour son auteur. Le *squiggle game*, par exemple. "Je commence ; maintenant c'est ton tour. À toi de jouer ; à moi." Oui, mais pas pour marquer des points, pas pour que l'un impose son jeu à l'autre afin de l'y prendre et de l'y enfermer ; non : un jeu pour chercher ensemble ce que nous ignorons. Mêlons, démêlons le tien du mien. En fait toute une conception de l'échange – ou si l'on veut, de la circulation des "signifiants" entre deux sujets – est à l'œuvre dans ce jeu, qui est bien le contraire d'un test projectif. » (J.-B. Pontalis, « Aller et retour », dans *L'Arc*, n° 69, 1997, p. 50-51.)

5. « Chacun s'accorde pour affirmer que la psychanalyse – pas plus l'"anglaise" qu'une autre – ne propose un idéal de normalité psychique. Mais elle n'offre pas davantage le modèle d'un fonctionnement mental ou d'un type d'être. D'où l'insistance de Winnicott à dénoncer la complaisance soumise envers *tout* code – social, parental, ou interprétatif –, à faire dériver l'analyse telle qu'il l'aime d'un jeu sans règle et qui s'invente, qui peut se poursuivre aussi quand la partie est finie. Car la seule différence entre l'analyse et les autres "thérapies" tient sans doute en ceci : le processus qu'elle a déclenché continue à opérer. On garde – parfois on acquiert – le droit d'être malade, mais on gagne aussi la possibilité de se guérir soi-même. » (J.-B. Pontalis, art. cité, p. 48-49.)

demande et pour l'excéder infiniment, le thérapeute va lui proposer de remettre en mouvement cette existence, d'y faire circuler à nouveau l'intensité et l'expansion de la vie.

Et comment s'y prendra-t-il ? D'une part en se présentant lui-même comme un vivant, et d'autre part en percevant les possibilités enfouies chez son interlocuteur, c'est-à-dire en le voyant déjà transformé. Il arrive à des thérapeutes de dire que le fait de recevoir durant quelques heures des patients les a libérés de leur fatigue ou de leur état dépressif. C'est sans doute qu'ils ont dû, pour faire leur travail, puiser à la source de leur existence, ou tout simplement de leur vitalité, et ainsi sortir de leur marasme pour offrir au patient sa propre existence. Car la relation entre deux humains, en deçà de l'amour, de l'empathie ou de la reconnaissance, consiste à donner et à recevoir l'existence, sans préjuger de la forme qu'elle pourra prendre. Le saisissement ou l'émerveillement face à un petit enfant ou à un adolescent, sans nullement prévoir ce qu'ils vont devenir, suffisent déjà à les faire croître. Ce n'est pas de l'amour ou de la sympathie, c'est un arrêt ou un étonnement devant la vie qui se cherche, devant ce fantastique effort pour trouver un chemin qui ne se dérobe pas, devant ce rêve qui tarde à prendre consistance. Une relation pourrait-elle être thérapeutique si elle ne reprenait pas à son compte cet élémentaire de la naissance de l'humain ? Le thérapeute – si ce mot a un sens – est celui qui s'émerveille par anticipation : il voit, entend, soupçonne ou perçoit que près de lui quelqu'un est au bord de la découverte d'une nouvelle vision du monde ou d'une autre manière de vivre, que la complication d'une existence déchirée est là toute prête d'accéder à la simplicité, que les drames et les peines ne sont peut-être que des constructions secondes.

Pour le dire en d'autres termes, l'attitude du thérapeute, et certainement celle de l'analyste face au patient peut se définir comme une intensité de présence attentive, dépouillée de toute intention particulière. Il n'a d'abord aucun préjugé, aucune idée préconçue, aucun diagnostic ; il sent, il entend, il voit cette personne dans sa globalité, esprit, cœur et corps indistinctement, il se laisse imprégner de tout et des plus petits riens, il reçoit, dans une ouverture sans partage, l'existence de l'autre telle qu'elle veut bien se donner. Moment capital qui est sans cesse à réeffectuer, car il détermine ce qui est au fondement de la relation. Tous les analystes, tous les thérapeutes passent par ce moment, en particulier lors des premiers entretiens. Mais le plus souvent ils ne s'y arrêtent pas ou bien ils ne tiennent compte que de ce qui est dit explicitement. Ils ne se servent pas de ce qui a lieu alors, qui est d'une richesse insoupçonnée et qui va commander toute la relation ultérieure, car il s'agit alors de la mise en place de la relation qui sera le creuset de la modification.

Il arrive que, dans la grisaille de nos demi-réussites ou de nos échecs, quelque lueur nous réveille. Une jeune femme déprimée et suicidaire va mieux. Elle accepte peu à peu l'hypothèse d'une amélioration, mais le moindre désagrément la replonge dans une extrême fatigue et un besoin de se faire soutenir par son entourage. Un bijou lui est proposé, celui de soupçonner la puissance radicale qui est octroyée à chaque humain. Veut-elle le recevoir ? Elle hésite, car elle ne comprend pas de quoi il s'agit, mais donne enfin quelques minutes au thérapeute pour aller chercher ce cadeau. Il lui est proposé de se laisser guider, de ne pas chercher à comprendre la signification des mots prononcés, de descendre jusqu'à la source de sa capacité de décider sa mort ou sa vie ou, mieux encore, de ressentir cette capacité à l'état pur sans se soucier du choix qu'il faudrait accomplir. Elle clôt ses paupières et se laisse aller à la confiance seulement pour quelques minutes, comme il lui a été dit, car plus longtemps serait dangereux pour elle qui vit dans la peur. Bientôt elle ouvre les yeux et dit : « Je suis indigne d'une telle expérience. » Puis : « Mais comment pourrais-je transformer des habitudes de plus de vingt ans, celles de me plaindre, de me faire plaindre et de demander sans cesse de l'aide ? » Donc rien de définitif n'est accompli et peut-être ce moment sera-t-il plus tard effacé. Du moins il est possible qu'un phare se soit mis à briller et puisse guider ce voyage dans la nuit. En tout cas si le thérapeute ne s'était pas placé au préalable en ce site où naît l'émerveillement, c'est-à-dire s'il n'avait pas attendu, pour l'avoir pressenti, que la vie jaillisse sur ce terrain de tristesse et de mort, il n'aurait pas pu proposer cette expérience. Il n'aurait pas pu davantage permettre que soit mis en pleine lumière à quel point la plainte est obstacle à la modification et combien elle en favorise l'évitement.

C'est la relation inventée dans la thérapie qui a opéré ce changement éventuel, de même que c'étaient d'autres relations qui avaient réduit cette femme à simplement survivre. L'attirance pour le malheur est souvent donnée comme explication du refus de changer, alors que c'est le contexte familial ou social qui interdit le bonheur. Cette femme ne pouvait être heureuse parce que ses sœurs ne l'étaient pas. Elle était déjà trop loin d'elles dans la réussite professionnelle et amoureuse, il fallait qu'elle s'arrête. Le malheur, la façon de souffrir, le mal-être révèlent toujours un système social et une insertion desquels le patient ou la patiente n'a pas la force de se détacher. Les limites du bonheur ont été tracées par l'entourage. Les franchir fait courir le risque du rejet dans des abîmes de solitude. Parler de conflits psychiques est une erreur, il n'y a de conflits que relationnels. Cela ne veut pas dire qu'il n'y a pas de souffrance ou de malheur personnels, cela signifie que la manière de souffrir et d'être malheureux est un produit de relations, pas seulement avec papa ou maman, mais avec tout un milieu dans la suite des générations. Changer l'existence de quelqu'un, c'est sans doute à la fin changer sa vie intérieure, mais par le biais du changement de sa place relative.

Si une telle perspective était adoptée, que deviendrait le transfert ? Il ne peut pas ne pas exister toujours, penseront certains. Mais, pour répondre à la question avec plus de nuances, il faut d'abord le définir. Si l'on entend par transfert une relation affective puissante entre les protagonistes, et en particulier allant du patient au thérapeute, il est de fait probable qu'il sera toujours à l'œuvre d'une manière ou d'une autre. Mais si le transfert est défini de façon stricte comme il sied en psychanalyse, à savoir comme projection sur le psychanalyste du rapport que l'analysant entretient ordinairement avec son entourage proche ou lointain, il n'est pas assuré qu'il soit nécessaire. Freud a écrit maintes fois que le transfert dans la cure était à la fois le moteur et l'obstacle, et que la névrose qui a pris la forme de la névrose de transfert était difficile ou impossible à lever. C'est une question qui demanderait de longs développements. Mais voici ce qu'enseignent vingt ans d'expérience de cures dont la visée est la modification actuelle de l'existence : le transfert, entendu au second sens défini plus haut, doit être mis hors course. Car il est le signe de la répétition et que la répétition, pour être éliminée, suppose l'indéfini de la cure qui réussit dans le meilleur des cas à l'user, comme s'use un galet qui roule au bord de la mer.

En tout cas, dans le type de thérapie qui est ici proposé, la question du transfert ne se pose plus dans les mêmes termes. Il est mis hors course par l'intérêt pour la transformation, parce que le patient est tout occupé à la solution de son problème et qu'il utilise le thérapeute à cette fin. Sans doute va-t-il réapparaître de temps à autre, parce que le patient n'a pas encore abandonné le mode de relations auquel il est accoutumé et qu'il le met en œuvre dans la cure. Mais, chaque fois qu'il apparaît, il doit être mis hors circuit parce qu'il est obstacle à toute transformation possible, parce qu'il est une mesure dilatoire inventée par le symptôme pour se protéger. Nul besoin de se soucier du transfert si du moins a été instaurée une autre relation qui ne prend plus appui sur la névrose et qui, parce qu'elle est faite de mobilité et de liberté, malmène la répétition.

Le transfert, toujours entendu au second sens, signe la névrose, alors que la relation à laquelle accède désormais le patient est déjà la relation modifiée, sa relation à soi, aux autres, à l'environnement telle qu'elle va devenir, telle qu'elle est déjà présente à titre de possibilité, parce que des possibilités relationnelles d'une autre forme ont été pressenties et sollicitées par le thérapeute, que ces possibilités sont réelles et que déjà elles sont réalisées de manière inchoative. En quelque sorte le thérapeute, par sa vision anticipatrice, impose au patient d'être ce qu'il est déjà non pas même seulement comme possibilité, mais comme réalité, d'être autre que ce qu'il se donne l'air de devoir être en permanence. Le thérapeute ne le laisse pas répéter sa relation névrotique, il refuse que la répétition ait lieu dans le transfert, il ne s'intéresse pas à la répétition ; et si cette répétition réapparaît dans le transfert, il la prend à la légère comme s'il s'agissait de dire lors d'un caprice d'enfant gâté : « Vous n'allez tout de même pas recommencer ; votre refrain vous est assez connu pour que vous n'ayez pas à le chanter une fois encore. »

La névrose avait été construite par un système de relations qui avait étouffé le patient et l'avait réduit à l'état de mort vivant ou de momie. C'est une relation modifiée et modifiante qui va opérer le changement. De quelle nature est donc cette relation qui fait vivre ou exister ? C'est un échange, une influence mutuelle acceptée et transformée par chacun à sa guise, un processus ininterrompu de configurations nouvelles, alors que le rapport névrotique semblait établi une fois pour toutes pour se reproduire à l'identique. C'est un don et un recevoir réciproques où chacun des protagonistes ne cesse de changer. Échanger et changer ne sont pas seulement deux mots homophones ou relevant de la même étymologie, ils ont le même sens : on ne peut changer que par l'échange, on ne peut échanger les paroles, les gestes ou la présence si l'on ne change pas, si l'on n'entre pas dans le double mouvement d'ouverture sur le dehors et de fermeture en dedans par quoi l'être humain s'humanise et qui le rend d'autant plus indépendant qu'il est dépendant. Ce qui s'effectue dans le microcosme artificiel de la thérapie va entraîner la métamorphose de toutes les relations. En ce sens la thérapie n'est rien d'autre qu'une gymnastique relationnelle qui apprend à ne plus bégayer ou qui répare le disque rayé.

Tel homme a fait plusieurs psychanalyses qui lui ont permis de retrouver le petit enfant craintif qui suscitait la pitié. Durant ses séjours sur le divan, il s'était donné pour tâche de découvrir les tenants et aboutissants de cette misère, de se mettre à la place de cet enfant, de chercher les moyens de le consoler. Tout cela n'avait fait qu'entretenir la fausseté et pour tout dire l'inexistence d'une relation à lui-même et aux autres ; il restait enclos dans le donjon altier de sa souffrance incomprise. Jusqu'au jour où il rencontre un thérapeute qui se refuse à partager cette pitié de quelque façon que ce soit, qui suggère avec insistance de ne plus s'occuper de cet enfant, et qui provoque cet homme à se situer avec lui sur un pied d'égalité. Il s'ensuit une déli-vrance durable, une redécouverte de son entourage, une possibilité d'aimer et surtout d'être aimé, ce dont il se proté-geait auparavant avec obstination. Preuve qu'il ne suffit pas de revenir au passé et de l'évoquer sous divers points de vue, mais qu'il faut parfois se détourner de l'enfance recuite et oser affronter le présent. Rien n'aurait été possible si le thé-rapeute n'était pas sorti de ses certitudes théoriques et n'avait pas pris cet homme à bras-le-corps pour le remettre debout, lui faire traverser ses peurs enfantines, écarter la ouate des nuages de ressentiments, bref lui proposer et lui faire exercer une autre relation aux autres et à l'environne-ment, un déploiement de son corps dans l'espace, une expé-rience élémentaire de l'être humain ensemble.

Comment est-il possible que soit accomplie en quelques heures une transformation qui s'est fait attendre des années ? Lorsqu'on veut soulever un bloc de pierre, on aura beau posséder un levier, si on ne trouve pas le point d'appui adéquat, c'est-à-dire celui qui va donner à un minimum d'énergie un rendement optimum, le résultat sera nul ou déplorable. Et si par hasard on s'échinait à placer le levier là où il n'y a rien à soulever, il serait compréhensible que, la fatigue aidant, on soit conduit à désespérer. Il n'y avait de fait rien à espérer de cet enfant replié sur lui-même dans la complaisance ; il fallait entendre que son récit sonnait faux, qu'il était prononcé dans le but de neutraliser l'analyste et de l'entraîner dans l'encouragement à la répétition du symptôme.

Se saisir du levier qui est d'abord présence attentive et le ficher au bon endroit implique sans doute de la part du thérapeute quelque liberté et quelque audace. Pour que cette liberté ne soit pas arbitraire et que l'audace ne conduise pas à la témérité, elles doivent se soumettre non pas à des règles, mais à ce que suggère un sens affiné de la justesse, qualité musicale qui régit l'accord, qualité chorégraphique qui harmonise les mouvements. Il est ici question non pas de vérité ou d'erreur, mais de correspondance. Le thérapeute se doit d'être doué d'une oreille absolue, au sens que les musiciens donnent à ce mot, qui le rend sensible à la différence entre les mots qui sonnent juste et ceux qui chantent faux, ou à la différence entre des gestes adaptés au rythme de l'entretien et ceux qui sont apprêtés, crispés ou mécaniques. Comme un chef d'orchestre, par de sobres indications de parole et de corps, il reprend les mots et les gestes pour les faire entrer dans le concert. Ou encore, comme le nom de poète l'indique, il crée de l'harmonie et de l'échange qui font reprendre à la vie son cours.

V

EXERCICE DE LA GRATUITÉ

Que propose un hypnothérapeute pour induire l'état d'hypnose ? Le procédé le mieux connu du grand public consiste à demander au patient de fixer son regard sur un objet ou sur un point. Après un certain temps, variable selon les individus, les yeux se ferment et une multitude de pensées ou d'images apparaissent et disparaissent. Que s'est-il passé ? Lorsqu'on fixe un objet ou le détail d'un objet, sans à aucun moment s'en détourner, on s'interdit de passer de cet objet à ce qui l'entoure ou de ce qui borde l'objet à l'objet lui-même, c'est-à-dire que l'on supprime par là l'environnement dans lequel il se situe. Mais alors il devient impossible de voir. Le rapport de la figure au fond est nécessaire pour qu'il y ait perception ; si le fond est effacé, la figure l'est aussi. Pour être capables de distinguer un objet, les yeux doivent entrer en mouvement et balayer l'espace à partir duquel un certain découpage sera effectué. Quand un hypnotiseur propose de fixer un objet, tout se passe donc comme s'il ordonnait de voir pour empêcher de voir. Une rupture, précédée par un état de confusion, est opérée entre celui qui voit et ce qui est vu.

Les manières d'induire l'hypnose sont en très grand

nombre [1], mais toutes pourraient bien relever d'un schéma semblable. Par exemple, tel hypnothérapeute demande à l'hypnotisant de tendre les bras à l'horizontale, les paumes des deux mains se faisant face, puis d'imaginer que, disposé entre elles, un aimant les rapproche sans qu'il soit possible de résister à leur attirance réciproque, enfin de laisser une des mains se poser et l'autre venir toucher une partie du corps plus fragile. Il s'ensuit pour l'hypnotisant un sentiment d'étrangeté et de confusion qui peut s'exprimer dans des formules de ce genre : « C'est comme si mon corps n'était plus mon corps », ou : « Je perds le contrôle de ce qui me semblait m'appartenir. » Il en est ainsi parce qu'une fixation excessive de l'attention à un mouvement du corps s'accompagne d'une incapacité de la volonté à l'accomplir. Là encore une rupture a été opérée, cette fois entre des gestes qui semblent l'effet d'une force inconnue et la volonté qui est exclue de l'opération.

Quand on demande à quelqu'un de se sentir à l'aise dans le fauteuil, de bien poser ses pieds sur le sol, de considérer sa respiration ou les modulations de son rythme cardiaque, ce ne sont pas là des exercices accomplis en vue d'un projet ou d'une action. Cela ressemble plutôt à des bizarreries dont on pourrait aisément se passer. Comme si c'était une chose capitale, mais non point insensée, de faire découvrir à cette personne qu'elle a des pieds et des mains, qu'elle ne doit pas oublier de respirer, qu'il lui faut se préoccuper des battements de son cœur. Le cocasse semble rivaliser avec l'absurde et ne manque pas de conduire ici encore à un état de confusion. Il s'ensuit que porter attention à tout ce qu'un corps doit oublier pour agir a pour conséquence de le rendre incapable d'agir et donc d'opérer une rupture à l'égard de son rapport au monde.

Les phénomènes de lévitation ou de catalepsie qui sont

---

1. On peut en avoir une idée en se référant à *Hypnotic Induction and Suggestion : An Introductory Manual*, édité par D. Corydon Hammond, Ph. D., The American Society of Clinical Hypnosis, 1992.

suscités soit pour induire la transe soit pour vérifier à quelle profondeur elle se situe peuvent être compris dans le même sens. Les hypnothérapeutes estiment que ces phénomènes devraient mettre en confiance l'hypnotisant, parce qu'ils seraient susceptibles de leur prouver les capacités de leur « esprit inconscient » : si ce dernier est capable de telles prouesses, devrait-il penser, il saura bien m'extraire de mes symptômes. Mais ce qui nous intéresse ici est la nécessité d'en appeler, pour rendre compte de ces faits, à un autre « esprit » que l'esprit conscient. On dira qu'une dissociation[2] a été effectuée. Ici entre esprit conscient et esprit inconscient ou, comme diront certains, entre conscience et inconscient. C'est évidemment la nature de cette dissociation qui fait problème et à laquelle il sera possible de donner plus loin une autre interprétation.

Que se passe-t-il si on utilise les humeurs pour induire la transe ? Il est proposé, par exemple, de se donner quelques minutes pour développer toutes les implications affectives du mot confortable, de rester le même temps à peser et sentir l'inconfortable, de passer ensuite de l'un à l'autre de ces sentiments en s'attardant au point zéro de l'inversion de ces affects. Or l'arrêt en ce point n'est plus une humeur, car à toutes, pour qu'elles existent, il faut attribuer une valeur. Persister à vouloir éprouver la neutralité des humeurs, cela revient à constituer un site qui serait sans humeur. Faire jouer les humeurs opposées, c'est donc encore provoquer une rupture, cette fois entre les humeurs

---

2. Cette rupture est communément appelée dissociation. Quoique prise en plusieurs sens (par exemple, chez Pierre Janet, il s'agit d'une dissociation d'idées, nécessaire à ses yeux pour mettre fin à un délire (*cf.* Jean Raulier, *Prisonnier ou conquérant du temps. Esquisse d'une théorie de la dissociation chez Pierre Janet*, édition privée, Bruxelles, 1996), elle est le plus souvent interprétée comme dissociation entre conscient et inconscient. C'est dans cette voie que se sont avancées certaines recherches. Hilgard, par exemple, a montré que, durant l'expérience de l'hypnose, un observateur caché était toujours présent, c'est-à-dire qu'il n'y avait jamais de perte totale de conscience. Ernest R. Hilgard, *Divided Consciousness : Multiple Controls in Human Thought and Action*, New York, John Wiley and Sons, 1977.

et un champ neutre où il n'y en aurait plus ou pas encore. Mais de quelle nature est ce champ ?

Une autre forme de dissociation fait suite à une utilisation singulière du langage. Le thérapeute use, par exemple, de formules si embrouillées que leur signification vient à se perdre, ou bien il affirme une chose pour la nier à l'instant qui suit : « Vous écoutez ce que je dis, mais vous n'avez nul besoin de saisir ce que je dis, vous entendez ma voix et vous y portez attention, mais ce qu'elle exprime n'a pour vous aucun intérêt. » Il en est de même si le thérapeute se contente de prononcer des truismes dont la portée est nulle et qui relèvent donc de la vanité du dire. Dans tous ces cas le langage est mis à mal et confine à l'absurdité. Alors qu'il devrait servir à la production d'un sens, il se trouve vidé de tout sens. En d'autres termes, la parole est proférée pour être annulée. L'hypnotisant ressent la perte de l'appui qu'il avait jusqu'alors dans les mots. Comment peut-il supporter l'absence de repères qui s'impose à lui ?

Tout ce qui vient d'être dit des effets de l'induction de l'hypnose pourrait être recensé par trois mots bien connus des hypnotiseurs et qui sont comme trois temps qui aboutissent à la transe : fixation, confusion, dissociation. Encore faut-il expliquer leur rôle dans le processus hypnotique, sans quoi on ne pourrait que conclure de cet effet à la visée d'une domination : on aurait aveuglé et désorienté l'adversaire pour le mettre à sa merci. Pour préparer une réponse, il est nécessaire de lire ces trois temps comme le processus par lequel la sensorialité, la corporéité, les humeurs et le langage ont été mis dans une position contradictoire : ils ont été suscités pour être aussitôt abolis, éveillés pour mieux être assoupis, mis en mouvement et dans l'instant même inhibés. Si l'hypnotisant se trouve jeté dans un état de confusion et de dissociation, c'est que toutes les capacités qui lui servent ordinairement pour organiser son rapport aux choses, aux êtres et au monde se sont fermées à leur propre fonctionnement ; elles ont été mises en échec et bientôt en suspens. C'est là que résidait le véritable but de l'opération.

Avant de se demander si, et à quelles conditions, un tel suspens est possible, on peut essayer de comprendre sa nécessité pour une pratique qui prétend sinon guérir, du moins modifier en quelque chose l'existence des individus. Sensorialité, corporéité, humeurs, langage représentent l'ensemble des ressources dont l'être humain dispose pour se repérer dans l'existence, soit – terme qu'il faudra plus loin justifier – son *système sélectif de reconnaissance*[3]. Au long des jours et des années, ces ressources se sont coulées dans des moules, sont devenues des habitudes de sentir, d'imaginer, de penser, de parler, d'agir et elles ont pris la forme de stéréotypes que nous ressassons à tout propos et en toutes circonstances, même si elles sont inadaptées ou inadéquates. Lorsque leur inadaptation et leur inadéquation sont assez extrêmes pour nous faire souffrir, il arrive que nous voulions les modifier. Mais comment cela est-il possible, c'est-à-dire comment mettre un terme provisoire ou définitif à la répétition de ce qui est à l'origine de nos perceptions et de nos actes inadaptés et inadéquats, qui ne sont rien d'autre que nos méconnaissances des choses, des personnes ou des événements, si ce n'est en leur imposant un coup d'arrêt, en cessant de les mettre en œuvre, bref en les mettant en suspens. C'est là le seul moyen d'effectuer un éventuel changement de notre système sélectif de reconnaissance, lequel se trouvait enchaîné à des habitudes sensorielles, affectives, imaginatives, cognitives. Il faut le

---

3. J'emprunte ce terme à Gerald M. Edelman, *Biologie de la conscience*, Paris, Points-Odile Jacob, 1992, p. 114 *sq*. On verra plus loin l'importance du mot sélectif. J'avais ailleurs cherché à suggérer la place décisive, pour la compréhension de l'hypnose, d'un « préalable » par l'évocation du génétique, du pouvoir de configurer son monde chez le nouveau-né ou de le créer à la manière des frontaliers. Le terme de système sélectif de reconnaissance répond à la même exigence. Il faudra montrer comment cette notion de système sélectif de reconnaissance, utilisée par Edelman dans son exposé de la neurophysiologie et qui comprend pour lui la perception, la mémoire et l'apprentissage, peut être utilisée dans notre champ.

dégager des tâches auxquelles l'état de veille le contraint et l'appréhender comme tel. Plus tard il faudra se demander si une telle rupture est pensable ; pour l'instant il suffit de savoir si elle est réalisable.

Les hypnotiseurs n'en doutent pas. Ils constatent, en effet, que l'induction de l'hypnose produit un état de bien-être, fait de détente intérieure et de relaxation corporelle. Ce qui n'a rien d'étonnant, puisqu'il est proposé à l'hypnotisant d'abandonner ses préoccupations ordinaires, de ne faire aucun effort de pensée ou de volonté, de ne former aucun projet, mais d'être seulement là en repos. C'est ce que l'on appelle le lâcher-prise : le système sélectif de reconnaissance des choses, des êtres et du monde se trouve alors comme en vacances, vacances auxquelles il prend d'abord plaisir. Tant que le délassement ressemble à celui que l'on peut prendre dans les heures de loisir et que le corps et la pensée flottent sans contrainte comme ils le feraient dans le prélassement d'une plage ou à la vue d'un paysage familier, tout se passe à merveille. Mais, s'il est suggéré de quitter cela pour qu'il n'y ait même plus de sensations, d'images ou de pensées, l'approche du vide qui en découle, chez la plupart, provoque inévitablement l'angoisse.

Comment pourrait-il en être autrement ? Le sol se dérobe sous nos pieds. Nous sommes accoutumés à user de notre système de reconnaissance pour percevoir les objets de notre entourage, pour distinguer les personnes, pour poser des actes utiles ou nécessaires à notre existence. Sauf à l'heure où nous nous endormons, tout cela est notre terre sur laquelle nous marchons. Comment ne pas être pris de vertige si brusquement nous en sommes privés ? Sur quoi allons-nous prendre appui ? Il ne s'agit pas là d'abord d'une résistance au changement qui pourrait être opéré dans nos vies, cela pourra venir plus tard. Pour l'heure nous rencontrons l'absurdité d'un état de veille qui ne voit rien, qui ne sent rien, qui n'imagine rien et qui ne pense à rien. Le fait de n'avoir à donner son adhésion à nul élément particulier et de pénétrer dans une zone de flottement généralisé nous fait perdre l'équilibre parce que nous avons perdu nos marques.

Il est rare que les hypnotiseurs ou les hypnothérapeutes abordent ce sujet. Les uns, sans doute pour préserver une certaine image de l'hypnose, la veulent sans peine et sans danger, ignorante de l'échec et source inaltérable de bien-être. Ils ne peuvent en conséquence la mettre à l'épreuve que pour des maux anodins ou temporaires. D'autres ne sont pas passés par les défilés de l'angoisse, comme son étymologie l'indique, et ils ne sauraient donc supporter, sans être pris de panique, d'y voir passer un hypnotisant. Ils ne peuvent donc s'empêcher d'en interdire l'approche au cas où elle se montrerait à l'horizon. De là l'impossibilité de comprendre quoi que ce soit à l'hypnose à laquelle ils préfèrent conserver ses attributs magiques. Car l'angoisse est inséparable de la rupture [4], qui est au cœur de l'expérience de l'hypnose, entre le système de reconnaissance et les objets intramondains.

Mais alors comment est-il possible de sortir de l'angoisse ? Certes, et c'est ce qui se passe parfois, il est loisible de revenir en arrière : rien n'a eu lieu et il suffit d'oublier. Dans le cas où l'expérience se poursuivrait, il se pourrait que grandisse l'abîme ouvert par la rupture. En ce cas le risque encouru serait de voir l'angoisse s'accentuer jusqu'à l'intolérable, puisque le système de reconnaissance aurait perdu tout contact avec ses objets coutumiers. L'angoisse ne peut s'alléger ou disparaître qu'à une seule condition : que l'hypnotisant puisse prendre appui sur ce qui ne viendrait pas à manquer malgré le vide des affects et des pensées. Si l'on s'en tient aux modèles ordinairement

---

4. Il y a des degrés de rupture, il y a des personnes qui ne ressentent pas l'angoisse et qui s'abandonnent volontiers à l'expérience. Mais les limites et les échecs de l'hypnose commencent le plus souvent par l'évitement de la peur et de l'angoisse. On a obtenu une certaine relaxation, mais cette relaxation reste en surface et ne peut venir à bout des difficultés de fond qui supposeraient une modification touchant aux racines de la personne.

proposés, il est impossible de répondre à cette question cruciale.

À la fin du siècle précédent, les auteurs qui veulent rendre compte de l'hypnose se réfèrent, comme à une évidence, à l'automatisme réflexe. Pour Bernheim, le suggestionné ressemble à une grenouille décérébrée. Grâce à l'état hypnotique, le cerveau et son pouvoir critique sont mis hors circuit, de telle sorte que des réflexes idéosensoriels et idéomoteurs transforment la suggestion hypnotique en processus corporels. Bien que Charcot, au sujet de l'hypnose, ait soutenu des positions aux antipodes de celles de Bernheim, il n'en fait pas moins preuve des mêmes préjugés. Pour lui, en effet, les hystériques nous mettent sous les yeux « l'homme machine rêvé par de La Mettrie ». Ainsi donc « le contraste entre la théorie "somatique" de l'hypnose proposée par l'école de la Salpêtrière et la théorie "psychologique" de l'école de Nancy est finalement moins grand qu'il n'y paraît, car toutes deux s'enracinent dans une seule et même psychophysiologie [5] ». Quant à Freud, dont le souci est d'allonger le circuit de l'arc réflexe, il n'en demeure pas moins tributaire de la même perspective. Lorsque, dans le chapitre VII de *L'Interprétation des rêves*, il est en train, à peine sortie de son engouement pour l'hypnose, de construire son appareil psychique, il écrit : « Le réflexe reste le modèle de toute production psychique. » Dans tous ces cas, la pratique de l'hypnose conduit à reconnaître que quelque chose a été mis hors circuit : le cerveau ou la conscience.

S'il en était bien ainsi, c'est-à-dire si l'hypnose ne pouvait être comprise que sous l'égide de l'automatisme réflexe, il serait incompréhensible qu'elle puisse avoir un effet durable, car la suggestion de guérison, c'est-à-dire l'excitation, devrait être effectuée à chaque instant pour que la réponse, la guérison, soit donnée. Il n'y aurait en consé-

---

5. Mikkel Borch-Jacobsen, « L'effet Bernheim (fragments d'une théorie de l'artefact généralisé) », dans *Corpus, revue de philosophie*, n° 32, 1997, *Delbœuf et Bernheim, Entre Hypnose et suggestion*, p. 148-149.

quence aucune possibilité pour que l'hypnose devienne le théâtre d'un renouvellement personnel. Les opposants à l'hypnose auraient donc raison de répéter, après Freud, que le symptôme ne peut que se déplacer ou que la pratique de l'hypnose est sans lendemain et qu'elle ne change rien en profondeur.

Ceux qui par la suite se sont efforcés de penser l'hypnose n'ont pas, malgré les apparences, abandonné cette perspective. Ils ont voulu tenir compte des développements de la neurophysiologie et ont fait intervenir, avec les théories de l'information, l'extraordinaire complexité du cerveau humain et ils ont pu, par ce détour, rendre compte des apprentissages[6]. Mais ils n'en ont pas moins conservé le caractère de passivité qui seul permettrait, selon eux, d'expliquer l'obéissance à la suggestion. La coupure introduite par l'hypnose, communément appelée dissociation, serait du même type que celle opérée par le trauma : elle séparerait le supportable de l'insupportable, lequel serait voué à l'amnésie. C'est cette dernière qui serait réinvestie dans l'état hypnotique et qui pourrait être réactivée en souvenirs par l'intervention de l'hypnotiseur.

Il apparaît donc que les avancées récentes de la neurophysiologie, pourtant susceptibles de fournir des paradigmes allant dans un tout autre sens, soient sans cesse réinterprétées à l'ancienne mode pour respecter les croyances sacro-saintes en la passivité et en l'inconscience des processus hypnotiques. Toutes ces théories sérieuses volent en éclats face à la merveilleuse désinvolture des hypnotisés qui font toujours exactement ce qu'ils veulent ou ce qui leur plaît. L'hypersuggestibilité, comme la suggestibilité, est un leurre. « Selon ma propre expérience, notait Milton Erickson, on n'a pas pu mettre en évidence la présence d'hypersuggestibilité, bien que la liste des sujets

---

6. *Cf.* Ernest Lawrence Rossi, *Psychobiologie de la guérison. Influence de l'esprit sur le corps*, Paris, Desclée de Brouwer, 1994, qui cite Bernheim et propose une théorie psychophysiologique de l'hypnose.

s'élève à près de trois cents et le nombre de transes à plusieurs milliers... Les sujets entraînés à entrer instantanément en transe profonde, lorsque l'expérimentateur faisait simplement claquer ses doigts, réussissaient à résister lorsqu'ils n'étaient pas d'accord ou qu'ils avaient envie de faire autre chose[7]. » Les hypnotisés sont donc des élèves dissipés, dissipés par définition. Car à vrai dire ils n'en font qu'à leur tête[8] et ils font même n'importe quoi. Or c'est cela précisément qui est l'essence de l'état hypnotique.

Les hypnothérapeutes qui souhaitent la reconnaissance de l'establishment voudraient rejeter les hypnotiseurs de foire dans les ténèbres extérieures. Mais ce n'est pas correct. Ils font tous la même chose. Les uns et les autres choisissent des personnes de bonne volonté qui répondront à leur demande. Si on leur suggère de croquer dans une pomme pour y apprécier le goût d'une banane, comment refuser de faire plaisir à ce monsieur qui veut réussir son tour ? Par contre, s'il proposait de se dévêtir en public, il risquerait fort de se voir opposer la pudeur. La clinique rencontre les mêmes divergences. Si quelqu'un est hanté par la peur du cancer et qu'il veuille en finir avec la cigarette, le moindre hypnothérapeute trouvera en lui un sujet docile au succès de sa pratique. Mais, si un autre a passé l'âge des statistiques et trouve dans la fumée une détente bénéfique, ou si tout simplement il ne craint pas de se détruire, la séance la mieux conduite se soldera par un échec. On pourra donc dire avec raison que l'hypnose est un artefact ou une simulation et qu'elle ne met en scène que ce dont les hypnotisés veulent bien être acteurs.

Ce qui est mis en pleine lumière par l'hypnose n'est rien d'autre que la labilité de la perception ou des comportements humains. Lorsque l'hypnose est utilisée pour produire une analgésie, on ne peut éviter d'admettre qu'elle est un moyen d'annuler le rapport au corps. Maintes expé-

7. *Ibid.*, p. 92.
8. *Ibid.*, p. 154-155.

riences prouvent que l'on peut à loisir produire ce que l'on nomme des hallucinations négatives ou positives. Si vous êtes importunés par un voisin, il vous est loisible d'en nier l'existence, ou si l'on vous suggère de compter en oubliant le chiffre 5 ou de voir là une chaise qui n'y est pas, vous pouvez aisément faire des additions sans ce chiffre ou appréhender cette chaise comme si elle se trouvait là. Ces exercices, et bien d'autres, renvoient tout simplement à la capacité de l'être humain de créer son monde ou de l'annuler. Il n'y a là rien d'original, car chacun sait qu'il peut voir ou ne pas voir ce qui est dans son champ de vision, qu'il peut, selon ses désirs, entendre ou ne pas entendre ce qui lui convient, oublier ce qui le gêne et se souvenir de ce qui lui plaît. L'hypnose n'est rien, elle n'est qu'un jeu, mais qu'elle soit un jeu n'est peut-être pas rien.

Elle ne produit pas la possibilité d'inventer ou d'abolir le monde, elle se caractérise par l'isolement de cette possibilité, la faisant apparaître par ce moyen en tant que telle. L'être humain est expert dans l'art de jouer avec ses perceptions, avec ses souvenirs ou ses oublis, avec ses apprentissages. L'hypnose libère cette capacité de jeu pour introduire à un jeu sur le jeu lui-même. Cet isolement et cette libération sont effectués par l'induction à l'état hypnotique, c'est-à-dire, comme on l'a vu, par la rupture de la sensorialité, de la corporéité, de l'humeur, du langage avec ce qu'ils appréhendent. Jetés dans la confusion, l'objet de leur exercice leur est enlevé et ces différents facteurs sont voués au suspens. Impossible alors de jouer à sentir, à se mouvoir, à éprouver ou à parler. La possibilité de jeu n'a plus avec quoi jouer ; renvoyée à elle-même, cette possibilité est contrainte de se rendre manifeste et de se poser elle-même.

Avant de voir l'intérêt clinique d'une telle opération, il faut se demander à quelle condition elle est possible, car il est étrange qu'une capacité puisse être appréhendée en dehors de son exercice. L'appel à l'automatisme réflexe ou à l'amnésie avait le mérite d'éviter cette question au premier abord fantaisiste. Elle fait songer, en effet, à celui qui voulait se prendre par le toupet pour sauter hors de son ombre. Mais cet appel à l'automatisme réflexe n'était pas sans inconvénient. Il faisait de l'hypnotisé un individu passif que devait stimuler l'hypnotiseur : on avait mis hors circuit le cerveau ou la conscience, et ce manque entraînait fatalement à sa suite l'obéissance aveugle et l'aliénation. Comme l'hypnotisant se révèle à la réflexion un acteur qui fait ce qu'il veut quand cela lui plaît, il est nécessaire de le considérer comme conscience active, même si cette conscience est tamisée par un certain voile d'inconscience[9]. Mais c'est alors que les difficultés commencent car, s'il était facile de rejeter hors esprit ou hors conscience une part de la personne considérée pour l'heure comme inactive, puisque décérébrée ou amnésique, cela n'est plus possible si cette part est la plus active. Or c'est bien le cas pour le système de reconnaissance, fait de perception, de mémoire et d'apprentissage.

La première réponse est qu'il n'a jamais été question, dans les pages qui précèdent, de mettre hors circuit ce système de reconnaissance ; il s'agissait de le mettre en suspens pour que la gratuité de son fonctionnement puisse apparaître. Or il y a une différence radicale entre mettre hors circuit et mettre en suspens. Ce qui est mis hors circuit est au mieux en sommeil, incapable d'être réveillé si ce n'est par l'excitation venue d'ailleurs. Le suspens au contraire marque l'accentuation d'une attente, à la manière d'un désir qui croît s'il est différé. En ce sens, les capacités de la personne ne sont pas mises hors circuit, elles sont mises en suspens, en ce sens qu'elles ne sont pas reliées actuellement au monde des objets et des êtres. Or cette coupure momentanée n'a rien d'extraordinaire, elle est sans cesse supposée

---

9. « L'hypnose profonde est le niveau d'hypnose qui permet aux sujets de fonctionner adéquatement et directement à un niveau inconscient de conscience sans interférence de l'esprit conscient (*at an unconscious level of awareness without interference by the conscious mind*). » Milton H. Erickson, *Collected Papers*, I, Irvington Publishers, Inc., 1980, p. 146.

comme l'expression poussée à la limite du pouvoir de l'être humain de jouer avec ses perceptions, ses souvenirs ou ses apprentissages.

Comment décrire davantage ce moment d'arrêt et de suspension ? Par l'impossibilité de sa mise en acte provoquée par l'induction, le système de reconnaissance se retire et se réduit à sa propre capacité. Il n'est plus qu'une possibilité dans toute sa force propre, une compétence ou une puissance qui se ramasse sur elle-même et qui, se refusant pour l'heure à toute effectuation, intensifie le potentiel de son aptitude. Ce retrait et cette réduction sont une mise en réserve ou une concentration d'énergie préalable à l'action, comme il en est de la corde de l'arc tendue avant que parte la flèche ou de l'armée immobile en attente du combat. Ainsi la fermeture du système de reconnaissance à toute réalisation actuelle sera une ouverture à toute réalisation possible. État de recueil qui traduit une réceptivité optimale. Si une attente généralisée existe en dehors de toute détermination effective, alors le système sélectif de reconnaissance, dans la mesure où il a une consistance propre – ce qui est à montrer –, peut un temps se maintenir isolé et libre.

Quel est l'effet de ce retrait ? S'agit-il encore d'une détente ou d'une relaxation ? Mieux vaudrait parler d'une assurance. Lorsque quelqu'un renonce à se préoccuper de sa sensorialité, de sa corporéité, de ses humeurs et du langage, ce qu'il éprouve est le pur sentiment d'exister, parce que l'existence n'est plus enchaînée à telle ou telle forme de relation ou à telle situation particulière. La certitude d'être vivant en tant que telle est d'une si pleine évidence qu'elle rejette dans l'ombre toutes les modalités que la vie individuelle est susceptible de revêtir. « Je suis vivant, je suis assuré d'être vivant et cela me donne une fermeté et un aplomb que je n'avais auparavant jamais ressentis. » Il se peut que, durant une période assez longue, on ne soit capable que d'une alternance entre des moments de retrait sur cette existence et d'autres où les préoccupations quotidiennes envahissent tout le champ personnel. Puis peu à peu ces deux expériences deviennent deux niveaux qui peuvent cohabiter simultanément[10], l'un caractérisé par l'absence de liens avec les contraintes journalières et l'autre immergé en elles, ou encore l'un sans aucune autre responsabilité que de porter sa propre vie ou sa propre mort et l'autre responsable de ce qui est imposé par le temps, le lieu, les circonstances et les personnes.

Mais il se peut que le retrait donne à goûter une liberté à ce point sans limites qu'elle en devienne intolérable. À peine la fermeture a-t-elle produit ses fruits que l'ouverture qui s'ensuit semble trop vaste. Le jeu qui n'a plus de quoi et sur quoi jouer, la gratuité principielle des perceptions, des souvenirs et des apprentissages, c'est-à-dire le détachement des habitudes de penser, de sentir et d'agir sont tels qu'ils ne manquent pas de produire d'abord l'affolement. C'est l'apparition de l'angoisse, déjà évoquée, et qui est bien le premier et le plus grand obstacle à l'expérience de l'hypnose, parce qu'elle est la première conséquence de la gratuité. Si l'on ose passer par ce défilé, la liberté va pouvoir s'amuser comme un enfant qui agite les osselets ; elle va mélanger tout l'acquis de ses perceptions, de ses souvenirs et de ses apprentissages, tous les traits qui ont fait son histoire, toutes les pressions et les assujettissements qu'elle a subis. Et ce faisant elle va assouplir les scléroses de son système sélectif de reconnaissance qui préférait donner des réponses invariables aux questions toujours nouvelles des événements.

C'est ici que le mot sélectif prend tout son sens. Tant que le système de reconnaissance est voué à la répétition, il ne choisit pas ses objets, il n'élit surtout pas sa manière propre de les recevoir, il en est seulement tributaire. Désormais, grâce au temps passé dans le jeu sans jouet, il va pou-

---

10. C'est l'expérience simultanée de ces deux niveaux qui peut faire de l'hypnose une introduction à un art de vivre. La tempête peut agiter la surface de l'océan sans qu'il soit nécessaire pour le fond d'oublier son silence et son calme.

voir configurer son monde, en sélectionnant en lui de quoi appréhender cette chose particulière qui advient, en mettant à part en lui-même ce qui était prévu pour accueillir l'imprévu. Parce qu'il a repassé les leçons de la reconnaissance, il les connaît par cœur et s'est préparé à l'imprévisible. C'est cette gratuité dont il a fait l'exercice qui lui permet d'épouser le mouvement des choses, des êtres et des événements, parce que, dans sa puissance encore impuissante, il a tout appris du monde. Maintenant il peut tracer le geste qui convient, celui qui vient avec et en même temps, comme le chef d'orchestre qui effectue l'harmonie qu'il reçoit. La certitude qui l'habite peut laisser la voie libre à l'incertain ; l'assurance sur laquelle il se fonde est si stable qu'elle se satisfait du même comme du différent.

Le suspens qui conduit au jeu et à la gratuité n'a donc rien à voir avec l'exclusion de ce qui apparaît et disparaît dans le monde dans la suite des jours, et pas davantage avec son rejet dans l'inconscience ou l'amnésie. Bien au contraire le système sélectif de reconnaissance est là pour se préparer à inclure de nouveaux éléments et à se transformer en fonction de ce dont il s'est imprégné. Il est toujours préalable aux événements, mais sans cesse modifié par eux. Même s'il précède toute expérience possible, il la reçoit pour en tirer le profit d'un nouvel apprentissage et d'une refonte de sa mémoire. Ce qui est mis en suspens ne se sépare donc pas de ce qui est un instant mis à distance. Rien de plus à vrai dire que ce qui se passe lorsque quelqu'un s'interroge sur ses manières de se comporter, les met radicalement en question et en choisit d'autres. Mais précisément cela ne serait pas possible s'il ne faisait appel à la gratuité surabondante du système de reconnaissance et à son pouvoir de sélectionner en lui le nouveau qui correspond à l'événement. Ce retrait temporaire, chacun en dispose et en use, mais sans y prêter attention. L'hypnose n'est rien d'autre que l'arrêt sur image de ce temps inaperçu, ou encore elle ne fait que le souligner ou l'inscrire en caractères gras.

Est-il besoin d'en appeler à la neurophysiologie pour justifier l'usage de ce suspens du système sélectif de reconnaissance ? La réponse est non, car l'analyse de l'expérience de l'état hypnotique, dont la vérification est ouverte à tout un chacun, n'a pas besoin, pour être valable, d'en appeler à un autre domaine du savoir. Par contre la réponse est oui, si l'on veut bien se souvenir de l'hégémonie du modèle de l'arc réflexe chez les hypnotiseurs de la fin du siècle dernier et encore aujourd'hui chez ceux qui tentent de lever l'étrangeté du phénomène. Nous ne sommes pas encore sortis du schéma stimulus-réponse et il semble commun de faire se courber l'hypnose au passage de ces fourches caudines. Il s'agit donc de se soustraire à un impératif qui s'exerce illicitement et qui tord l'expérience dans un sens inadéquat. Proposer un autre modèle, où l'individu humain ne va plus se présenter comme un décérébré, un automate ou un amnésique, lorsqu'il est arrêté dans son mouvement, aura peut-être au moins pour effet de déblayer le terrain où se construit la cure pour la penser, sans risque de désaveu scientifique, comme un lieu privilégié de l'acte humain.

Le clivage décisif entre les deux modèles réside dans le fait que l'un opère par instructions et l'autre par sélections. Le premier, dépourvu d'initiative, a besoin d'une impulsion, on dira d'un stimulus, pour être provoqué à réagir en fonction et selon la nature de ce stimulus. C'est bien lui alors qui commande de l'extérieur. Le second dispose d'une population de réponses possibles et, lorsqu'il est sollicité par un élément extérieur, il choisit, dans cette population, la réponse la mieux adaptée. C'est donc lui qui a et qui garde l'initiative, c'est lui qui commande. Dans le cas du premier modèle, le processus est des plus simple et il est possible d'isoler une cause et de lui attribuer un effet. À l'inverse pour le second modèle, il est nécessaire de faire appel à une multitude de facteurs qui se combinent pour former un système.

Certains biologistes voudraient pouvoir montrer que le cerveau humain fonctionne à la manière du second modèle, mais, même si maintes recherches vont dans ce sens et donc s'opposent radicalement aux prétentions du cognitivisme, elles ne sont pas encore suffisamment avancées pour en donner une preuve indubitable. Par contre il existe un dispositif bien étudié dépourvu de toute ambiguïté : le système immunitaire qui « est l'exemple le mieux connu de système somatique de reconnaissance fondé sur des principes de sélection[11] ». On croyait, toujours sous l'emprise du schéma stimulus-réponse, que les molécules étrangères transmettaient de l'information aux anticorps sur leur forme et leur structure et qu'ensuite les anticorps en gardaient l'empreinte. En réalité, avant toute confrontation avec des molécules étrangères, l'organisme est capable de fabriquer un immense répertoire de molécules d'anticorps. « Le système de reconnaissance engendre d'abord une population diversifiée de molécules d'anticorps pour ensuite sélectionner *a posteriori* celles qui s'ajustent le mieux[12] », ce qui ne l'empêche nullement de garder en mémoire le souvenir de ses expériences passées. Il en serait de même pour le cerveau humain dont la puissance combinatoire touche à l'infini et qui n'est donc jamais sans ressources pour recevoir les complexités du monde extérieur dont les types de relations, si nombreux qu'ils soient, restent infimes au regard des siens[13].

Il n'est pas besoin d'en dire davantage, si ce n'est pour souligner que la question du modèle est capitale pour la conduite d'une cure. Lorsque certains opposent l'inconscient freudien à l'inconscient éricksonien, ils se contentent

---

11. Gerald M. Edelman, *Biologie de la conscience, op. cit.*, p. 115. Ce livre est un petit chef-d'œuvre de science et de fiction, d'une clarté, d'une maîtrise et d'une culture rarissimes.

12. *Ibid.*, p. 120.

13. Toutes les connexions et leurs combinaisons possibles seraient « de l'ordre d'un dix suivi d'un million de zéros (il n'y a, dans tout l'univers connu, qu'environ dix à la puissance 80 particules chargées positivement) », *ibid.*, p. 32.

de dire, par exemple, que la conception du premier est pessimiste et celle du second optimiste, mais ce n'est pas là le point décisif ou bien il ne s'agit que d'une conséquence. Si l'inconscient est pensé selon le modèle de l'arc réflexe, fût-il démultiplié, il ne pourra que se vouer à l'enregistrement et à la répétition, si au contraire il est pensé selon le modèle du système sélectif de reconnaissance, il sera susceptible de se réorganiser[14] en fonction de ses propres expériences. Freud a été victime de ses connaissances en neurologie, alors qu'Erickson a anticipé le modèle du système sélectif de reconnaissance.

C'est toute une série de questions qui peuvent être maintenant réglées, soit qu'elles n'aient plus à se poser, soit qu'elles puissent trouver des réponses plus appropriées.

Par exemple la coupure entre conscient et inconscient n'est plus pertinente. Il n'est pas possible d'affirmer que le retrait sur lui-même du système sélectif de reconnaissance est de l'ordre de l'inconscience ou relève de l'inconscient. Car la confusion provoquée par le processus d'induction peut être tout à fait consciente, même si la conscience explicite est plongée dans le désarroi. À l'inverse, lorsqu'un acte est accompli avec plénitude et qu'il manifeste une absorption de la personne dans ce qu'elle fait, qu'il s'agisse de l'attention intense d'un chercheur en quête d'une solution ou de celle d'un sportif qui sait allier la force et la grâce, comment pourrait-on oser dire qu'ils sont inconscients ? Ce serait mesurer la conscience à la distance prise par un observateur à l'égard d'une expérience en cours. L'absorption n'est que la face positive du retrait qui, en pleine conscience, se porte attentive à toute la réalité possible et va permettre d'y entrer avec souplesse sans en rien négliger : elle fait alors de l'esprit le corps même.

---

14. « L'hypnose est en fait l'induction d'un état psychologique particulier qui permet aux sujets de réassocier et de réorganiser les complexités intérieures psychologiques dans une direction conforme aux items uniques de leurs propres expériences psychologiques. » Milton H. Erickson, *Collected Papers, op. cit.*, III, p. 207. De même IV, p. 38.

En conséquence parler d'influence de l'esprit sur le corps [15], laquelle devrait rendre raison de l'efficacité de l'hypnose, se révèle n'avoir aucun sens. Une telle expression peut se comprendre, c'est-à-dire que l'on peut comprendre son utilisation dans la mesure où, encore une fois, on prétend avoir affaire à un corps décérébré ou un corps machine qui aurait besoin d'être animé par un esprit. En parlant ainsi notre expression se met à la remorque de la maladie qu'elle poursuit. Car une maladie, dont on déclare qu'elle relève du psychisme, est en réalité celle d'un corps qui voudrait devenir automate, qui aspire à la passivité, à l'inconscience et à l'amnésie, c'est-à-dire celle d'un corps qui se renie comme corps humain, lequel ne se soutient que de la pensée. La guérison de ce corps malade ne passera donc pas par l'analyse de quelque conflit psychique, ce qui ne pourrait que le plonger un peu plus dans la somnolence. Elle devra s'opérer par la parole, le contact, le geste et l'espace d'un autre corps humain qui réveillera ce qui était là déjà depuis toujours. Rendre à un corps sa sensorialité, sa corporéité, ses humeurs et son langage, cela suppose que le corps qui est tout autant et solidairement esprit revienne en lui à une précédence active à lui-même, à une puissance préalable d'esprit et de corps unifiés, en un mot au principe humain de jeu, de gratuité et de liberté.

Que devient ce dont détracteurs et défenseurs ont fait leurs choux gras depuis plus d'un siècle : la suggestion et le pouvoir du thérapeute ? L'une et l'autre semblaient nécessaires à la pratique de l'hypnose puisqu'elle était comprise à

---

15. La psychosomatique a fait de cette expression un refrain inusable. Elle est partie d'un mauvais pied, à savoir la certitude que le psychisme existait. Après avoir fait de cette erreur principielle un fondement, elle s'épuise à en corriger les insuffisances ou les impasses et ne peut que les redoubler. Sur les piétinements de cette pseudo-science, *cf.* Pascal-Henri Keller, *La Médecine psychosomatique en question*, Paris, Odile Jacob, 1997. À noter que la préface d'Édouard Zarifian évite tous ces pièges : au lieu de partir des présupposés de la psychanalyse, il se contente de questionner l'objectivation de l'être humain par la médecine d'aujourd'hui pour rappeler que l'être humain parle et qu'il serait bon de l'entendre sur son mal.

travers le modèle de l'arc réflexe. Grâce à l'autorité dont il disposait à l'égard de l'hypnotisé endormi, l'hypnotiseur pouvait dicter les modifications de comportements qui paraissaient utiles. S'il s'agit maintenant d'activer le système sélectif de reconnaissance, le changement va s'opérer sur des bases totalement autres. On a vu que ce système devait être mis en suspens et qu'il l'était ou pouvait l'être par le processus de l'induction. Mais par quelle vertu ce suspens pourra-t-il surmonter l'angoisse qui est son ombre, en d'autres termes où l'hypnotisant va-t-il trouver l'assurance que ce suspens doit être maintenu et qu'il sera bénéfique à plus ou moins long terme ? Les bonnes paroles rassurantes du thérapeute n'y suffiront pas. Il faut qu'il transmette l'assurance et donc qu'il l'ait éprouvée lui-même et soit capable de la montrer.

L'hypnotiseur n'a rien d'autre à faire, pour éprouver et transmettre l'assurance, que de se mettre lui-même en suspens avant l'hypnotisé et de manière plus radicale que lui. Car le maintien du suspens est seul à pouvoir donner l'assurance. Ce suspens des capacités d'appréhension du monde reconduit en effet à la capacité des capacités qui est l'existence même. Une telle assurance est d'autant plus forte qu'elle ne dépend pas d'une quelconque maîtrise. C'est en tant qu'elle ne m'appartient pas que cette existence m'assure. Si elle m'appartenait, elle serait tributaire de mes forces et de mes faiblesses ; elle serait alors soumise au doute.

Alors le problème de la transmission ne se pose même plus, car il n'y a rien à montrer ou à démontrer. L'isolation et la prolongation du retrait de toute effectuation, identique au suspens et source de l'assurance, supposent la mise à l'écart de tout objet de perception, et tout aussi bien du réconfort de l'expérience et du contrôle des apprentissages. Aucune parole ou aucun geste intentionnels ne sauraient donc porter cette assurance à l'interlocuteur, car elle se soutient de ce qui, à chaque instant, est antérieur à toute manifestation. À moins peut-être que la source de gratuité, ce lieu de naissance de l'humain, soit pour un autre humain la chose sans mot dire perçue dès l'abord, l'évocation pour chacun du souvenir le plus vif et le savoir-faire donné que nul n'a jamais appris. Pour le thérapeute, être assuré résulte d'un travail permanent de réduction de toutes les formes de sa vie à cette vie elle-même, de la parole au silence, du geste au tempo de l'immobilité, de l'action à l'expectative, car la tentation la plus sournoise, pour mettre un terme à sa propre angoisse, faite d'impuissance et de désarroi, est de chercher une solution au problème ; on pense que tout de même il faut faire quelque chose. Cela viendra ensuite bien sûr, l'assurance que procure le retrait et la réduction n'étant pas celle d'une momie, mais celle d'un vivant qui commence, qui refait sa force par un retour au cœur des choses, qui opère un vide [16] à la mesure de la plénitude qui s'approche.

Cela viendra ensuite signifie que cette assurance, lorsqu'elle s'avoue ne savoir ni que dire ni que faire, se prépare à la réceptivité. Dans la confusion où elle se trouve d'abord, là où elle ne veut plus s'occuper de ce qu'elle sent, de ce qu'elle voit ou peut comprendre, elle se laisse imprégner par tout ce qui concerne l'interlocuteur sans l'analyser. Elle ne distingue rien pour l'instant et cela lui permet de voir se dessiner, en toutes ses expressions globalement saisies, sa singularité, à la fois ce qui l'entrave et ce qui le tient en vie, ce par quoi il s'égare et ce qu'il promet, les torsions auxquelles il se contraint et l'axe principal qui le dirige. Alors viennent les mots justes qui vont indiquer le faîte d'où se distinguent ces deux versants. Ils seront proposés au suspens pour qu'il trouve en lui de quoi choisir. Ainsi se succè-

---

16. « L'authenticité, c'est le plein : le Vide suprême, c'est ce qui emplit le Ciel... et l'esprit. [...] Le vide est la source du sens de l'humain. [...] À la racine du bon est la quiétude, à la racine de la quiétude est le Vide. [...] Le Ciel-Terre trouve sa vertu dans le Vide, le comble du bien étant le Vide. » Zhang Zai, cité par Anne Cheng, *Histoire de la pensée chinoise*, Paris, Seuil, 1997, p. 434. Ce vide est tout ensemble moral et cosmique.

dent, sans qu'il soit besoin de les décrire davantage ici, l'assurance, la réceptivité, l'invention et le choix. Le dialogue entre deux suspens qui s'est d'abord instauré se renouvelle et se déploie jusqu'à la résolution du problème posé au début ; cela du moins dans certains cas ou dans le meilleur des cas.

Si l'on souhaitait trouver une expression plus légère que celle de système sélectif de reconnaissance, utilisée ici comme fil conducteur, ne suffirait-il pas de repenser ce que nous entendons par imagination ? À la légitimité de cette traduction elle pourrait avoir tous les titres. Nous la connaissons bien quand elle se laisse aller à la rêverie, preuve qu'elle est active, qu'elle est susceptible de se retirer en elle-même hors du monde, qu'elle se meut dans la gratuité et n'a besoin d'aucune excitation venue de l'extérieur pour se jouer de la réalité et se perdre comme une folle dans des combinaisons extravagantes. Mais cette puissance active peut se discipliner et se vouer à l'invention dans l'art et dans les sciences. C'est qu'elle a immédiatement accès à la totalité du réel et qu'elle précède, par un répertoire infini de formes, toute organisation particulière qu'il lui plaira d'effectuer.

Elle agit de toute évidence par sélection et non par instruction. Bien sûr elle a reçu et elle reçoit sans cesse des informations qui lui viennent de la sensorialité, mais elle les refond immédiatement en son creuset de manière singulière. Elle les stocke dans sa mémoire avec les apprentissages, mais ce n'est pas pour les laisser intacts et les resservir paresseusement en toutes circonstances. Il n'y a plus pour elle de traces mnésiques inchangées que l'on pourrait suivre à nouveau pour reconstituer un passé enfoui, car elle en brouille l'origine par le perpétuel mouvement qu'elle leur inflige et par les myriades de liens qu'elle tisse entre elles à sa guise.

Certes l'imagination est sollicitée par l'expérience, mais si l'on veut bien faire appel au pouvoir créateur qui, lui, est par tous reconnu, les matériaux de souvenirs et de savoir-faire à travers lesquels elle s'exprimera diront toujours le style singulier de la personne, mais ce ne sera jamais dans la monotonie. Elle reprend en compte et en charge tout l'apport de la sensorialité, de la mémoire des représentations et des savoir-faire pour que ce pouvoir s'étende aux mouvements du corps. Il suffit de revenir à elle dans le retrait et de lui laisser l'initiative, de ne pas l'entraver par des vouloirs ou des pensées intempestives, pour que l'acte imaginé par l'esprit et le corps soit déjà accompli.

VI

JE M'ATTENDS QU'IL CHANGERA

Le rôle du thérapeute consiste à créer, pour le thérapisant, les conditions qui vont lui permettre de se maintenir dans l'attente et par là de refondre son existence. Pour qu'une telle proposition ait un sens, avant même de parler de l'action du thérapeute, il faudrait prouver que l'attente du thérapisant est opératoire ou du moins qu'elle peut être opératoire. Or cela n'est pas évident. Bien sûr, lorsque quelqu'un vient nous voir et nous demande de le guérir de tel symptôme ou de lui venir en aide dans telle difficulté, il attend de nous quelque chose. Mais, de cette attente, il n'y a pas grand-chose à dire, puisqu'elle ne semble qu'un facteur secondaire dans le processus de modification. Par exemple, tel ne dort plus et voudrait comprendre ce qui lui arrive. Sa démarche a pour but d'acquérir l'intelligence de sa situation. Fort de cet éclairage il pense pouvoir laisser venir à nouveau le sommeil. Un autre s'offre à l'hypnose pour retrouver un souvenir qui le délivrerait de son angoisse. Tout ce qui lui sera suggéré, il l'accomplira. Dans ces deux cas, l'attente est certes incluse dans la démarche, mais elle n'est pas le ressort du changement. Il n'est donc nul besoin de s'y attarder. Dans le premier cas, c'est à l'interprétation que l'on demande d'être efficace, dans le second cas à la mémoire. Pourquoi donc alors serait-il souhaitable d'isoler

111

cette notion d'attente et d'en faire la plaque tournante de la cure ?

Les deux cas évoqués à l'instant peuvent permettre de mieux situer le concept d'attente. Dans le premier l'attente vise à garder le contrôle du processus grâce à la compréhension, dans le second l'attente prend la forme d'un abandon sans limite. D'un côté la compréhension se sert de l'attente pour mettre la réalité à distance, de telle sorte que s'estompe le point d'impact en vue d'un changement, de l'autre côté l'attente s'annule pour le thérapisant parce que la responsabilité de la cure a été déléguée au thérapeute. Ou encore la première attitude n'atteint pas la réalité qui serait à transformer, la seconde ne met pas en marche la force personnelle qui pourrait transformer cette réalité. Car l'un ne veut pas perdre l'initiative de sa propre activité, quant à l'autre, il déserte, dans sa négligence, le principe de sa propre organisation. Si la notion d'attente a quelque intérêt, elle devra conjuguer la force (ou la faiblesse) de ces deux extrêmes, devenir en même temps active et passive, c'est-à-dire mobiliser la personne pour qu'elle affronte son mal-être.

Dans la littérature sur le sujet, disposons-nous de quelque indice qui nous mettrait sur la voie ? Lorsque Freud tente de préciser la nature de la thérapie psychanalytique et en particulier celle du transfert, il utilise le terme de représentation d'attente *(Erwartungsvorstellung)*. Ces mots apparaissent pour la première fois en 1910 : « Le mécanisme de notre aide est facile à comprendre ; nous donnons au malade la représentation d'attente consciente d'après la similitude de laquelle il découvre pour lui la représentation refoulée inconsciente. » Comme l'explicite un texte de 1912, ces représentations sont en attente parce qu'elles traduisent la partie insatisfaite de la libido. Elles vont se porter sur la personne de l'analyste en qui elles trouvent un accueil favorable et celui-ci, ayant pu les décoder, va les retourner à l'envoyeur. Ainsi s'expliquerait le transfert. Grâce au terme d'attente, Freud fait le lien d'une part entre représentations conscientes et représentations inconscientes, et d'autre part entre les représentations du patient et celles fournies par le médecin. Mais d'où vient cette notion d'attente dans le corpus freudien ? Un texte de 1904 qui tente de différencier technique analytique et technique suggestive nous fournit un maillon de la chaîne : « On place les malades, en vue de la guérison, dans l'état d'attente croyante. » Bien que dans cette phrase l'expression attente croyante soit introduite avec des guillemets à la manière d'une citation, nul indice n'est fourni au lecteur pour qu'il en soupçonne l'origine.

Pour la découvrir, il faut se reporter à un article de 1890, intitulé « Traitement psychique ou de l'âme », que l'édition allemande situe par erreur en 1905. Freud n'a pas encore inventé la psychanalyse. Il est à cette époque un fervent de la pratique de l'hypnose ; il veut critiquer « l'insistance unilatérale de la médecine sur le corporel » et montrer qu'il existe un traitement de l'âme pour guérir les troubles psychiques ou corporels. C'est dans ce contexte qu'il note : « L'état psychique d'attente, qui est susceptible de mettre en branle toute une série de forces psychiques ayant le plus grand effet sur le déclenchement et la guérison des affections organiques, mérite au plus haut point notre intérêt. » L'attente anxieuse *(ängstliche Erwartung)*, qui favoriserait l'apparition de la maladie, doit être distinguée de l'attente croyante *(gläubige Erwartung)*, « force agissante avec laquelle nous devons compter, en toute rigueur, dans toutes nos tentatives de traitement et de guérison ». Et d'expliquer par cette forme d'attente les guérisons miraculeuses. Non qu'il soit nécessaire d'en appeler à des puissances supérieures. La foi religieuse peut fort bien être remplacée par la foule qui s'assemble et qui intensifie l'espérance, par la valeur accordée au site du pèlerinage, par le prestige des saints qui ont opéré des prodiges. Lors des guérisons des médecins à la mode, écrit encore Freud, ce sont les mêmes ingrédients qui sont à l'œuvre.

Dans ces pages où l'inventivité ne le cède en rien aux remarques précieuses sur la pratique de l'hypnose, pages que nous devrions relire périodiquement pour nous faire rêver sur ce qu'aurait pu devenir l'œuvre freudienne si elle s'était attardée sur ce chemin, dans ces pages donc les notions d'attente et d'attente croyante ou anxieuse prennent une ampleur qui malheureusement va plus tard s'estomper. Les forces qui définissent l'attente sont ici certes qualifiées de psychiques. Mais cet adjectif n'est saisi alors que par et dans ses manifestations ; il est inséparable du corps qu'il anime, des lieux où il se déploie, de la foule qui l'intensifie, des figures privilégiées qui l'incarnent. La psychanalyse un peu plus tard va se dresser sur une mutilation, sur l'oubli de tout ce en quoi le psychisme s'incarne, comme le prouvent les textes postérieurs qui parleront d'attente. En ceux-ci le psychisme s'est substantivé pour se refermer sur lui-même et il est alors parcellisé en représentations. L'abandon de l'attente croyante ou anxieuse, qui intégrait le corps au social ou au religieux, fût-il laïcisé, au profit de la représentation d'attente, a provoqué une chute irréparable dans un individualisme meurtrier. D'ailleurs le mal était peut-être déjà fait, comme le révèle ce texte même, par l'affirmation que l'âme influe sur le corps, comme si le corps pouvait être pensé sans âme. Freud a psychologisé l'hypnose pour pouvoir créer la psychanalyse. Aujourd'hui la psychanalyse contamine l'hypnose et devient dans nos dires une expérience intérieure relevant de la psychologie. Il nous faut maintenant dépsychologiser l'hypnose pour lui faire retrouver son mordant. Quoi qu'il en soit, et c'est ce qui nous intéresse, il se pourrait bien que Freud, en isolant le concept d'attente, ait mis le doigt sur l'un des principaux ressorts de la cure en hypnothérapie.

Lorsque quelqu'un souffre d'un problème, d'une difficulté, d'un symptôme qu'il voudrait voir disparaître, il suffit de lui proposer d'y faire face ou simplement d'y porter attention et de lui demander d'attendre que la solution, ou du moins un commencement de solution, se fasse jour. J'ai répété cette expérience des centaines de fois et le plus souvent non sans effet. Il est évident que ce schéma revêt dans chaque cas des formes singulières. L'exposé d'un exemple permettra cependant d'en extraire quelques principes. Une jeune femme se plaint de ne jamais pouvoir conduire jusqu'au bout ses entreprises et de se frustrer elle-même par des échecs qu'elle pourrait éviter. Au cours d'une première séance il lui est impossible de se détendre et moins encore d'abandonner le souci de comprendre. La deuxième séance n'est pas plus efficace, mais c'est pour des raisons inverses : elle entre en hypnose avec une telle facilité que les difficultés de son existence disparaissent. L'oscillation entre impossibilité et facilité, ou entre le se sentir très mal et le se sentir très bien, me semble alors représenter la fuite devant toute transformation ; c'est pourquoi je lui propose de faire face à son problème et d'attendre. Voici quelques répliques d'un dialogue entrecoupé de longs silences :

— Il y a probablement, lui dis-je, un obstacle vous interdisant l'accès à une vie mieux aboutie.

— J'ignore quel peut être cet obstacle.

— Vous n'avez pas besoin de le connaître ; il suffit que vous y portiez une attention prolongée et que vous attendiez le plus tranquillement que vous pourrez.

— Je ne peux pas avoir de projets ; je suis courageuse quand le feu a pris, mais, lorsqu'il est éteint, c'est la déprime.

— Pouvez-vous regarder, écouter, sentir cela ?

— Il y a une petite pellicule très dense sur une énorme épaisseur de chaos et de confusion.

— Pouvez-vous vous en approcher quelque peu ?

— Image de camp de concentration, de rails qui n'aboutissent à rien et des gens alentour qui travaillent dans les champs sans rien voir. On ne peut pas vivre quand il y a ça à côté.

— Est-ce que l'on ne peut plus vivre, comme cela arrive aux rescapés, ou est-ce que l'on ne doit pas vivre ? Considérez longuement cela.

— On ne doit pas vivre, je ne dois pas vivre.

– Mettez-vous bien en face de ce « je ne dois pas vivre ».
N'est-il pas porteur d'un lien qui ne saurait être rompu ?

– Une tante qui m'a élevée ; la seule affection de mon
enfance. Elle était dans le malheur.

Le thérapeute demande donc au thérapisant de faire
face à son problème et d'attendre. Mais de quoi est faite
cette attente ? Si le thérapisant accepte cette suggestion, il
ne peut s'empêcher le plus souvent, quelques minutes plus
tard, d'affirmer que rien ne se passe. Or c'est là un moment
capital : attendre sans que rien ne vienne. Car il faut bien un
passage par l'impression de vide pour que les manières
habituelles de penser et d'agir, productrices du symptôme,
soient mises en suspens et déjà en échec. S'il se passait tout
de suite quelque chose, c'est que l'on aurait fait appel à du
déjà vu, déjà connu, déjà reconnu dans sa nocivité. L'attente
est donc d'abord un arrêt, une sorte d'interdit adressé aux
manières antérieures de se comporter, un point final temporaire au ressassement et à la répétition. Mais, parce qu'elle
est instant de vide, l'attente réserve aussi une place à des
forces jusqu'alors enfouies qui donneront au problème posé
des formes et des figures inaccoutumées. Par ce vide
encore, l'accent est mis non plus sur une recherche sur le
mode de la réflexion, mais sur une expectative qui laisse à la
solution du problème le temps d'apparaître sous un autre
jour.

Mais comment cela est-il possible ? Par la seule attention qui lui est portée. Être attentif à une chose, c'est la
considérer lentement, longuement, sans aucun préjugé,
c'est donc lui permettre de présenter tous ses visages, de se
montrer ou de se cacher, et donc d'advenir sous des formes
qui lui étaient prohibées par l'habitude ou la peur. Tout
d'abord l'attente ne voit rien, elle entre dans la confusion,
puis, angoissée de ne rien voir, elle mobilise tous les sens en
vue de découvrir quelque chose. Car être attentif, c'est non
seulement voir, mais entendre ou sentir, c'est voir, comme
on le sait aujourd'hui, avec ses oreilles et ses centres d'équilibre, avec la tension de ses muscles, c'est-à-dire, au bout du

compte, par tout le corps. S'il est ainsi regardé, le problème, qui emporte avec lui toute l'existence de la personne, va multiplier ses figures.

Cette attente attentive aura une histoire. Vide et attention seront toujours au même niveau. Plus le vide sera total, plus l'attention aura l'audace d'apercevoir l'incongru ou l'insupportable. Grâce à l'attente qui est indéterminée, la considération du problème va peu à peu faire surgir tout ce qui se trouve en rapport avec ce dernier, à commencer par sa surface, c'est-à-dire par le plus anodin qui ne dérange pas trop la personne dans ses habitudes de penser ou d'agir. Il ne s'agit pas d'un lien entre des représentations, mais entre la personne tout entière et son existence, vue à travers le problème, mais qui s'y trouve présente tout entière. La simple application au problème ou à l'obstacle, si elle est maintenue assez longtemps, en complexifie les données ou les expressions, jusqu'au moment où les plus retirées, dépouillées de tous les oripeaux où il se cache, dévoilent le nœud qui devra être tranché.

S'agit-il encore d'hypnose ? Tout dépend de la conception que l'on s'en fait. Soit par exemple la définition que donne Georges Lapassade des états modifiés de conscience : « Expériences au cours desquelles le sujet a l'impression que le fonctionnement habituel de sa conscience se dérègle et qu'il vit un autre rapport au monde, à lui-même, à son corps, à son identité[1] », ou celle de Chertok : « Une sorte de potentialité naturelle, de dispositif inné prenant ses racines jusque dans l'hypnose animale et apparaissant comme l'un des régulateurs de nos rapports avec l'environnement[2]. » Il y aurait donc une liaison intrinsèque entre hypnose et

---

1. Cité par Franklin Rausky, *Le quatrième état organismique : réflexions théoriques et cliniques sur une hypothèse chertokienne*, dans *Importance de l'hypnose*, Paris, Les Empêcheurs de penser en rond, 1993, p. 206.
2. Cité par Albert Demaret, « De l'hypnose animale à l'hypnose humaine », dans *Résurgence de l'hypnose*, Paris, Desclée de Brouwer, 1984, p. 40.

modification du rapport au monde. Dominique Megglé va sans doute dans le même sens lorsqu'il définit l'hypnose profonde comme totalement individualisée. Mieux elle atteint l'existence de la personne dans sa spécificité et donc son ampleur, plus elle est intense. L'hypnose n'est donc pas d'abord un état ou une attitude, mais un rapport, une mise en relation entre le plus intérieur et tout l'extérieur qui nous importe. Le processus de changement n'échappe pas à cette règle, car, si l'être humain est mal situé dans son monde, c'est qu'il est loin de lui-même. L'absorption de l'hypnose dite profonde n'est pour chacun que le retour à sa potentialité première dont le seul sens est de réorganiser son monde. Dès lors il n'est plus besoin de s'étonner que l'attente soit le nerf de l'hypnose et qu'elle s'exerce de la façon la plus forte lorsqu'elle ose faire face à tout dérèglement de l'existence. Comme un levier, dont le point d'appui serait le problème, l'attente exprime l'acte de l'hypnose dans son lien avec la modification recherchée.

Ce lien n'est jamais figé. Dans le dialogue cité il y a un instant, la concentration augmente au fur et à mesure de ce que l'on pourrait appeler l'effeuillage du problème. On sait qu'un des moyens d'approfondir l'hypnose est de l'interrompre et de la reprendre au cours d'une même séance. Simple constatation dont le sens devient ici transparent. Plus le dialogue avance, moins les faux-fuyants sont possibles. C'est-à-dire que plus l'attente est concentrée sur l'obstacle, plus le symptôme est contraint de se découvrir, mais à l'inverse plus le symptôme perd de force, plus l'attente se libère de ses peurs et de ses atermoiements. Lier l'attente et le problème, c'est créer entre des forces une tension qui, tel un combat, va devoir commencer, se développer et s'achever.

Il est secondaire que quelque chose du passé qui pèse aujourd'hui soit mis au jour. Dans l'attente, c'est le futur de la transformation qui gouverne, c'est lui qui détermine et donne à l'attente de se déployer. Parce que la solution à venir est visée, parce qu'elle est déjà présente et active au

118

sein de l'attente, le passé se dévoile comme déjà abandonné. L'attente agit par le futur, elle est efficace sous la pression du futur. Car, si le problème est placé là pour être résolu, c'est l'advenir qui importe et qui soutient l'attente. Celle-ci, au contact du futur, prend à la fois plus d'ampleur et d'intensité ; elle est dopée par le futur. Tout d'abord le problème posé, qui livre ses tenants et aboutissants, fait apparaître peu à peu le futur, mais c'est ensuite le futur qui transforme la nature de l'attente.

Tout est en place maintenant pour retrouver la proposition du début : « Le rôle du thérapeute consiste à créer, pour le thérapisant, les conditions qui vont lui permettre de se maintenir dans l'attente et par là de refondre son existence. » Quelles sont donc les conditions que doit créer le thérapeute à cette fin ? Celles évidemment de l'attente. Et comment apprendre l'attente si ce n'est en s'y plaçant soi-même ? Le détour par une notation grammaticale invite à comprendre en quoi l'attente du thérapeute prépare celle du thérapisant et toutefois en diffère. Pour l'inépuisable Littré, « s'attendre que » régit l'indicatif quand le sens est affirmatif, comme dans la phrase : « Je m'attends qu'il viendra. » S'attendre, dit encore Littré, avec le sens d'espérer, de compter serait inintelligible si on oubliait qu'il signifiait d'abord faire attention. De plus le participe passé s'accorde aux temps composés, car s'attendre est tendre soi à.

La richesse sémantique de « s'attendre » et « s'attendre que » pourrait bien exprimer le rôle du thérapeute en sa totalité. Le thérapeute est d'abord tendu à l'autre, vers l'autre.

En vue de rendre attentif au but à atteindre, il institue une tension relationnelle qui met le thérapisant sous tension, tension qui ne dit nullement crispation, mais mobilisation, rassemblement, accumulation de forces. Le thérapeute n'attend pas la solution qui n'est pas de son ressort ; il pèse de tout le poids de son attente, il s'attend à voir le thérapisant faire attention et attendre, face à son problème, la solution. L'attente du thérapeute prend appui sur les capacités qu'il décèle chez le thérapisant. Je m'attends qu'il changera suppose, en effet, une tension vers quelque chose qui est déjà là. Si je ne savais pas, si je ne pensais pas, si je ne sentais pas qu'il est capable de changer, quel changement pourrait advenir ou pourrait commencer, je ne pourrais pas m'attendre que. Le « m'attendre que » dialogue avec le futur ou plus exactement avec ce qui, dans le présent, est déjà réalisé du futur, déjà en attente. Mais ce futur n'est pas une abstraction, une idée ou un projet, il est le corps de l'autre en tant qu'il porte en lui ce plan de transformation, c'est donc un futur incarné qui occupe un espace, une attente dans le temps qui a déjà pris corps. La « tension de soi à » du thérapeute, impliqué dans le « s'attendre que », est donc déjà le contact avec l'autre corps et remplit un espace. Le temps de l'attente n'est alors rien d'autre que l'effet du parcours de l'espace relationnel.

Mais la formule aujourd'hui peu usitée : « Je m'attends qu'il viendra », transposée en je m'attends qu'il changera, nous en dit plus encore. Le thérapeute ne peut pas attendre la solution, puisqu'elle n'est pas son affaire, puisqu'elle a sa source et son estuaire en l'autre. Attendre et bien plus encore trouver la solution serait pour le thérapeute priver le thérapisant de sa liberté. En ce sens il doit être indifférent au résultat et, d'une humeur égale, recevoir échec ou succès. Mais cette indifférence ne peut pas faire taire en lui la passion de guérir, c'est-à-dire celle de voir un humain se lever dans sa dignité. Pour concilier en lui indifférence et passion, il suffit que son attente porte sur le futur et que ce futur, comme il l'est par définition, soit seulement probable. Je m'attends qu'il changera est marqué à la racine par l'incertitude, celle du désir de l'autre à changer ou celle de ses capacités actuelles. L'accès au futur de la modification n'appartient pas au thérapeute et, de façon immédiate et directe, ne dépend pas de lui. Cependant un résultat positif est probable, car il sait, pour l'avoir expérimenté lui-même et en avoir fait faire maintes fois l'expérience, qu'il suffit d'attendre pour que vienne la solution. Mais il sait également que la solution n'est donnée que lorsque l'attente est libre et gratuite, c'est-à-dire que la solution ne peut venir que si elle n'est pas exigée, c'est-à-dire finalement lorsqu'on ne s'y attend plus. En pariant sur le plus probable, le s'attendre réussit lorsqu'il s'annule.

Tel est le paradoxe auquel est affronté le thérapeute. C'est bien lui, par son attente, qui crée et qui propose un espace et un temps où l'humanité pourra s'exercer, c'est son corps qui devra aiguiser tous ses sens pour que le corps de l'autre s'éveille, c'est sa personne qu'il lui faudra rendre présente sans protection et sans masque afin de ne donner aucune prise à la méfiance. Mais ce poids, cette pression, cette évidence devront être d'une telle légèreté qu'elle ne donne lieu à aucun lien durable. De celui auquel peut-être il doit beaucoup pour lui avoir permis de retrouver son chemin, l'interlocuteur devra s'éloigner libre de toute dette. Mais comment le thérapeute peut-il à la fois être si important et si négligeable ? Sans doute en l'étant d'abord pour lui-même, si important parce qu'il doit tenir debout seul sans aucun appui, si négligeable parce qu'il ne saurait revendiquer ni le respect ni l'attention. Assuré seulement par un doute radical, il peut reprendre à son compte les mots bien connus de Villon : « Rien ne m'est sûr que la chose incertaine. »

VII

TSUNG

La forme que revêt, dans une cure, la relation entre le thérapeute et le thérapisant peut être élucidée par le biais de la modification attendue. Si l'on envisage, par exemple, de changer les comportements d'une personne, la relation ne différera pas de celle entretenue par l'expérimentateur, en psychologie animale, à l'égard du sujet soumis à l'expérience. Il suffit que le premier connaisse les procédures, qu'il les mette correctement en application et qu'il enregistre les résultats. Selon ce modèle le thérapeute peut et même doit se tenir dans la plus grande neutralité possible à l'égard du thérapisant. Au thérapisant par contre il n'est rien demandé d'autre que la docilité nécessaire à tout apprentissage. Sa réflexion et son pouvoir critique ont été mis hors circuit. Il ressemble à la grenouille décérébrée en qui Bernheim voyait un modèle de l'hypnosé ; la relation thérapeutique était alors réduite aux avatars de la suggestion.

Un second type de modification peut être recherché : elle portera sur les façons de penser, de sentir ou d'agir. C'est un paradigme de cette sorte qui est présent dans toute éducation. Pour se pénétrer des coutumes d'une culture déterminée, nul autre moyen que de se conformer aux manières de parler de l'entourage, à ses habitudes ges-

123

tuelles, aux conceptions par lesquelles il ordonne les choses et le monde. Le rôle de l'éducateur est de développer les possibilités de l'individu dont il a la charge à l'intérieur d'un système préétabli. S'il y a modification, elle est à situer soit dans l'acquisition des ressources culturelles communes soit dans leur meilleure exploitation. Dans cette perspective, pas plus que le pédagogue, le thérapeute ne remettra en question ses connaissances, ses convictions ou ses croyances, il devra plutôt user de son autorité pour que peu à peu elles soient partagées ou pour réaménager une situation qui engendrait retard, malaise et souffrance. À l'instar de Milton H. Erickson, il se servira d'un certain nombre de techniques comme le recadrage, la régression en âge, les passerelles affectives. Techniques qu'il pourra transmettre à l'usage personnel des thérapisants comme le fait un ouvrier à l'égard d'un apprenti. Ici la relation ne diffère pas dans sa forme de celle qui régit les rapports du maître et du disciple.

Il arrive cependant que ces deux modèles que l'on peut nommer, pour faire bref, celui de Bernheim et celui d'Erickson, manifestent leurs limites. Dans certains cas, ces diverses techniques sont inefficaces ou, plus grave encore, sont utilisées à contre-courant et rendent plus infranchissables les obstacles à la modification. Telle personne à laquelle on propose de se détendre prend la chose tellement à cœur que sa tension ne manque pas d'augmenter jusqu'à la crispation. Si un jour, par inadvertance, un certain laisser-faire était éprouvé avec ses conséquences de désorganisation ou d'inquiétude, du plus loin qu'elle soit soupçonnée ensuite l'invitation à l'ouverture se solde par l'adjonction d'un autre verrou. Toute avancée suscite un recul, car la méfiance du thérapisant se trouve redoublée. Autre exemple : si telle situation a bénéficié de quelque éclaircissement, celui-ci sera mis à contribution pour reconstruire de façon plus serrée un système de défense déjà bien établi. À la manière des forteresses de Vauban, une tour se voit protégée d'un fossé, puis le fossé d'une redoute et elle-même d'un nouveau bastion et ceci à l'infini. Toute explication qui devrait servir à défaire les résistances ou du moins à les assouplir contribue au contraire à l'édification d'une surexistence exsangue et rigide. Plus sournoise encore la bonne volonté avec laquelle le thérapisant se soumet à tout ce qui lui est proposé, car il réussit, au lieu de lâcher prise et de laisser advenir quelque imprévu, à y introduire sa volonté de bien faire. Bonne volonté, la plus mauvaise, dont la gentillesse vole au-dessus des difficultés, n'en rencontre aucune et se pose au-delà intacte. Dans tous ces cas l'échec des techniques habituelles ne peut pas ne pas être reconnu.

Il est possible que ce fiasco généralisé entraîne soit le thérapisant à quitter les lieux, soit le thérapeute à jeter l'éponge, puis à oublier son échec et à essayer de nouveau avec d'autres personnes des méthodes qui tant de fois s'étaient avérées valables. Mais il arrive que le thérapisant ne l'entende pas ainsi et qu'il s'obstine à vouloir changer, pas fatalement pour le plaisir de pousser le thérapeute dans les cordes, mais parce que sa souffrance ne lui est plus tolérable. De quelles ressources dispose alors le thérapeute devenu, à ses propres yeux, un incapable, puisque lui font défaut sa compétence ou son expérience ? Ne lui reste-t-il alors que ses larmes pour accompagner le deuil de l'une et de l'autre ?

En ce temps même il ne peut s'attarder, car il doit faire face à la demande du thérapisant. Mais avec quelles armes ? Justement aucune, si ce n'est son impuissance entérinée, digérée, assimilée et bientôt à son insu exploitée. Il ne sait plus que faire ni comment faire, car tout ce qu'il a pu apprendre jusqu'alors ne lui sert de rien. Quelque chose de nouveau qui ne lui était pas arrivé, ou dont du moins cette fois il ne veut pas se défausser dans l'oubli, lui fait sentir une limite, celle d'une absence radicale de pouvoir pour susciter chez l'autre ne fussent que les prémices d'une transformation. Une unique solution s'impose : s'installer dans l'évidence que la multitude de ses essais thérapeutiques ont été autant d'erreurs, ne rien vouloir d'autre que la déconvenue qui l'habite et patienter dans cette position tout le temps qu'il faudra et en quelque sorte toujours, instaurer une attente semblable à celle décrite dans *Le Désert des Tartares* devant un autre qui n'apparaîtra jamais. Car il ne peut pas tricher. S'il jouait à ne rien faire pour que quelque chose ait lieu, rien ne pourrait advenir. Il doit aller au-delà de tout espoir dans la vacuité de l'inutile.

Mais cette attente qui exclut tout projet, qui interdit le futur, qui dessaisit de toute suffisance et de toute prétention, cette attente ne sera pas vaine. Elle est bientôt une mise en présence exclusive qui prend tout en compte dans le secret, elle est immobilité parce que rien ne doit craindre de se manifester, mais elle est en mouvement à l'égard de tout indice de ce qui s'approche, elle met sous pression toutes les forces, bien qu'elle ne les déploie pas encore, elle les recompose dans les couches les plus inaccessibles de l'intelligence et des sens face à cet autre par qui elle se laisse absorber. À travers cette attente du thérapeute, bien incapable d'imposer quoi que ce soit, car il n'a plus rien à proposer, le thérapisant est renvoyé à son initiative. Il ne peut pas se soumettre ou s'opposer à des suggestions qui ne sont pas exprimées, parce qu'aucune n'est maintenant acceptable. Alors, avec toute la maladresse d'une recherche tâtonnante, il s'avance dans un égal dénuement et laisse surgir de lui ce que, en vérité, il souhaite et ce qui pour l'heure l'entrave. Attendu dans une absence de savoir préalable, par lequel il redoutait peut-être de se voir enclos, il s'aventure à prononcer les mots qui le disent et il peut livrer alors ce qui lui tient le plus au cœur et au corps.

L'attente attentive du thérapeute s'est faite silence qui, par son intensité, change la nature des discours. Elle ne s'intéresse plus aux anecdotes, aux récits émaillés de petits et grands malheurs ou de revendications jamais satisfaites. Elle n'écoute même plus les plaintes répétitives, fondées parfois dans un temps lointain, car ce serait rouvrir sans fin une blessure déjà cicatrisée. Parce qu'elle ne laisse pas résonner les paroles inconsistantes, elle impose à la relation une justesse musicale : le silence ne peut être rompu que par la libre nécessité de répondre à cette liberté qui n'impose plus rien, si ce n'est d'écarter les nonchalances du répertoire ordinaire. Au cours d'un entretien, les notes aiguës des faux-fuyants disparaissent peu à peu pour laisser place à des tons plus graves, dépouillés, essentiels. Les sonorités rares, mieux choisies, singulières ouvrent sur l'imprévu et l'attente s'efface au profit de l'étonnement, parce que l'échange désormais est soulevé par la découverte.

La situation s'est donc modifiée du tout au tout. Cette attente accablée qui faisait suite à l'impossibilité de rien dire et de rien faire, il a suffi de la prendre au sérieux, de s'y enfoncer, de s'y réduire en quelque sorte pour que la relation au thérapisant, contrainte tout à l'heure à l'immobilité, retrouve le mouvement avec une ampleur et une finesse que la seule application des techniques rendait inimaginables. Le rien-faire de la pure attente est devenu le terrain privilégié de l'invention. Pourquoi invention ? Parce que le rien-faire s'est transformé en laisser-faire des capacités des personnes en présence et de leur rapport. « Ne rien faire, dit Lao-tse, et il n'est rien qui ne se fasse. » Vient au jour ce qui restait enfoui par la précipitation de l'agir dont le temps toujours compté fait choir dans la répétition des mêmes schémas comportementaux, des mêmes manières de penser, de se mouvoir et de sentir.

Si des possibilités émergent, c'est que l'attente a fait appel à la possibilité présente en chaque homme, celle de s'approprier son existence dans sa totalité. Il y a non pas ceci ou cela à entreprendre ou à formuler, mais à revenir au centre à partir duquel l'être humain se pose face aux événements pour y répondre et en répondre. Le thérapeute en effet par son attente indéterminée, puisqu'elle ne sait plus rien du penser, du dire et du faire, suscite chez son interlocuteur le vide qui va donner sa place respective à chaque détermination de l'existence.

Le rien-faire consécutif de l'abolition du pouvoir, qui avait été mis en échec par les résistances multipliées, pouvait ressembler à de la négligence. Il est désormais refus de faire pour préparer un faire autrement. Ce qui nécessite un retour à l'origine de nos actes, une remontée à la source, un non-souci d'appréhender le monde. Bien sûr à tout moment nous sommes entraînés dans la descente du fleuve, nous avançons vers l'estuaire, mais à tout moment aussi – sans doute privilège de l'être humain –, nous pouvons revenir au premier jaillissement, recommencer comme si c'était le premier jour et le premier instant, comme si le monde nous apparaissait pour la première fois. Nul ne pourra annuler son histoire, mais chaque fois qu'il la fait sienne telle qu'elle lui est donnée, il se situe au commencement, c'est-à-dire au commencement de son humanité. En conséquence, ne rien faire et se mettre en attente face à un autre être humain, c'est lui rappeler que lui aussi doit commencer et que nul ne saurait le faire à sa place. Ceci est le pouvoir du thérapeute, fragile pouvoir qui ne peut rien exiger, rien forcer, rien solliciter, non-pouvoir plutôt qui s'ouvre sur un abîme lorsque nul n'y fait écho.

(La langue chinoise a un mot, *tsung* – *ton d'interrogation* –, pour dire « suivre » et son caractère est fait du redoublement du caractère « homme », mais il signifie tout aussi bien « depuis » ou « à partir de », manière de dire que, pour pouvoir continuer il faut revenir au point de départ ou que le point de départ n'a pas de sens s'il ne porte en lui toute la suite.)

Mais alors, s'il en est ainsi, pourquoi ne pas généraliser cette attente ? Le thérapeute y avait été contraint par le processus thérapeutique qui s'était arrêté et qui ne recelait aucun espoir de remise en route. Mais est-il nécessaire d'en arriver là ? Ne peut-on pas considérer que toute cure doit faire prendre au thérapisant l'initiative de son changement ou, si l'on veut, de sa guérison ? Mais comment le pourrait-il, si le thérapeute ne lui en laissait pas le temps et l'espace ? Et de nouveau comment cet espace et ce temps pourraient être rendus libres, si le thérapeute gardait l'initiative, s'il ne l'abandonnait pas, s'il ne la perdait pas ? Comment, de plus, pourrait-il accomplir cet abandon et cette perte, s'il ne se plaçait pas au commencement qui vient d'être évoqué, c'est-à-dire s'il ne renonçait pas à penser et à agir comme s'il avait la solution, comme si ses techniques nombreuses, variées, bien apprises et bien assimilées lui permettaient de répondre à tous et à chacun selon leurs besoins ? Et encore ne peut-on pas estimer que ces techniques seront sans effet durable, si elles ne sont pas reconduites au point où elles sont toutes inefficaces, non seulement bien sûr dans le cas où elles seraient imposées, mais même en tant que proposées ? Ce qui est proposé, en effet, est imposé, à moins que le thérapeute n'en attende aucun résultat, à moins qu'il ne soit indifférent au succès ou à l'échec de sa proposition, à moins qu'il n'ouvre cette dernière à la brèche de la liberté de l'autre, à moins que l'accueil ou le rejet de cette proposition ne soient plus en rien son affaire à lui. Nul besoin d'un échec pour commencer à ne rien faire, car nous sommes toujours en échec face à l'interlocuteur qui doit décider d'être malade ou de guérir, de stagner ou d'avancer, et finalement de mourir ou de vivre. Pour faire face à cette décision, seul est convenable le silence, celui de la parole, de la pensée et de l'action. *Non impediras musicam*[1], serait-il recommandé au thérapeute, n'entrave pas la musique que l'autre ne peut faire entendre que si tu te tais.

Qu'en est-il alors de la relation thérapeutique ? On a essayé les termes d'empathie ou de transfert, de compassion ou de sympathie. Mais l'affectivité, quelque forme qu'elle revête, ne sera jamais qu'une pommade, capable au mieux d'apaiser un instant. Le thérapisant, sauf pour s'encanailler dans sa névrose, ne demande rien de ce genre. Alors on offrira l'écoute, mais il est tout aussi important de ne pas écouter pour lasser les discours de plainte, de com-

---

1. Ecclésiastique, 32, 3. Voir le commentaire de ces mots par Paul Claudel, publié dans *Les Aventures de Sophie*, Paris, Gallimard, 1937.

plaisance, de fuite ou de compréhension. Il s'agit de quelque chose de plus élémentaire, du rapport de deux commencements d'humanité qui s'établissent au degré zéro de la communication, qui n'ont rien à se dire et rien à faire ensemble, qui sont là seulement pour patienter afin que surgisse pour la première fois, car c'est toujours la première fois, la liberté de s'approprier leur existence.

Mais où donc le thérapeute va-t-il trouver le moyen de tenir cette intenable position ? Ni dans ses connaissances, ni dans sa compétence, ni dans les expériences qu'il a pu faire auparavant. Tout cela peut lui être utile en telle ou telle circonstance, tout cela il doit se préoccuper de l'acquérir et de le faire fructifier, car c'est aussi un métier qu'il pratique. Mais rien n'est encore fait, tant que cet appareillage n'est pas passé par le dénuement, par la certitude d'une vanité radicale, par la conviction que tous ces acquis ne sauraient donner une quelconque fondation à cette entreprise à haut risque. Sur quoi donc va-t-il prendre appui ? Sur quelque chose de certain qu'il ne puisse pas revendiquer, sur ce qui ne dépend pas de lui, sur ce qu'il possède sans en avoir la maîtrise, sur ce qu'il ne s'est pas donné, sur ce qui lui est le plus nécessaire et qu'il ne peut que recevoir : son existence en cet instant. Sur cette existence sans aucune détermination particulière, bien que son histoire lui en ait conféré de très nombreuses, il peut faire fond tranquillement, mais à condition qu'il se défasse de tous ses avoirs ou que du moins il les considère comme découlant de cette source première. Il ne saurait rejeter sa naissance dans l'autrefois, de telle sorte que par la suite il ait pu s'attribuer tout ce qui lui est arrivé. Il a été né, pourrait-on dire, et ne l'oubliant pas il peut s'installer avec la plus grande sérénité dans cette évidence, car en ce lieu décisif rien ne lui manque.

Mais que signifie l'assurance d'exister ? Pourquoi le sentiment d'exister donnerait-il l'assurance ? Ce qui devrait nous donner l'assurance, c'est plutôt ce qui dépend de nous et ce dont nous avons la disposition. « J'ai passé ma vie à surexister, me disait-on récemment, mais si je fais ce que

vous me demandez de faire, je vais perdre mon identité. »
Établir son identité, c'est répondre à la question : « Qui
suis-je ? » et en donner des preuves vérifiables dans les faits,
des preuves durables et inaltérables en toutes circonstances. Mais poser cette question, c'est déjà adopter le point
de vue de l'observateur et donc se rendre étranger à ce qui
est de l'ordre du « Je suis ». Affirmer que je suis ou
m'enfoncer dans mon existence sans nulle autre précision,
c'est-à-dire me placer au commencement, ne peut pas ne
pas faire voler en éclats toutes les preuves que je m'étais
données pour me rassurer. Je suis alors jeté dans le
désarroi. L'arroi, c'est le train ou l'équipage, dans lequel je
me présente comme personnage avec tous les attributs de
ma richesse et de mon pouvoir. Au contraire si j'affirme
purement et simplement : « Je suis », sans nul souci de
savoir ce que je suis, parce que cela intéresse la vallée des
déterminations, alors je me trouve assuré de cette source
qui ne sait pas encore où elle va couler et qui ignore les pay-
sages qu'elle va traverser. Je suis tranquille parce que tous
mes mouvements sont accomplis dans le flot même.

La relation du troisième type rejoint alors le travail du
poète ou de l'artiste : elle est à chaque instant une exigence
réciproque de revenir au commencement et de refondre à
partir de là pour les réorganiser tous les constituants de
l'existence. Ce qui est modifié, c'est le rapport que le thérapisant entretenait avec ses acquis et ses projets. La méfiance
et la crispation sans cesse maintenues pour que rien ne
bouge et ne lui échappe, et pour que la répétition du même
soit garantie, font place à l'équilibre risqué de celui qui ne
se regarde pas et ne s'écoute pas pour être prêt à soupçonner et accueillir ce qui vient vers lui. Pour le thérapisant,
comme pour le thérapeute, ce geste n'est jamais accompli
une fois pour toutes, il faut s'y exercer chaque jour avec
patience.

VIII

JE SUIS UN CORPS

Lorsque des thérapeutes reçoivent une famille, ils remarquent, avant qu'aucune parole ne soit prononcée, la façon dont chacun se comporte et se situe. Certains s'installent comme s'ils étaient en pays connu, d'autres hésitent, montrent leur malaise, attendent qu'un siège leur soit laissé, préfèrent se rapprocher ou s'éloigner d'un tiers, se disposent à l'affrontement ou à la fuite, etc. Ce ne sont pas seulement l'occupation ou l'évitement des fauteuils qui sont significatifs, ce sont aussi les gestes, les déplacements, le jeu des regards, les mimiques. Tout cela trahit la place adoptée par chacun relativement aux autres, la nature des liens qu'il tisse avec ses parents ou dans la fratrie, et en conséquence les traits fondamentaux de sa personnalité. Par tous ces signes un espace relationnel est configuré ; la position de chacun affichée. Tout est là étalé sous les yeux. Les corps se sont trahis avant d'avoir usé de mots.

Au cours des séances qui vont suivre, la configuration de cet espace relationnel va se modifier. Même un débutant s'en apercevra pour peu que les participants soient assez nombreux et que soit notée à chaque séance la géométrie qui s'instaure. En particulier les présences nouvelles ou les absences vont être l'occasion de remarques pertinentes. Plusieurs thérapeutes, parmi les plus libres de la profession, attachent la plus grande importance à ces phénomènes et ils vont même jusqu'à provoquer certaines configurations des corps en présence pour en faire des instruments de transformation. Quel serait donc le rapport entre ces manières de se comporter et les malaises ressentis par cette famille ? Ne serait-il pas possible d'admettre, par exemple, que la modification de l'espace relationnel signe les changements qui ont eu lieu ou que ce sont les malaises eux-mêmes, ceux constatés lors de la première rencontre, qui ont pris d'autres visages ou se sont estompés ? Si nous nous laissions entraîner à faire un petit pas de plus, nous supporterions d'entendre dire qu'il y a, sans savoir ce qui est premier et ce qui est second, un lien intrinsèque entre l'amélioration ou l'aggravation de l'état de cette famille et l'ordonnancement qu'elle présente, entre ses symptômes revendiqués ou guéris et la position des corps. On peut sans doute formuler cette proposition comme une lapalissade : les mouvements et les positions des corps rendent visibles les caractéristiques de chacun et les formes de ses relations avec les autres. On peut aussi établir une hiérarchie entre ces deux termes : les positions des corps sont à l'origine, elles produisent et déterminent les formes de relations entre les personnes et donc leur état de bien-être ou de mal-être. Ou en d'autres mots plus crus : une position défectueuse du corps est la maladie humaine, en tant qu'humaine, parce qu'elle ne permet pas la relation aux autres et au monde et, à l'inverse, une position du corps, si elle est geste de plénitude et de justesse, est la guérison en acte parce qu'elle est déjà une interaction harmonieuse avec les autres et avec le monde. S'il en était ainsi, il faudrait reconsidérer la valeur que nous accordons aux paroles échangées, car les corps pensent avant de parler.

Les corps pensent avant de parler

D'où peut bien sortir une pareille affirmation ? Elle se profile derrière l'expérience quotidienne d'un thérapeute.

134

S'il propose à quelqu'un de prendre place et de se détendre et si ce quelqu'un en est capable, aidé par quelque technique, un sentiment de bien-être s'ensuit. Il faut souligner, c'est le point capital : *ce sentiment de bien-être fait suite, est le produit de la position du corps*. Les thérapeutes qui pratiquent la relaxation ou l'hypnose tiennent beaucoup à cette mise en condition, mais ils ne semblent pas vouloir en généraliser la formule et ils n'oseraient sans doute pas prétendre que la position du corps est la condition *sine qua non* du bien-être. Ce sentiment pourrait n'être, en effet, que passager car il est lié à la situation présente, situation limitée et artificielle. Mais pourquoi ne serait-il pas durable, si étaient évoquées les différentes régions où l'existence du patient est en souffrance et si cette évocation était réintroduite peu à peu dans la position du corps ? Si l'on propose à quelqu'un de bien placer son corps, non seulement de se trouver confortablement installé, mais de se situer dans son espace et de se mouvoir dans cet espace de la façon la plus juste possible à l'égard de son entourage et de son environnement, et s'il adopte la proposition d'une telle posture, les effets ne se font pas attendre et les problèmes posés semblent fondre. À condition bien sûr que, pour sa part, le thérapeute réussisse à se placer comme il convient face au patient et avec lui. Sur la possibilité d'une telle posture, sur les résistances à surmonter et sur les étapes nécessaires pour y parvenir, il y aurait sans doute à s'étendre. Ce qui importe ici, c'est de souligner que ce sont de telles expériences renouvelées qui conduisent à faire penser que la position juste du corps dans son contexte d'existence est la guérison effectuée.

Une autre expérience, à laquelle nous contraignent ceux que leur propre histoire invite à la plus extrême méfiance, conduit à une conclusion identique. Chaque fois que le thérapeute parle, ne serait-ce que pour émettre des évidences, tel homme ressent ces mots comme une intrusion. Mais si le thérapeute se tait, le patient est projeté dans une angoisse d'abandon. Impossible donc de parler et de ne pas parler. Mais que faire alors, car il faut bien qu'une porte soit ouverte ou fermée ? Il faudra se taire, mais en cultivant un silence, un ne pas parler qui ne soit pas une façon de parler, c'est-à-dire en ne demeurant point sur le terrain de la parole ou de son interdiction. Pour sortir de ce dilemme, il n'y a qu'une solution : être présent de corps avec une telle intensité et une telle liberté que le poids de la présence devienne léger. Il s'agit d'être en son corps, d'être là comme une masse ou comme un souffle, comme un pachyderme ou comme un oiseau. La plus grande attention continue se conjugue avec l'absence d'intention. À partir de là un commencement de confiance peut se faire jour et la parole circuler sans trop de danger. Si le thérapeute ne trahit pas son corps, sa parole ne sera pas une trahison.

Mais comment justifier cette série d'affirmations bizarres : qu'une famille sortirait de son malaise si ses membres se disposaient musicalement les uns par rapport aux autres, qu'un patient serait dans toute sa vie en état de bien-être s'il s'asseyait correctement, qu'un névrosé ou un frontalier n'auraient plus peur si le thérapeute était bien dans sa peau ? Si ces propositions correspondaient à des faits, qui pourrait se garder d'y soupçonner un effet magique ? Mais ne sont-ce pas là au contraire des évidences qui nous aveuglent et auxquelles, pour nous protéger, nous ne savons que tourner le dos ?

La première évidence, c'est que les corps trahissent leur pensée. Car les corps pensent. Le ballet des corps que nous constatons lors des séances suppose que chacun ait une connaissance exacte de la place qu'il peut ou doit prendre dans l'ensemble familial. Nul d'entre eux n'a besoin de faire appel à des souvenirs explicites ou conscients pour adopter la position qu'il s'est attribuée ou qui lui a été assignée par les autres. Son corps tient en mémoire tout ce qu'il a fait subir et tout ce que les autres lui ont fait subir, y compris en mots articulés, de telle sorte que, avec une certitude infaillible, il trouve la place qui est pour lui la meilleure ou la moins mauvaise. Il agit non pas comme un automate, car nul n'en tire les ficelles ou ne le remonte, mais comme un humain qui pense, c'est-à-dire qui discerne et juge par ses sens, qui organise et hiérarchise les données depuis long-temps enregistrées et actualisées aujourd'hui. Penser, pour un humain, n'est-ce pas d'abord et avant tout, se situer parmi ses semblables et dans le monde de la façon la plus adéquate possible ?

Que les corps pensent et qu'ils pensent avant de parler, nous en avons la preuve tous les jours. Il suffit de s'attarder devant le comportement d'un nouveau-né. Dès les premiers jours, avec les moyens dont il dispose, il explore le monde alentour. Lorsqu'il pleure, par exemple, il agit avec des intentions et il les modifie en fonction des réponses don-nées. Si sa mère l'entend et distingue, dans ces pleurs, ceux qui demandent la nourriture, la toilette, le contact, sa pensée va devenir plus fine et plus subtile, car il se servira mieux, au fur et à mesure, des expressions élémentaires de son corps pour demander et attendre ce qu'il souhaite ou pour répondre aux désirs de l'entourage. Au contraire, s'il est placé parmi une multitude d'autres enfants, dans une institution dont le personnel n'a pas le temps de prendre en compte les appels et les besoins de chacun, sa pensée deviendra plus lourde et les nuances dont il était capable s'éteindront. Nombreuses sont les études qui ont été faites, en particulier aux États-Unis [1], et qui viennent corroborer ce dont nul père et nulle mère ne peuvent douter. Dès les pre-miers jours le nourrisson pense, c'est-à-dire qu'il est doué d'un soi, d'un principe organisateur qui lui permet d'unifier et de diversifier son expérience. Il ne parle pas, mais il est patent que son corps, dans l'état de veille, pense de manière ininterrompue et ne perd pas une occasion de rendre plus cohérent et plus complexe son rapport au monde, ce qui est bien une caractéristique primordiale de la pensée.

---

1. Voir, par exemple, *The Self in Infancy*, Philippe Rochat (éd.), Else-vier Science, B.V., 1995, et *Early Social Cognition, Understanding Others in the First Month of Life*, Philippe Rochat (éd.), Lawrence Erlbaum Asso-ciates, 1999.

De même que nous voulons ignorer que, pour l'enfant, le langage suppose la pensée du corps, de même nous voulons croire que les développements de la culture nous dispensent des liens de nos corps avec le monde. Niels Bohr, esprit plutôt avisé, affirme : « C'est justement parce qu'il ne s'est pas encore éveillé à l'usage des concepts qu'un nouveau-né peut difficilement être considéré comme un être humain. » Mais on pouvait lire à la page précédente : « L'étonnante supériorité qu'ont sur l'homme les animaux inférieurs pour utiliser les possibilités naturelles de conservation et de propagation de la vie s'explique souvent par le fait que chez ces animaux aucune pensée consciente au sens que nous donnons à ce mot ne peut être détectée. On connaît de même l'extraordinaire faculté qu'ont les peuples dits primitifs de s'orienter dans les forêts et les déserts, faculté perdue en apparence dans les sociétés civilisées, mais qui peut revivre à l'occasion en certains d'entre nous. » Mais pour cela est-il nécessaire d'admettre que « de telles performances ne sont possibles que par un renoncement à tout recours à la pensée conceptuelle[2] » ? Est-il bien vrai que l'accès à la pensée conceptuelle, et donc au langage, exclut un rapport au monde qui soit pensé ? Cette capacité des corps a été occultée, mais, sous-jacente, elle reste à la base de l'existence humaine. Que serait la pensée conceptuelle si elle ne se fondait, comme l'a remarqué Wittgenstein, sur une culture si complexe qu'elle ne peut se dire, elle-même enracinée dans les corps et les corps dans l'animalité ?

Ou bien faudrait-il perdre la raison pour devenir clairvoyant de ce qui se passe chez un autre humain ? Dans une lettre que m'avait transmise Léon Chertok, Octave Mannoni lui écrivait : « L'hypnose est quelque chose d'universel et de naturel, que la vie en société et l'éducation répriment. Il y a des signes qui nous révèlent que *sous* la normalité il y a des

---

2. Niels Bohr, « Philosophie naturelle et cultures humaines », dans *Physique atomique et connaissance humaine*, Paris, Gallimard, 1991, p. 189-190.

potentialités qui sont refoulées beaucoup plus profond que ne va le refoulement névrotique. Par exemple il arrive qu'une psychotique ait l'intuition immédiate qu'une femme qu'elle voit pour la première fois est enceinte, alors que personne ne le sait, pas même la femme dont il s'agit (j'ai assisté à un fait de ce genre). Il ne s'agit pas de transmission de pensée – et nous n'avons aucune explication. Ainsi ce que nous prenons pour notre nature ne serait qu'un état de notre évolution – beaucoup mieux efficace que les états archaïques –, mais les états archaïques n'auraient pas disparu. »

Pourquoi donc y aurait-il quelque chose à expliquer ? Ou alors il faudrait expliquer pourquoi les hommes parlent et pourquoi ils ont des corps et plusieurs autres choses semblables. Ce qui importe est de situer les uns par rapport aux autres les traits qui constituent l'être humain. Ici de rappeler que les corps qui pensent précèdent la parole et qu'il en est toujours ainsi, même si nous faisons tout pour l'oublier. La pensée des corps ne précède pas la pensée consciente ou la pensée conceptuelle, uniquement dans le temps de l'histoire individuelle ou de l'évolution des cultures, elle la précède structurellement. Que nous ne fassions plus signe de nos désirs par les larmes et les cris, que nous soyons devenus incapables de sentir la proximité du gibier que nous chassons ou que nous nous égarions dans le désert lorsque le vent a changé le relief des dunes, il reste l'évidence que les relations avec nos semblables sont fondées sur des jeux d'impressions sensibles auxquelles nous pouvons ne pas nous attarder et qui peuvent demeurer inconscientes, mais qui n'en sont pas moins déterminantes. Il ne faut pas longtemps lorsque nous faisons une nouvelle rencontre, avant qu'aucune parole ne soit prononcée ou tandis que des paroles anodines s'échangent, pour savoir si nous pourrons faire confiance ou s'il faut nous méfier, si cette personne est susceptible de nous entendre ou si c'est peine perdue. Certains ont le don de mettre à l'aise leur interlocuteur et d'autres créent une gêne insurmontable. De même, sans pouvoir dire à quels signes nous l'avons perçu, nous pouvons distinguer à coup sûr les discours qui sonnent faux et ceux qui sont justes. Ou encore celui qui veut se justifier manifestera qu'il est sur la défensive par un léger recul du corps, par une infime crispation de ses épaules ou de ses bras. Au contraire une désinvolture construite sera détectée aisément par quelques exagérations des gestes. Jean-Pierre Limousin, réalisateur de *Tokyo Eyes* disait, il y a quelques semaines, à propos d'un acteur japonais qui parlait sa propre langue : « J'ai aussi appris que, même sans connaître le vocabulaire (la langue), on sait quand un acteur est juste : il existe une vérité du regard et du geste. D'ailleurs je me suis aperçu que Shinji Takeda me testait, qu'à certains moments il jouait volontairement faux, pour vérifier si je m'en apercevais[3]. » On pourrait multiplier à l'envi les remarques de ce genre. Nous sommes encore des primitifs et des enfants, comme si nous n'avions pas encore accédé au langage ou à la pensée conceptuelle. Car cette communication par les signes transmis par les corps en présence continue à être au fondement de toute communication langagière. Ce sont les mouvements élémentaires du corps, c'est la tonalité de la voix, ce sont les regards qui donnent aux paroles le contexte qui va les former ou les déformer. Tous ces indices parfaitement perçus, même s'ils n'arrivent pas à la conscience et ne sont pas explicités, commandent de part en part la nature et la qualité de nos relations, ils en déterminent le cours et en imposent l'issue.

Au croisement de notre manière propre d'exister et de la relation nouvelle à laquelle nous nous sommes prêtés, sur la complexité infinie de l'observation qui est devenue silence, la parole va s'élever intense et juste, étonnante de précision et d'inventivité. Combien de fois ne nous arrive-t-il pas de nous émerveiller d'une trouvaille, d'une perception jusqu'alors ignorée, d'un geste ou d'un mot survenu sans précaution ? Trouvaille, perception ou mot qui ont eu, pour les patients, sans que nous sachions vraiment pour-

3. *Le Monde*, 10 septembre 1998.

quoi, des effets de modification et d'amélioration. La raison n'en serait-elle pas qu'enfin nous n'avons pas trahi nos corps et que, par leur attention à la fois détendue et focalisée, tout le tissu relationnel apparaît, de telle sorte qu'il est possible de dire ensuite quelque chose de sa trame et de sa chaîne. De même l'audace et parfois la violence d'une intervention seraient insupportables, si la présence et l'échange des corps ne lui donnaient le ton juste qui tient compte de la fragilité et qui apaise les susceptibilités.

La secondarité structurelle de la parole et de la pensée conceptuelle se prouve encore par les impératifs de l'action. Un ami, logicien de métier, me racontait qu'il cherchait un jour à expliquer à sa petite fille comment nouer les lacets de ses chaussures. Il avait saisi qu'à un certain moment il fallait que les explications cessent : les gestes devaient être accomplis. Bien d'autres exemples montrent que les clartés de l'analyse doivent s'effacer pour que le corps puisse agir comme il convient dans l'environnement. Une jeune fille vient d'apprendre à conduire. Elle dit l'angoisse qu'elle ressent à la perspective de n'avoir plus bientôt à détailler ses gestes et de devoir se laisser aller aux automatismes. Comment va bien pouvoir s'opérer ce passage, comment va-t-elle réussir à ne plus savoir ce qu'elle fait ? Et pourtant il est clair que la perte de la conscience de ce qu'elle fait va seule lui permettre d'être vigilante à l'égard de sa route, des obstacles éventuels, des autres véhicules. Bref l'attention à ce qui se passe alentour est conditionnée par l'aisance inconsciente du corps à manier le véhicule. Et même cette attention portée sur l'extérieur aura tout intérêt à se faire oublier, le corps pouvant en intégrer toutes les données sans que la conscience ait à s'en mêler. Pour agir, le corps doit faire taire la parole et l'explicitation consciente. Mais cela ne signifie pas que l'esprit a disparu. Il est devenu corps vivant, car le corps est esprit et c'est pour cela qu'il pense à bon escient.

La nature du savoir des corps qui pensent

Comment le thérapeute va-t-il tenir compte de ce phénomène naturel et universel ? Il est observateur, mais il est en même temps dans l'impossibilité de demeurer observateur. Dès lors qu'il a pris place aux côtés de cette famille, il a pris part à leurs débats et à leurs conflits et d'une manière ou d'une autre il s'y perd. Il est comme un nouvel aimant jeté dans un champ magnétique qui ne peut pas ne pas en changer les flux sans les subir. Mais renoncer au rôle d'observateur est pour lui hors de question, car sa fonction lui impose de connaître la situation de ce petit ensemble humain, de pouvoir décrire de la manière la plus fine par quels vecteurs il est sous-tendu, d'élaborer une configuration de son ordre ou de son désordre, d'inventer les tactiques et stratégies appropriées. Or, pour accomplir ces tâches, il faut bien observer.

La question est donc non pas de se garder d'observer pour pouvoir participer à l'échange des corps, mais d'observer encore et encore au point d'être submergé par le trop grand nombre des données ou par la trop grande finesse des indices. Nous croyons observer parce que nous demandons à l'objet, en l'occurrence ces personnes, de nous fournir de quoi remplir les cases vides de notre savoir préalable et des modèles que nous avons appris. Il s'agit de laisser venir à nous la globalité et les détails jusqu'à rencontrer une singularité qui excède toutes les similitudes. Tant qu'une famille est capable de nous fournir des confirmations de notre science, c'est que nous n'avons pas encore commencé à l'observer. La tâche est accomplie lorsque cette famille nous apparaît comme unique, comme incomparable, comme impossible à soumettre à des catégories déjà répertoriées. À ce moment l'observation se confond avec la participation. La rencontre avec le singulier et l'unique, qui a lieu à force de regarder, d'entendre et de sentir, immerge l'observateur dans la chose qu'il considère. À cet instant, parce qu'elle est à son comble, l'observation s'annule. Le thérapeute n'a pas trahi son corps, parce que son corps n'est plus que relation personnalisée, plus personnalisée que jamais, à ces autres corps en présence, qui se sont trahis et qu'il a pu ainsi observer, qui ne sont cependant pas trahis, mais respectés, parce qu'il partage leurs liens.

Mais, pour décrire plus avant cette influence interpersonnelle qui est faite des corps en présence, corps qui pensent et interagissent, la difficulté est extrême. Si cette expérience n'est comprise par aucun système de pensée préalable, c'est qu'*elle n'est pas objectivable*. Elle échappe au domaine de ce qui est mesurable et quantifiable : on peut mesurer les performances d'un œil, on ne peut pas mesurer la force d'un regard, on peut calculer la distance qui sépare des individus qui s'entretiennent et en tirer des indications sur leurs mœurs [4], mais on ne peut pas calculer l'intensité avec laquelle un acteur ou un orateur s'impose à l'auditoire. Donc on ne peut pas généraliser ces absences de mesure et de quantité et prévoir que tel individu aura de l'ascendant sur tel autre. Tout cela est aléatoire.

L'expérience en question n'est *pas non plus subjective* si l'on entendait par ce mot l'intime et le secret incommunicable, car ici tout est visible et rendu à la communication. Lorsque le corps pense pour se situer dans son espace relationnel, il ne s'intéresse pas pour lui-même à ce qu'il ressent. Ou bien s'il a pu avoir accès à des émotions, car il a bien un rapport à lui-même, cela est le fruit d'une interaction. Par exemple, Joseph Barber, qui présente le cas d'un homme rigide qui s'est ouvert peu à peu à ses propres sentiments, raconte le long périple qu'il a fallu parcourir pour en arriver là [5]. C'est parce que le thérapeute s'était rendu présent à cet homme, avec un mélange de patience, de provocation et d'intelligence, c'est parce que les émotions étaient

---

4. *Cf.* Edward T. Hall, *Le Langage silencieux*, Paris, Seuil, 1984, p. 206.
5. Joseph Barber, *Theories of Hypnosis, Current Models and Perspectives*, Steven Jay Lynn et Judith W. Rhue (éd.), New York, Londres, The Guilford Press,1991, p. 263-268.

nées de la relation et avaient été reconduites à elle que, dans un temps second, le patient avait été ramené à la vie. Si les sentiments ou les émotions éprouvés de part et d'autre n'avaient pas été fondés sur les places respectives, les postures et les positions, ils auraient eu pour résultat de refermer les protagonistes sur eux-mêmes et donc d'interrompre la relation. Certains thérapeutes sont satisfaits lorsque des pleurs ou des désarrois ont été provoqués, comme si ces effusions étaient la preuve d'un ébranlement et les prémices d'une modification. Elles risquent au contraire de marquer la fuite ou le retrait, en tout cas une complaisance qui évite ou reporte à plus tard la solution recherchée. Je me souviens d'un homme qui se plaignait d'une phobie de l'avion et qui avait déjà fait une thérapie émotionnelle dont il avait été satisfait sans qu'elle soit venue à bout de son symptôme. Il voulait recommencer ce type de cure, alors qu'il devait maintenant habiter l'espace amoureux et amical de son corps et s'y mouvoir au rythme qui lui convenait et qui conviendrait à son entourage. Ici, dans la séance, habiter l'espace amical et amoureux voulait dire s'arrêter sur chacun des proches, le regarder, l'entendre, l'approcher et peu à peu renouveler ses modes de relation avec lui, cela signifiait le faire exister par une longue attention, le laisser exister à sa manière à travers la mémoire de la multitude des sensations incorporées qui attendent d'être éveillées, ou encore faire preuve d'imagination à son égard pour qu'il puisse se déployer à sa guise. Habiter son espace, c'est donc le parcourir, s'y mouvoir, l'investir personnellement et activement pour le tisser avec des fils rénovés.

Et pourtant, si cette expérience n'est ni objectivable ni purement subjective, il y a un savoir véritable de ce que peuvent les voix et les corps face à l'orateur, à l'acteur ou au thérapeute. Ils savent ce qu'ils peuvent attendre et ne pas attendre des effets de leur art. Mais à l'instant où l'influence interpersonnelle est agissante, ce savoir ne peut se savoir. Après coup ce savoir et son efficacité laisseront sans doute une trace, ne serait-ce que dans les paroles échangées. Mais, à moins d'avoir affaire à une rencontre de poètes, le poids, la saveur, le charme, les couleurs de l'entretien seront déjà après coup édulcorés ou affadis. Si le savoir pouvait être maîtrisé au moment de l'expérience, le processus en serait perturbé ou même arrêté, car l'un ou l'autre en serait sorti.

L'influence interpersonnelle, ou la mise en présence des corps, ou l'immersion dans le propre corps en relation ne sauraient donc devenir un objet d'expérience que nous pourrions isoler et sur lequel nous pourrions arrêter nos recherches. Certains adeptes du courant jungien semblent friands de ces illuminations qui les mettraient en contact privilégié avec la nature ou avec le dieu et ils décrivent les étapes pour y accéder en s'inspirant des mystiques de l'Inde. Il n'y a rien de tel pour nous ici. Nous n'avons pas à chercher un secret qui nous permettrait de nous reposer et de penser qu'enfin nous avons touché le port. La mise en présence des corps ou l'absorption dans le corps propre est ce que tout humain possède déjà en partage. Tout ce que nous pouvons faire comme thérapeute, c'est prendre au sérieux ce fait universel et naturel et cesser de le recouvrir, car il est l'élémentaire qui tisse nos vies. Il nous porte, nous ne saurions le voir en face. Nous nous trouvons dans la position de Psyché qui ne pouvait rencontrer Éros que dans l'obscurité de la nuit. En outre cette expérience n'est que dans l'instant et elle n'a lieu que dans la mesure où elle nous échappe. Elle est aussi fugitive qu'un acte, qu'un geste harmonieux, que la voix ou la musique qui ne restent pas suspendus dans les airs. Tout s'efface au moment qui suit et nous sommes reconduits à la banalité des jours. « Si tu prends un homme pour un sage, dit un proverbe, c'est la preuve qu'il ne l'est pas. »

Vous connaissez peut-être cette histoire de Nasrudin, l'imbécile heureux ou le ravi de la tradition islamique :

Un certain ascète, ayant entendu parler de Nasrudin, s'en vint de son lointain pays pour le rencontrer. Il lui conta avec quelle ferveur il s'efforçait depuis tant d'années de percer les secrets de la nature. Depuis quelque temps il lui arrivait d'entrer en communication avec les oiseaux et même les poissons.

« Eh bien moi, l'interrompit Nasrudin, un jour un poisson m'a sauvé la vie. – Remarquable, s'exclama l'ascète ébahi par cette révélation. Jamais vraiment je ne pensais possible une telle communion avec la nature. En tout cas, c'est une confirmation de la Doctrine. Mais maintenant que nous nous connaissons mieux, peut-être pourras-tu me faire partager ton expérience ?

– Je ne suis pas si sûr que tu puisses comprendre », lui répondit Nasrudin l'air songeur. Mais l'autre le harcela, le supplia, s'agenouillant à ses pieds dans la poussière. « Maître, lui dit-il, je suis prêt pour cela à tous les sacrifices. »

À la fin, Nasrudin n'en pouvant plus le mit en garde contre les conséquences de la révélation qu'il allait lui faire : « Es-tu prêt à entendre ce que je vais te dire ? Enfin, tu l'auras voulu. Eh bien, un jour que j'étais sur le point de mourir de faim, un poisson assurément m'a sauvé la vie. Il a mordu à l'hameçon alors que je pêchais sans succès depuis des lustres et, grâce à lui, j'ai eu de quoi me nourrir plusieurs jours. »

L'apprentissage du savoir des corps

Comment le thérapeute peut-il remplir sa fonction puisque le savoir de la pensée des corps ne peut se savoir, si ce n'est après coup quand il est trop tard ? Quels peuvent être alors ses repères ou ses garde-fous, de quelles cartes dispose-t-il pour pénétrer dans la forêt ou s'orienter dans le désert ? Eh bien, d'aucun repère, d'aucun garde-fou, d'aucune carte. Je me souviens d'une conférence durant laquelle Octave Mannoni avait expliqué que la théorie était faite pour protéger l'analyste. Lacan était intervenu : « Mon cher Mannoni, vous venez de le découvrir ! » Manière habile de dévaloriser le propos et d'absorber l'objection pour que nul n'en tire les conséquences. Car ce n'est pas une mince affaire que les théories soient bel et bien faites pour préserver le thérapeute. Mais le préserver de quoi ? Précisément de l'expérience immédiate qui lui échappe, qui le désarçonne, qui ne peut pas ne pas lui faire défaut si elle a lieu. Situation inconfortable, mais inévitable, car toute théorie, modèle, système manquent l'expérience du fait même qu'ils la précèdent et qu'ils lui donnent un cadre préalable dans lequel elle devra rentrer.

Toute théorie qui précède manque l'expérience des corps en présence, mais à l'inverse, ou ce qui revient au même, cette expérience, parce qu'elle est singulière, unique, imprévisible et neuve entraîne fatalement une désorganisation de tout système de compréhension. Certains commentateurs de Milton Erickson l'ont souligné. « L'importance de l'individu dans l'approche éricksonienne doit être bien comprise. Ce n'est pas simplement une facette d'une attitude humaniste. La tentation de l'analyse intellectuelle, de la théorisation explicative, de l'ajustement du patient au système de référence du thérapeute réapparaît vite dans les thérapies contemporaines. Les suppositions sans preuve, les conclusions décidées d'avance, dans l'esprit du thérapeute ou du patient, sur le sens et la solution des problèmes demeurent parmi les plus sérieux obstacles à leur résolution heureuse. » Ils ajoutent : « Cela exigeait de lui qu'il invente une nouvelle théorie pour chaque patient... Tandis que les théoriciens traditionnels commençaient avec une théorie et développaient ensuite une définition, des principes de pratique et de recherche, Erickson commençait avec une conception du comment promouvoir l'influence interpersonnelle[6]. » Inventer une nouvelle théorie pour chaque patient et concevoir comment l'influence interpersonnelle pourra être promue, n'est-ce pas indiquer que la généralisation doit être écartée au profit de la recherche d'un index pour l'expérience ?

Mais le thérapeute, lors d'une séance, ne peut tout de même pas faire abstraction de ses connaissances, de ses lectures et de ses apprentissages divers, sinon il serait une coque vide. Il s'agit non pas d'être bête, mais de le devenir,

---

6. *Ibid.*, p. 280.

non pas de n'avoir rien appris, mais de tout oublier, parce que l'oubli conditionne la plénitude de l'acte. Surtout ne pas se souvenir, ne pas aller chercher dans son arsenal les moyens efficaces de dominer la situation. Au contraire s'y laisser couler, sans même l'espoir de surnager, sans garder en réserve quelque artifice qui permettrait de reprendre pied. Abandonner jusqu'au souci de la dignité de la fonction, sans quoi le thérapeute se devrait de ne pas perdre la face, de savoir quelque chose, donc de précéder.

À moins que sa seule manière de précéder et de tenir sa fonction soit dans la justesse et la plénitude de son être-là. Le critère de l'expérience ne lui est pas, ne peut pas lui être extérieur. Le fondement de la fonction du thérapeute est l'intensité de sa présence, ce qui suppose qu'il soit là tout entier, ce qui suppose que son esprit soit son corps, qu'il n'y ait pas de distance entre ce qu'il pense et sa position, que sa conscience investisse sa place en tant que corps dans cet espace, ce qui suppose encore une attention totale au croisement de ses capacités personnelles les plus singulières et de sa disponibilité non moins totale à la personne de l'autre. Le thérapeute perd l'identité de l'esprit et du corps, il ne peut plus laisser penser son corps, il le trahit, lorsqu'il se creuse la tête en se demandant que faire, au lieu de faire tout simplement, c'est-à-dire d'inclure totalement sa pensée ou son absence de pensée dans l'action. Et l'action pour lui, c'est d'être un corps immédiatement situé dans l'espace relationnel, si bien que corps, corps en présence, influence interpersonnelle deviennent des pléonasmes. Nul besoin pour le thérapeute de connaissance de soi et encore moins de reconnaissance, puisqu'il est appuyé sur l'existence certaine de son corps vivant. En ce sens il est le plus humain et le mieux relié aux humains, lorsqu'il renonce aux prétendus privilèges de l'humanité. Est-ce à dire que, pour être un bon thérapeute ou un bon patient, il faudrait devenir un animal et par là faire cesser l'hiatus entre une unité intérieure et son adaptation au monde extérieur ?

Ce ne serait pas là une idée bien originale. Elle apparaît par intermittence depuis des siècles chez des auteurs que l'on ne peut guère mépriser. Lorsque Spinoza, par exemple, veut montrer que l'esprit et le corps sont une seule et même chose et que ceux qui affirment que l'esprit commande au corps ne savent pas ce qu'ils disent[7], il argumente en renvoyant d'abord à la structure du corps humain « qui dépasse de très loin en artifice toutes celles qu'a fabriquées l'art des hommes », ensuite aux bêtes chez qui « on observe plus d'une chose qui dépasse de loin la sagacité humaine », enfin aux somnambules « qui font des choses qu'ils admirent eux-mêmes quand ils sont éveillés »[8]. Ainsi donc se trouvent mis sous le même chef les corps qui pensent, les animaux et les hypnotisés.

À la fin du XVIIIe siècle, Heinrich von Kleist, amateur de somnambulisme, comme nombre d'écrivains de cette époque, au point d'en faire la clef de son roman *La Marquise d'O*, présente dans *Le Théâtre des marionnettes* un maître d'armes. C'est un ours qui ne se fatigue pas à esquiver les feintes, mais pare les coups qui lui sont vraiment portés. Kleist en fait la figure qui pourrait nous guérir de la grâce perdue pour nous être regardés dans le miroir. Après ce geste, il ne resterait que deux positions tranquilles : celle d'un dieu, celle de l'animal.

---

7. C'est Descartes qui est visé : « Je sais, bien entendu, que le très célèbre Descartes, encore qu'il ait cru lui aussi que l'esprit avait sur ses actions une absolue puissance, s'est pourtant appliqué à expliquer les affects humains par leurs premières causes. » *Éthique*, Préface de la Troisième partie, Texte original et traduction nouvelle par Bernard Pautrat, Paris, Seuil, 1988, p. 200-201.
8. *Ibid.*, Troisième partie, Proposition 2, Scolie, p. 209. L'argumentation de Spinoza est très souvent négative ; c'est comme s'il disait ici : abandonnez l'idée que l'esprit (ou le pseudo-esprit) est capable de commander au corps, vous aurez un corps qui est esprit. *Cf.* Deuxième partie, Proposition 13, que Harry Austryn Wolfson (*La Philosophie de Spinoza*, Paris, Gallimard, 1999, p. 434) commente ainsi : « Spinoza soutient que la première chose dont l'esprit est conscient, ou ce dont l'idée forme en premier lieu l'être actuel de l'esprit, ce ne sont pas les choses extérieures, mais le corps même de l'homme. » Et plus loin (p. 682) : Spinoza définit « l'esprit comme la conscience qu'on a de son propre corps ».

Il faudrait encore au moins citer Nietzsche pour qui le corps non seulement pense, mais philosophe : *der Leib philosophiert*[9]. On peut lire par exemple dans les *Fragments posthumes* : « Ce qui a valu sa victoire à l'homme dans sa lutte avec les animaux a en même temps entraîné l'évolution difficile, dangereuse, maladive de l'homme. Il est l'animal encore sans statut[10]. » Et l'année suivante : « Si j'ai une forme d'unité en moi, elle ne repose certainement pas sur le moi conscient et sur le sentiment, la volonté, la pensée, [mais] dans l'intelligente capacité de tout mon organisme de conserver, de s'approprier, de réparer, de surveiller, capacité dont mon moi conscient n'est qu'un instrument[11]. » Et encore : « Je tiens toute démarche qui part de la réflexion de l'esprit sur lui-même pour stérile et que, sans le fil conducteur du corps, je ne crois à la validité d'aucune recherche[12]. »

Et pourquoi pas Wittgenstein, dans son dernier carnet, qui s'y reprend pour oser affirmer cette même proximité : « On pourrait dire ceci : "Je sais" exprime la certitude *apaisée*, non celle qui est encore en état de lutte. Dès lors j'aimerais voir dans cette certitude non la parente d'une conclusion prématurée ou superficielle, mais une forme de la vie. (Cela est très mal dit et sans doute mal pensé aussi.) Cela veut pourtant dire que j'entends concevoir la certitude comme quelque chose qui se situe au-delà de l'opposition justifié/non justifié ; donc pour ainsi dire comme quelque chose d'animal[13]. »

Évoquer cette tradition intellectuelle invite non pas à renoncer à ce que l'être humain a de plus spécifique, mais bien plutôt à en retrouver le fondement. Se débarrasser de

---

9. C'est sur ces mots que s'achève le livre de Didier Franck, *Nietzsche et l'ombre de Dieu*, Paris, PUF, 1998, duquel j'extrais ces citations, après m'avoir encouragé à mieux penser le corps.

10. Friedrich Nietzsche, *Fragments posthumes*, printemps 1884, 25 [428].

11. *Ibid.*, 1885, 34 [46].

12. *Ibid.*, été-automne 1884, 26 [432].

13. Ludwig Wittgenstein, *De la certitude*, Paris, Gallimard, coll. « Tel », 1987, p. 93.

ses théories et de ses savoirs antérieurs n'est pas un effort. Ils volent en éclats sous la poussée de la mise en présence des corps et de l'influence réciproque. Peut-être ne soignons-nous, et d'abord en nous-mêmes, que la peur de vivre, la peur de modifier notre système de connaissances et de relations et de passer à un autre, parce que le peu de vie que nous possédons nous suffit pour survivre et que nous doutons de la conserver si nous l'ouvrons à plus de vie. Courir le risque de revenir à l'animal, car c'est ainsi que cette formule sera entendue pour être mieux dévaluée, signifie seulement courir le risque de la perte d'une maîtrise, d'une prétendue supériorité, d'un surplomb, de la certitude de précéder par la connaissance. Pourtant cette perte conduit non pas à un ravalement, mais à une intelligence nouvelle.

Quand un thérapeute, en effet, se rend à la singularité d'une autre personne, ce qui se passe alors est toujours de l'inouï. Comme si la relation des corps en présence recelait une telle richesse qu'il suffisait de tendre la main pour y puiser des joyaux. Si le corps humain, selon les résultats des recherches en biologie, donne l'impression d'un monde duquel nous ne soupçonnons que quelques traits [14], comment n'en serait-il pas de même et à plus forte raison lorsqu'il s'agit de relations humaines qui portent en elles la variété infinie des personnes, des cultures et des histoires ? Ceux qui ont l'impression de la monotonie de leur travail doivent s'en prendre à un défaut d'investissement de leur part. Au contraire ceux qui un moment osent perdre la tête et laisser venir l'énergie première de leur corps, ceux-là ont chaque jour l'impression qu'ils ne pourront jamais se répéter. Ils seront introduits à l'intelligence du chien qui détecte une crise d'épilepsie une heure avant qu'elle ait

---

14. *Cf.* Jean-Pierre Changeux, *L'Homme neuronal*, Paris, Librairie Arthème Fayard, 1983, dont l'ambition est de tout ramener à des processus physico-chimiques et, dans une direction opposée, Alain Prochiantz, *Les anatomies de la pensée. À quoi pensent les calamars ?* Paris, Odile Jacob, 1997, pour qui la vie ne va pas sans la pensée. Voir aussi Gerald M. Edelman, *Biologie de la conscience, op. cit.*

lieu[15], à l'intelligence de l'enfant qui comprend tout d'une situation sans que l'on ait eu à la lui expliquer, à l'intelligence de l'idiot auquel on en compte point, à l'intelligence du chercheur toujours prêt à s'étonner. Le langage alors ne précède plus, il succède.

Pour finir, une remarque. Je me demande si la fin de notre travail, aux deux sens du mot, ne réside pas dans la construction d'un espace de silence. Sans doute faut-il beaucoup de paroles pour que le silence acquière son poids, son épaisseur, sa densité. Ainsi en est-il en musique chez les grands. Nous avons peut-être eu l'occasion d'entendre les intermezzi de Brahms interprétés par Hélène Grimaud, cette pianiste qui trouve son repos dans les bois avec quelques loups autour d'elle. Tout ce qu'elle joue ne semble résonner que pour tendre à s'effacer. Comme si, à certains moments, elle regrettait d'avoir à poursuivre. Ne nous arrive-t-il pas de penser que nous en avons trop dit, toujours trop dit[16], parce que nous n'avons pas su donner à notre présence en corps une force et une simplicité qui suffisent à faire passer le comprendre dans le faire silencieux qui transforme ?

Comment situer ce qui vient d'être avancé dans le champ qui est le nôtre ? Est-ce une solution de plus qui vient s'ajouter à la longue liste qui commence avec Mesmer, c'est-à-dire avec le détachement de cette expérience de tout lien avec ses expressions religieuses[17] : magnétisme animal, somnambulisme magnétique avec Puységur, sommeil

---

15. Émission « Le cerveau des animaux », 12 mars 1998, magazine présenté par Bernard Benyamin et Paul Nahon.

16. *Cf.* « En guise d'apologue », p. 231.

17. La coupure a lieu en 1775, lorsque Mesmer arrive à Munich et voit opérer l'exorciste Gasner. Mesmer pense que l'on peut obtenir les mêmes résultats sans recourir aux rites de l'exorcisme. *Cf.* Laurence Jean-Roch et Perry Campbell, *Hypnosis, Will and Memory, a Psycho-legal History*, New York, Londres, The Guilford Press, 1988, p. 8.

lucide avec Faria, somnambulisme artificiel, hypnose avec Braid, Charcot ou Bernheim, automatisme psychologique avec Janet[18], psychanalyse aussi, gestalt, sophrologie, et pourquoi pas thérapie familiale ? On peut en rester à un relativisme culturel, comme si chaque époque pensait la chose à sa manière sans que l'on puisse même savoir si c'est la même chose. On peut également estimer avec Ellenberger que la découverte de l'inconscient a mis un terme à cette histoire[19]. Mais pourquoi ne pas essayer de montrer qu'il n'y a rien à découvrir et à inventer, que le jeu des corps n'a pas à être expliqué et qu'il contient en lui toutes les variantes proposées depuis des siècles pour rendre compte de ce dont il n'y a pas à rendre compte ? Que les corps s'attirent, comme le suggérait Platon parlant dans *Ion* des rhapsodes, à la manière des pierres de magnet, les premiers aimants, cela est inclus dans ce qu'est un corps. Que cette attirance puisse être comparée au sommeil, c'est tout simplement parce que les corps qui s'attirent et se repoussent sont dépourvus de conscience vigile. Que ce sommeil soit lucide, les corps qui pensent le disent assez. Que l'influence interpersonnelle soit faite de suggestions réciproques, il n'y a là qu'une tautologie. Que les corps se situent inconsciemment les uns par rapport aux autres, nul besoin de le rap-

---

18. La position de Pierre Janet montre bien que l'absence de référence au corps entraîne à des contradictions insurmontables. Les activités élémentaires qui se manifestent sous hypnose seraient pour lui automatiques et conscientes. Elles seraient automatiques, mais elles ne seraient pas mécaniques ; elles seraient conscientes, mais ne relèveraient pas de la conscience vigile (*L'Automatisme psychologique*, Paris, Odile Jacob, coll. « Opus », 1998, p. 34). Janet sait bien qu'il utilise là deux expressions incompatibles, car, si elles sont automatiques, elles ne peuvent être conscientes, et si elles sont conscientes, elles ne peuvent être automatiques. Elles ne sont donc ni automatiques ni conscientes. Ces contradictions naissent du fait que l'on considère la conscience comme la valeur suprême de l'être humain. Il n'est par contre nul besoin de supposer une conscience au corps. Une pensée du corps, ou une intelligence ou un esprit qui sont le corps vivant lui-même peuvent être conscients ou inconscients. Cela est secondaire.

19. Henry Ellenberger, *À la découverte de l'inconscient, histoire de la psychiatrie dynamique*, Paris, Simep, 1974.

153

porter à un inconscient qui n'a d'autre existence que celle d'une supposition et qui a besoin d'une croyance pour se soutenir. Nous n'attendons pas les faiseurs de théorie, mais quelques artisans qui indiquent du doigt et de la tête la bonne position à prendre pour accomplir le mouvement efficace ou qui inlassablement tournent autour de l'expérience pour y constater un nouvel angle de vue favorable.

IX

ASSURER SANS RASSURER

Une femme est venue me voir, enceinte de sept mois, ne dormant plus, inquiète pour son enfant parce qu'elle a plus de trente-cinq ans. Depuis une semaine elle ne dormait plus et avait perdu plusieurs kilos. Elle ne pouvait pas dormir, parce qu'elle ne pouvait pas s'allonger, elle ne pouvait pas s'allonger parce qu'elle étouffait, elle étouffait parce que son nez était pris, et cela parce qu'elle avait une bronchite, elle avait une bronchite parce qu'elle avait été au bord de la mer pour faire plaisir à son mari, qui d'ailleurs s'occupait beaucoup d'elle. Elle explique qu'elle ne veut surtout pas d'hypnose ou de relaxation ; cela lui fait peur. Je lui dis que bien sûr il ne sera question ni d'hypnose ni de relaxation. Je lui propose seulement de faire une petite préparation à son sommeil. Il est probable que ça ne servira à rien, mais on peut toujours essayer, ça ne mange pas de pain. Pour se préparer au sommeil – mais naturellement il faut qu'elle garde les yeux bien ouverts pour éviter le risque d'hypnose ou de relaxation – le mieux est de penser que l'on va s'endormir, même si le sommeil ne vient pas, au moins de son côté on se sera préparé. Le sommeil est quelque chose qui nous est donné gratuitement sans que l'on puisse le vouloir, donc on attend là maintenant que le sommeil vienne comme quelque chose qui pourrait éventuellement être donné et auquel on peut seulement se préparer sans savoir s'il viendra. Et puis comme elle est enceinte, elle peut penser à son enfant. Mais au fond dire qu'elle est enceinte, c'est un terme très général qui n'a pas beaucoup de sens, il vaut mieux dire qu'elle attend un enfant, mais ce n'est pas encore un bon terme, il vaut mieux dire qu'elle a dans son ventre un enfant, un véritable être humain, un humain complet, qui n'est pas tout à fait complet, mais qui est vraiment un être humain, qui entend sa mère, qui vous entend, qui vous touche, qui vous sent, qui en a un peu assez de vos angoisses, parce que lui se porte bien et il est content d'être là, qui vous demande de le laisser tranquille avec vos angoisses et qui vous signale qu'il a de quoi se défendre. Et puis ce sera très bien si vous ne dormez pas, comme cela vous ne perdrez pas un de ces moments précieux où vous le tenez tout proche dans votre ventre et où vous pouvez vous entretenir avec lui de façon si privilégiée. Il vous dit qu'il a très bien compris que c'était vous qui étiez angoissée, mais que lui ne l'était pas et depuis sept mois il a fait de nombreuses expériences. Au début vos angoisses lui arrivaient de plein fouet, maintenant il se méfie et il vous dit qu'il a sa peau à lui, son corps à lui, ses limites à lui et que vos angoisses il les met de côté dans le liquide amniotique et que vous pouvez les reprendre quand vous le souhaiterez. Et maintenant (elle était jusque-là assise au bord du fauteuil et les jambes tendues, sur la pointe des pieds ; elle commençait alors à s'installer) vous allez laisser entrer dans tout votre corps la joie d'attendre un enfant ou plutôt la joie d'avoir là tout près un enfant dans votre ventre. « Mais comment on fait pour laisser entrer dans son corps la joie d'avoir un enfant dans son ventre ? – Comme ça, on le fait. – Mais je ne sens rien. – Vous n'avez pas besoin de sentir cette joie, simplement vous la laissez envahir tout votre corps. – Mais comment la laisser envahir mon corps ? – Vous allez penser simplement et faire attention aux mots : je laisse mon corps être envahi de joie. Et puis vous attendez tranquillement : je laisse mon corps être envahi de joie ou

156

de bonheur ou de bien-être ou de tranquillité. – Oui, mais j'ai peur pour demain, je crains ce qui pourrait m'arriver. – Et là aujourd'hui, maintenant, à ce petit instant, est-ce que vous avez peur ou est-ce que vous pouvez sentir que vous êtes là avec un être tout à fait humain dans votre ventre ? – Je n'avais jamais vraiment pensé que c'était un être humain qui sentait, qui comprenait, qui me connaissait. – Vous lui faites un signe comme si vous le rencontriez pour la première fois et surtout vous attendez qu'il vous communique sa tranquillité, etc. » (L'enfant bouge très fort dans son ventre à ce moment-là ou du moins elle s'en aperçoit.) Elle a parlé ensuite de ses parents, de son enfance, de son mari, de son travail, comme si les différents aspects de son existence pouvaient prendre tranquillement leur place. Il était l'heure de mettre fin à la séance et de lui dire qu'elle pouvait revenir au cas où elle y trouverait quelque intérêt.

Si elle ne m'avait pas téléphoné le lendemain pour me dire qu'elle avait dormi de minuit à sept heures sans avoir eu à se lever, qu'elle était très contente et qu'elle voulait me remercier, j'aurais oublié le contenu de cette séance parce que je n'aurais pas pu en soupçonner les effets au-delà de cette heure passée, sans doute aussi parce que ces propos sont dépourvus de toute originalité. Mais, comme ce dialogue s'est avéré de quelque efficacité, il peut ne pas être inutile de s'interroger sur ses implications.

Cette femme avait tenté de se faire rassurer par des médecins qui l'avaient soignée comme ils devaient et pourtant sa panique continuait à croître. Puisque la faculté avait fait son travail, il n'y avait nulle raison de s'occuper de sa santé, et il eût été vain par ailleurs de chercher à la débarrasser de ses inquiétudes par des paroles réconfortantes. Ce n'était pas le moment non plus de la faire revenir en arrière à la forme de ses liens avec ses père et mère, aux conflits secrets à l'intérieur de son couple, à ses manières de vivre. Il suffisait de l'inscrire dans sa position actuelle et d'abord de tenir compte, puis d'accentuer la contradiction dans laquelle elle semblait être enfermée. Elle venait voir quelqu'un dont elle savait qu'il pratiquait l'hypnose et elle n'en voulait pas. Même la relaxation, cette chose beaucoup plus anodine que notre culture est prête à supporter, elle manifestait à son égard la plus vive réticence. Il fallait donc l'encourager à garder les yeux bien ouverts et à faire preuve de vigilance. Par ailleurs elle ne pouvait pas refuser de se préparer au sommeil puisque c'était là ce dont elle manquait et qui la mettait en peine. Prendre sa situation telle qu'elle la vivait et telle qu'elle la pensait était donc le seul point de départ dont je pouvais disposer pour opérer une éventuelle modification. Mais cette situation qui était bien la sienne ne l'était pas en vérité. Elle la fuyait par l'inquiétude que redoublaient une bronchite et des difficultés de respiration. Comment la faire rentrer là où elle était et où cependant elle n'était pas ? Autrement dit comment l'aider à s'approprier cette phrase de sa vie présente, si ce n'est en la replaçant dans son contexte ? Nulle autre question ne se posait. Il n'aurait servi à rien de tenter de la rassurer en la persuadant qu'elle pouvait retrouver le sommeil et que tout allait bien se passer ; elle devait parcourir elle-même le chemin de l'assurance, elle devait faire l'exercice de l'assurance.

Rassurer – ce qui diffère d'assurer –, c'est sécuriser ou tranquilliser quelqu'un qui est troublé par la crainte ou la peur, c'est faire retrouver le calme à une conscience émue, comme on le fait pour un enfant qui s'extrait d'un cauchemar en le prenant dans ses bras ou en lui racontant une histoire. Rassurer est une opération qui peut être définie selon trois axes : elle relève de la psychologie, c'est-à-dire des états d'âme qui s'agitent de façon aléatoire à la surface de l'existence, ensuite elle n'exige pas de celui qui bénéficie de la réassurance une participation active, elle n'a donc pas enfin pour office de transformer la personne et se contente d'effacer les variations d'intensité affectives. Au contraire être assuré, c'est prendre appui sur quelque chose ou sur quelqu'un qui ne se dérobe pas, c'est entrer en contact avec ce quelque chose ou ce quelqu'un qui tiennent solidement de la manière la plus stable et la plus continue.

Il était facile en l'occurrence de prendre pour étai la grossesse de cette femme et de la faire dialoguer avec celui ou celle qu'elle portait. Encore fallait-il que les mots utilisés l'incitent à la relation et lui disent cette relation avec assez de précision et de force pour qu'elle perde le souci de sa propre santé et de son propre sommeil. Être enceinte ne soulignait pas assez le fait d'une présence autre, avoir un enfant dans son ventre traduisait mal l'autonomie déjà réalisée ; il était nécessaire de rappeler les multiples expériences faites au cours des dernières décennies et qui prouvent la part d'indépendance et de singularité du fœtus. Mais cette relation singulière une fois établie, le changement personnel n'était pas acquis ; il ne pouvait s'accomplir que si elle le laissait venir, que si elle laissait monter en elle l'effet de cette altérité véritable. Cela lui semblait tout d'abord impossible, car il y a un abîme entre les mots compréhensibles de ce qui est à faire et le faire lui-même. On passe alors en effet à cet ordre de choses différent dans lequel les mots doivent devenir des actes. Et peu importe alors que l'on ressente ou non, il faut et il suffit de sauter le pas, de réaliser le mouvement ou de se rendre disponible au point de l'autoriser à s'effectuer. La fin de ses inquiétudes ne pouvait être octroyée à cette femme déjà mère que si elle se laissait exister dans et par la relation qui était pour elle primordiale. Elle ne pouvait être assurée que par l'abandon des folles interrogations qui redoublaient ses angoisses et par la suppression de la distance entre la pensée de l'enfant attendu et la réalité de cette présence, elle ne devait plus qu'être là ainsi à cet instant.

Tout ce qui s'est passé au cours de cette séance pourrait être décrit comme un déplacement de l'attention. Cette femme était occupée par ses malaises ; elle en a été éloignée au profit de son enfant. Mais cette formulation est insuffisante. Il est plus exact de dire que l'attention à ses maux était une distraction par rapport à sa vie présente et qu'il s'agissait de l'y rendre attentive, car le mot attention n'a pas du tout le même sens en chacun des deux moments. Dans le premier elle était sortie de sa vie, elle n'avait donc plus d'assise et ne pouvait que s'égarer d'une incertitude à l'autre jusqu'à l'affolement. Elle y revient dans le second et c'est alors que l'assurance lui est donnée. Mais ces deux sortes d'attention posent un autre problème : comment passons-nous de la première à la seconde, n'y a-t-il pas une faille qui les sépare et qu'est-il exigé pour que le saut au-dessus d'elle soit possible ? Rien d'autre que ce qui a lieu en tout apprentissage. L'élève qui craint de ne pouvoir écrire, l'apprenti qui appréhende de scier ou de peindre, l'enfant qui redoute de se mettre à l'eau pour nager, tous retardent le moment décisif en demandant de nouvelles explications, en ergotant sur les procédures proposées, en discutant les ordres. Il faut que le maître cesse de répondre, fasse taire et se contente de formuler un impératif : « Fais-le d'abord, tes objections n'ont maintenant aucun sens. » Or c'est exactement ce qui se passe au cours d'une thérapie. Cette femme, tout en en donnant de multiples raisons, voulait savoir pourquoi elle ne dormait pas ; elle me disait être venue seulement pour parler. Il fallait mettre de côté le besoin d'éclaircissement, tarir la prolixité des plaintes et des émois, faire s'envoler ces pensées foisonnantes. De tout cela elle s'était rapidement laissé détourner et elle n'avait pas eu le temps de ressentir l'angoisse du passage. Il en est de même parfois au cours d'une thérapie : le report de l'attention sur tel mot, sur telle image ou sur tel mouvement du corps s'effectue sans que soit perçu le vide qui sépare la distraction entretenue par un vain discours et la prise en compte de l'actualité. Mais il arrive aussi très souvent que le « faites-le maintenant » engendre une peur qui interdit de se projeter dans l'action par la révélation manifeste ou secrète des risques encourus. Comme si se laisser aller à suivre l'ordre reçu allait enlever tout appui et donc toute assurance. Or c'est la possibilité de la cure qui est ici en jeu.

Il est donc nécessaire de distinguer trois temps, le premier est celui de la distraction, c'est-à-dire des procédures qui sont faites pour différer ou prohiber l'action ; le deuxième est celui du vide où il n'y a plus d'échappatoire, mais pas encore de réalisation (c'est là que se situe le vide de pensée et de sentiment qui peut être effectué par l'induction hypnotique) ; le troisième est celui de l'acte accompli par la personne qui s'est investie dans sa position et qui est ainsi au cœur de son système relationnel pour en recevoir l'influx et lui transmettre en retour le sien propre.

Une parenthèse doit être ouverte ici, car le terme de vide qui caractérise le deuxième temps n'est pas seulement obscur, il semble aller à l'encontre du projet : se trouver devant le vide crée la panique et non pas l'assurance. Dans un premier sens, le concept de vide ne devrait pas faire difficulté, si l'on se contente d'y voir la tentative pour se libérer des préoccupations qui n'ont pas de rapport avec la situation présente : on pensait à autre chose que ce qui réclamait l'attention, on était ailleurs dans quelque rêverie. Pour se rendre présent, il faut se vider de tout ce qui nous rendait absents. Il est un autre vide plus angoissant provoqué par la mise en suspens de nos repères coutumiers, de nos préjugés, de nos habitudes de penser ou d'agir, bref de tout ce sur quoi nous prenions appui pour nous orienter dans le monde. Nous savions comment agir avec notre précédent système interprétatif, maintenant il nous fait défaut et nous ne savons pas comment le remplacer, nous ne savons même pas s'il pourra être remplacé. Dans la pratique de l'hypnose, ou bien l'angoisse de ce vide est telle que l'expérience est interrompue, ou bien ce moment de vide ouvre déjà l'accès à d'autres fondations, à une manière de se situer dans l'existence, à une nouvelle organisation de celle-ci. Le vide qui se poursuit est alors l'effet d'un trop-plein. Les pensées distinctes et explicites ne peuvent se faire jour, d'où l'impression d'un vide de pensées, mais c'est seulement parce que l'univers dans lequel on entre est trop riche et trop complexe pour être appréhendé, comme il en est de la lumière trop vive qui aveugle ou de sons trop forts ou trop mêlés qui assourdissent. Ce vide qui est en réalité un plein va remodeler notre manière d'être au monde et nous rendre capables de considérer les choses et les êtres avec des yeux neufs. C'est enfin dans l'action que se manifeste l'ultime figure du vide : l'apprenti qui est tout entier absorbé par la tâche à accomplir peut avoir l'impression de ne plus penser, de ne plus être libre de penser à sa guise. Sa pensée est bien là, sinon l'action serait sans cohérence, mais comme elle est passée dans les gestes commandés, elle ne lui apparaît plus. Le vide est donc en quelque sorte un trop-plein d'attention. Il peut être considéré comme la condition de cette dernière : plus je suis libre de toute préoccupation autre que celle exigée par le présent et mieux je suis attentif à la totalité de ce qui se présente. Il peut être également exprimé comme sa conséquence : plus ce qui est présent m'accapare et plus je suis contraint de penser en fonction du présent. En ces différents sens le vide ne contredit pas l'assurance, il en est la condition nécessaire.

Mais quelle est, encore une fois, cette assurance ou que signifie ce trop-plein impliqué par le vide ? Si l'on se reporte à la séance décrite au début, on dira que l'assurance est donnée par l'attention portée à la situation actuelle singulière et par l'entrée dans cette situation. Mais pourquoi cette situation serait-elle assurée, c'est-à-dire sur quoi tient-elle pour donner l'assurance et donc être assurée ? À première vue, c'est le thérapeute qui transmet cette assurance, puisqu'il affirme, par exemple, à cette femme qu'il suffit de prononcer une phrase traduisant la situation dans son exactitude pour qu'elle devienne efficace, même si elle ne s'en aperçoit pas. Mais alors d'où peut bien venir au thérapeute cette assurance pour qu'elle ne soit pas prise pour un recours à la magie ? Peut-être n'y a-t-il pas à chercher bien loin. Puisque tout s'est fait ici, comme le souhaitait la patiente, dans le parler, ne suffirait-il pas de prendre au sérieux les implications de tout jeu de langage ? Qu'est-ce que cela signifie ?

162

Comment un mot peut-il avoir un sens assuré ? Chaque mot d'une langue est porteur d'une signification multiple et donc incertaine s'il est isolé. Il faut qu'il soit inscrit dans une phrase pour avoir un sens. Mais cette phrase elle-même suppose pour être entendue la connaissance de la langue tout entière à partir de laquelle elle a été formulée. Cela pourtant ne suffit pas. Lorsque l'on se trouve dans un pays dont on possède assez convenablement la langue, il arrive toutefois, dans certains cas, que l'on perçoive les mots, que l'on saisisse la construction des phrases et que pourtant le sens nous échappe. C'est que les mots et les phrases font allusion à des événements ou des circonstances que l'on ignore. Il faut avoir vécu longtemps dans une société déterminée pour que les paroles prononcées ne nous soient plus étranges. Bref une langue n'est véritablement intelligible, on ne peut être assuré de la comprendre, que si l'on baigne dans la culture où elle est utilisée. Mais cette culture elle-même n'est pas indépendante du mode de vie qu'elle exprime ou d'une image totale du monde à laquelle elle se réfère sans qu'elle ait à se formuler et sans même qu'elle le puisse. Nous avons donc besoin pour parler d'être soutenu par un milieu vital ou même, comme le notait Wittgenstein, par quelque chose de plus primitif[1], par une participation à l'espèce humaine[2]. Or c'est bien ce qui était en question pour cette femme : la naissance d'un être humain. Les paroles qu'elle dévidait au début de la séance étaient coupées de cette expérience primordiale ; elles ne pouvaient donc être assurées. Il en est de même en général pour le langage. Il n'aurait aucune consistance, il ne pourrait pas être porteur d'un sens et conduirait à l'affolement s'il n'avait

1. « Je veux considérer ici l'homme comme animal ; comme un être primitif auquel on accorde certes l'instinct mais non le raisonnement. Comme un être dans un état primitif. En effet, quelle que soit la logique qui suffise pour un moyen de communication primitif, nous n'avons pas à en avoir honte. Le langage n'est pas issu d'un raisonnement. » Ludwig Wittgenstein, *De la certitude*, *op. cit.*, p. 115.
2. « Pour que l'homme se trompe, encore faut-il que déjà il juge selon le modèle propre à l'espèce humaine. » *Ibid.*, p. 60.

pour fondement ce qui n'est pas de l'ordre du langage, mais ce qui relève d'une manière d'être au monde. « La certitude complète est seulement affaire d'attitude [3]. »

Cette analyse vaut, en effet, pour toute parole et les présupposés développés à l'instant n'ont pas besoin d'être explicites pour permettre à quelqu'un d'émettre des propositions qui disent sa place exacte dans le monde aujourd'hui. Si sa parole est frelatée, fausse, insignifiante, c'est qu'elle a perdu le contact avec tout ce qu'elle implique, c'est en un mot que le locuteur s'est séparé de sa propre vie et qu'il parle pour le vent. Pour que la parole retrouve sa justesse, sa précision et sa rigueur et dise exactement ce qui importe aujourd'hui en ce lieu, pour qu'elle devienne inéluctablement un acte, pour qu'elle soit assurée, il faut qu'elle prenne appui sur le fondement du langage, c'est-à-dire qu'elle participe à tout ce qu'il suppose. Si je veux rendre ma vie à l'assurance, il me faut prendre mon parti de mainte chose [4], en un mot m'approprier ce qui fait mon existence et décider comme mien mon rapport à ce qui me touche de près ou de loin, à tout ce dont je suis fait. Le thérapeute propose-t-il une phrase juste, c'est qu'il accomplit ce qu'affirme la réflexion sur le langage, il s'est installé dans le contexte qui va jusqu'à reprendre en lui toutes les formes de l'existence, tout ce que présuppose celle de l'humanité. En réponse, habitée par la force de la vie, adéquate à l'état que le patient veut obtenir, une parole est prononcée en plénitude. Il suffit qu'une phrase juste dise le présent dans sa totalité, pour qu'elle soulève et qu'elle apporte avec elle tout ce qui rend possible le présent, pour qu'elle situe son locuteur dans la totalité de son présent et pour qu'il soit modifié par l'adhésion qu'il y apporte.

Une dernière question que ne manqueront pas de poser les hypnothérapeutes : cette femme était-elle en état d'hyp-

---

3. « Je veux dire : Ce n'est pas que l'homme, sur certains points, sache la vérité avec une certitude complète. Non, la certitude complète est seulement affaire d'attitude. » *Ibid.*, p. 100.

4. « Prendre mon parti de mainte chose, voilà en quoi consiste ma vie. » *Ibid.*, p. 90.

nose ? Il est maintenant facile de répondre. Elle était hyp-
notisée parce qu'elle avait accompli ce qu'elle disait et
qu'elle effectuait ce qu'elle signifiait[5]. Pour cela elle avait dû
retourner aux sources du langage en se replaçant dans
l'espèce par la naissance qu'elle allait donner. Au lieu de dis-
cuter de ses sentiments et de son histoire, elle s'était faite
primitive et animale. Mais il était inutile de parler d'hypnose et d'user des techniques apprises. L'hypnose est, en
effet, un état ou une attitude parce qu'elle est un acte, l'acte
humain en tant qu'humain, qui tient ensemble et qui hiérarchise tous ses constituants. Elle manifeste donc son originalité dans son absence d'originalité. C'est être original que de
proposer à un humain son humanité, mais cela même n'a
rien d'original, car ce devrait relever pour chacun de la
banalité la plus quotidienne.

---

5. *Cf.* « L'effet placebo, conséquence d'un rite », p. 191.

X

SI CE N'EST « MOI »,
QUI PROVOQUE LE CHANGEMENT [1] ?

Lorsque quelqu'un est mis en état d'hypnose, il semble qu'il ne puisse plus se reconnaître comme l'agent de ce qui se passe en lui. Soit qu'il donne l'impression d'avoir perdu son libre arbitre par la force de l'injonction classique : « Dormez, je le veux », soit que l'hypnotiseur lui donne cette même impression en lui suggérant de ne pas se soustraire à son « esprit inconscient ». Que l'on attribue le résultat de la transe à l'hypnotiseur ou à l'esprit inconscient de l'hypnotisé, dans les deux cas ce dernier, comme sujet [2] conscient et doué de volonté, semble ne pas être à l'origine de ses actes et ne pas être responsable de ce qui se passe ou de ce qui va se passer ; c'est un autre hors de lui ou en lui qui tiendrait les rênes. Mais, par ailleurs, puisque c'est bien à sa manière propre que le sujet en état d'hypnose agit, parle et pense, il est impossible de confondre cette manière avec aucune autre. Quel est donc cet agent qui n'est pas lui et qui cependant paraît plus lui-même que lui ?

---

1. Ces pages ont pris leur point de départ et leur ligne directrice dans des remarques critiques de Vincent Descombes sur un texte intitulé « L'hypnose est communication », paru dans *Hypnose, langage et communication*, sous la direction de Didier Michaux, Paris, Imago, 1998.
2. Sujet est entendu ici au sens le plus banal. On parle par exemple de sujet d'expérience sans aucune référence au sens du mot dans certaines philosophies.

En guise d'introduction à une réponse, voici un exercice proposé par Gaston Brosseau[3]. Il demande au patient de tendre son bras, puis il saisit ce bras et s'appuie de tout son poids en disant : « Résistez. » Le bras de l'interlocuteur ne cède pas. Ensuite il reproduit le même scénario, mais en suggérant de dire à haute voix : « Je vais résister », ou : « Je suis capable de résister. » Alors le bras n'a plus de force pour résister. Si maintenant Brosseau demande de dire : « Je vais faire pour le mieux », le bras retrouve alors sa force.

Tout au long de cette expérience, l'action est effectuée par un seul et même sujet qui doit lever le bras. Ce qui varie ce sont, d'une part, la forme des injonctions de l'hypnotiseur et, d'autre part, les comportements qui s'ensuivent chez l'hypnotisé. Dans le premier cas, nous avons une consigne directe et explicite : « Résistez » et la résistance est effectivement obtenue. Dans le deuxième cas, nous avons une sorte de suggestion à une mobilisation personnelle des forces, à une autoposition, à une affirmation d'autonomie : « Je peux résister et je résisterai. » Ce qui a pour effet, selon toute apparence, d'inhiber l'énergie nécessaire à l'action. Dans le troisième cas, il y a au contraire un net consentement à l'hétéronomie : « Il ne dépend pas de moi de pouvoir ou non résister, donc je n'ai pas à me préoccuper de mobiliser mes forces ; je dois seulement essayer de résister. » Le succès est alors mis clairement au compte de la chance ou du hasard des forces en présence. Et la résistance a lieu.

Si les réactions du sujet varient en fonction des différences de formulation de ce qui est suggéré : capacité ou incapacité de résister, il n'en reste pas moins que, dans les trois cas, c'est le même sujet qui agit. Et, si c'est le même sujet qui agit, nous avons toujours affaire au même agent. Il faudra chercher ailleurs, par exemple dans la variation du

---

3. Gaston Brosseau propose en réalité quatre étapes : il demande 1. de résister, 2. de dire : j'essaie de maintenir mon bras ferme, 3. de dire : je suis capable de maintenir mon bras ferme, 4. de dire enfin : je fais de mon mieux, je maintiens mon bras ferme. Mais, comme les étapes 2 et 3 sont du même type, j'ai préféré les réduire à une seule.

mode relationnel, la raison de la variation des réactions du sujet et donc la position ou le statut qu'il adopte dans chaque cas.

Mais pourquoi n'est-on pas satisfait par cette réponse, pourquoi la question est-elle sans cesse à nouveau posée et pourquoi l'appel à un autre agent, du style « inconscient », « esprit inconscient » ou « partie inconsciente du moi », apparaît-il de façon récurrente dans le discours des hypnothérapeutes ? En d'autres termes pourquoi faudrait-il supposer à l'œuvre un quelqu'un d'autre pour rendre compte des dires, des gestes ou des actions qui accompagnent la transe ? C'est que spontanément nous ne voulons donner le nom d'agent à un sujet que dans la mesure où il est capable actuellement de se penser et de se dire à l'origine de ses actes. Si l'hypnotisé qui voit sa main en lévitation pouvait dire que c'est lui qui a voulu ce geste, on pourrait lui octroyer le titre d'agent, mais comme ce geste lui apparaît entièrement involontaire, il faut bien en attribuer l'efficience à quelqu'un d'autre.

Mais sommes-nous en présence de quelque chose de si étrange ? Tous les jours nous accomplissons une multitude d'actes sans les penser explicitement et sans les dire, comme si nous étions mus par une force inconnue. Si je marche dans la rue, je peux évidemment penser à ce que je fais. Mais si je supposais que je ne suis agent que dans l'instant où je me pose consciemment et volontairement comme agent, il faudrait que je me représente tous les instantanés des différentes séquences de mes mouvements. À supposer que j'y parvienne et que la pensée explicite précède chaque séquence, mes mouvements manqueraient de naturel, car je devrais m'arrêter à tout moment pour m'assurer que je suis bien l'agent de cet acte.

Or c'est exactement ce qui se passe dans le deuxième cas de l'expérience citée plus haut. En cherchant à prouver que je peux résister, que je suis bien celui qui en est capable, c'est-à-dire que je suis bien l'agent de mon acte, je me situe comme spectateur de ce dernier, je ne suis plus dans l'action, et donc la force qui n'est pas sans son exercice me fait défaut. Je n'ai plus d'énergie pour faire ce qui m'est demandé, en l'occurrence pour résister. Je ne peux pas, en effet, être à la fois sur les gradins pour regarder les joueurs et sur le court pour renvoyer la balle à mon adversaire. Dans la mesure où je veux constater (ou dans la mesure où l'on me demande de constater) l'intelligence de mon acte, on pourrait dire dans la mesure où je veux extraire de l'acte l'intelligence de mon acte, celui-ci n'est plus possible et il cesse donc d'être intelligent.

Le paradoxe est inévitable. D'après notre manière spontanée de parler, le deuxième cas serait le seul où nous pourrions considérer qu'il y a un agent, le seul qui révèle l'existence de l'agent. Or précisément, dans ce cas, l'agent est incapable de résister (selon l'exercice qui a été proposé). En un mot, quand il se pose comme agent, il est agent de rien du tout, ou bien si l'agent est reconnu comme tel, il n'est plus actif et ne peut se targuer que d'une pseudo-autonomie. Au contraire dans le premier et le troisième cas, l'agent qui ne se dévoile pas et donc auquel nous réclamons une carte d'identité, celui-là opère ce qui lui est commandé. Il n'y aurait d'acte possible que sous le chef de la soumission à un ordre, c'est-à-dire sous le régime de l'hétéronomie. Dans la mesure où il s'aliène, le sujet serait autonome et efficace.

Une objection sera faite immédiatement. Ce paradoxe qui devient une absurdité ou même une aberration doit être mis au seul compte de l'hypnose. Il ne faudrait pas la confondre avec la vie de tous les jours. Là nous savons fort bien qui est agent et qui ne l'est pas. Que l'hypnose soit synonyme d'aliénation et qu'elle réussisse lorsqu'elle manque au respect de la liberté, cela n'a rien pour nous étonner. Il y a même longtemps que nous le savons et que nous le disons. Ce qui justifie amplement que nous soyons scandalisés par cette pratique.

L'objection n'est peut-être pas aussi forte qu'elle prétend. Car il se pourrait que ce qui est manifesté par la relation hypnotique soit une constante de la vie humaine. Comme il a été dit un peu plus haut, l'humain qui marche, mais également qui mange, conduit un véhicule, écrit ou parle, doit être agent sans le savoir à l'instant où il agit et en tant qu'il agit. Mais comment pourrait-il être agent, c'est-à-dire être efficace, ce qui suppose, comme le montre l'exercice de Brosseau, l'absence du savoir de soi, s'il n'était pas soumis à des suggestions, obéissant à des commandements ou à des impératifs ? Question sans fondement, pourra-t-on répliquer, puisque dans tous ces actes de la vie quotidienne il est bien devenu désormais autonome et personne ne lui suggère quoi que ce soit ou ne lui commande. Oui, mais, s'il l'est devenu, c'est seulement parce que des suggestions et des commandements ont été incorporés. Dans tous les apprentissages que nous avons dû faire dans l'enfance, nous avons bien été hétéronomes. Nous avons subi les influences de l'entourage, nous les avons acceptées et assimilées, sinon nous serions impotents. Nous n'avons plus à y penser, mais elles n'en sont pas moins là présentes en nous. Il faut donc se rendre à l'évidence : un sujet agent, et donc agent efficace, ne peut être autonome que dans l'exacte mesure où il est, ou bien a été, mais l'est encore sous une forme cachée, hétéronome. C'est donc à l'idée d'une autonomie solipsisme qu'il faut renoncer. Elle ne peut être qu'une pseudo-autonomie.

Que se passe-t-il, en effet, lors de tout apprentissage[4] ? L'élève ou l'apprenti peut demander des explications, il peut exprimer ses doutes, ses perplexités, il peut se retrancher sur son incapacité éventuelle, mais à un certain moment il faut le faire taire et lui dire simplement : « Fais ce que je te

---

4. « Maître et élève. L'élève ne s'ouvre à aucune explication car il interrompt continuellement le maître en exprimant des doutes, par exemple quant à l'existence des choses, la signification des mots, etc. Le maître dit : "Ne m'interromps plus et fais ce que je te dis : tes doutes, pour le moment, n'ont pas de sens du tout... Le maître aurait le sentiment que le seul effet de ce doute, c'est de les bloquer, lui et l'élève, et que de la sorte ce dernier ne pourrait que s'arrêter et non aller plus loin dans son apprentissage". » Ludwig Wittgenstein, *De la certitude, op. cit.*, p. 84.

dis, tu verras bien ensuite. » Pour l'élève ou l'apprenti, il y a là nécessité d'un saut. Il faut qu'il fasse confiance au maître et qu'il accomplisse la tâche, sans quoi il n'apprendra jamais rien. Abandonner le besoin incoercible de comprendre qui sert à retarder ou à éviter l'acte, ne plus tenir le savoir à distance de l'acte, mais en quelque sorte l'y perdre pour qu'il devienne intérieur à l'acte, s'incorporer le savoir du maître à qui l'on a fait confiance, en d'autres termes transformer l'hétéronomie de l'ordre reçu en autonomie, tels sont les impératifs auxquels doit se soumettre l'élève. Le renoncement à la pseudo-autonomie de la demande d'explication et de la levée des doutes ouvre seul à l'autonomie véritable. Il en est ainsi de tous les apprentissages humains. Nous pouvons l'oublier et croire que nous sommes autonomes sans plus, que notre individualité n'a plus besoin d'injonctions pour se maintenir dans son indépendance. C'est évidemment se leurrer que de le penser, puisque ce sont ces injonctions qui nous ont formés et qu'elles sont donc, à force d'être mises en pratique, plus présentes et plus agissantes en nous qu'à la première heure où elles ont été formulées.

Que l'hypnotiseur reprenne à son compte ce même mode grammatical impératif pour que l'acte puisse être posé, cela ne devrait pas nous étonner. Et pourtant nous sommes étonnés, car nous considérons que nous ne sommes plus des enfants. Certes nous avons recueilli les fruits de nos apprentissages anciens et nous avons eu le temps de les exploiter, de les critiquer ou de les rejeter. Mais ce qui conduit une personne chez un hypnothérapeute, c'est bien l'incompétence à vivre à un certain moment avec ce que nos maîtres en tout genre ont pu nous apprendre. Nous venons demander à quelqu'un de nous apprendre ou de nous réapprendre à vivre, nous nous soumettons donc par avance aux apprentissages qu'il voudra bien nous enseigner. Notre culture nous apprend beaucoup de choses, elle nous apprend aussi par toutes sortes de moyens les voies de l'humanisation. Mais il lui arrive aussi d'être à court, de ne

172

plus savoir comment répondre aux circonstances ou aux événements, en ce cas elle renvoie à des personnages censés être capables d'inventer de nouvelles manières d'exister. Or ces apprentissages d'un ordre particulier, qui peuvent prendre mille diverses figures, n'ont pas une autre structure que ceux proposés par l'école, la famille ou la société. Ils ne se résument pas à une autre forme d'expression que celle de l'impératif : « Faites-le maintenant. » Car, comme de tout le reste, on ne fait l'apprentissage de l'humanité que par la pratique.

En ce cas l'hypnose n'a rien d'original, si ce n'est qu'elle prend au sérieux cette structure et qu'elle ne craint pas de l'utiliser. Lorsque quelqu'un, par exemple, n'arrive pas à se décider à entreprendre une démarche qui importe pour son présent ou son avenir, le thérapeute demandera s'il est sûr de devoir aller dans ce sens et, s'il en est sûr, quel est l'obstacle. Il pourra répondre éventuellement qu'il n'a aucun doute sur la valeur de son projet, mais que la démarche qui est alors impliquée, lorsqu'il l'envisage, fait apparaître une multitude de préalables nécessaires à l'aboutissement du projet, qu'il se fatigue à les analyser en tous sens, qu'il n'a donc plus d'énergie pour entreprendre. S'il lui est dit : « Faites-le maintenant », il demandera : « Mais comment puis-je le faire maintenant ? » Il suffira de rétorquer : « Mais tout simplement en le faisant. » Si l'on cherchait à expliquer comment faire, on ne ferait que retarder ou interdire, comme il a déjà été dit, le pas ou le saut nécessaire pour que l'acte soit posé. Mais surtout le faire est d'un autre ordre que les éclaircissements sur la manière de faire. C'est le passage de l'un à l'autre ordre qui fait problème et qui nécessite l'intervention d'un substitut du maître pour que soient retrouvées les conditions minimales de l'apprentissage, à savoir l'ordre donné. Il n'est pas rare en tout cas que cette simple suggestion ou injonction de faire maintenant suffise à lever les obstacles et à donner un poids et un sens nouveau à toutes les réflexions antérieures.

Il faut s'arrêter à ce qui est contenu dans le terme d'apprentissage. En disant de faire maintenant – et si cela est fait –, le thérapeute n'aura pas appris quelque chose à cette personne, c'est cette dernière qui aura appris quelque chose en en faisant l'apprentissage. On voit donc comment fonctionne l'hétéronomie. Elle ne détruit pas l'autonomie, elle la convoque, la provoque et la suscite éventuellement. De même que dans l'apprentissage le maître ne peut pas faire à la place de l'élève ou de l'apprenti, mais que celui-ci doit trouver en lui les ressources suffisantes pour prendre l'acte à son propre compte, de même l'hypnotiseur peut bien suggérer avec tout son pouvoir ou tout le pouvoir qui lui est octroyé par l'hypnotisé, il ne peut pas décider pour lui. Le pas ou le saut décisifs sont garants de l'initiative et de la liberté de l'hypnotisé. Si la réponse à la suggestion qui vient d'un autre ne supposait pas la discontinuité du pas ou du saut dans l'inconnu du comment cela peut-il bien s'effectuer, le thérapeute serait en prise directe avec le vouloir de l'hypnotisé et il l'aurait en quelque sorte décérébré.

C'est ce que pensaient certains des premiers hypnotiseurs. Mais ils n'avaient pas besoin d'aller à pareille extrémité. Que le fameux : « Dormez, je le veux » soit l'estampille du pouvoir de l'hypnotiseur, que les suggestions qui s'ensuivent soient qualifiées d'efficaces et viennent conforter ce pouvoir, il faut laisser à ce personnage ses illusions. D'autres ont bien vu, dès cette époque, que c'était l'hypnotisé lui-même qui donnait à l'hypnotiseur son pouvoir et qui l'autorisait à commander : « Je te donne le pouvoir, car j'ai besoin de toi pour que, recevant un ordre de toi, je sois délivré de mes tergiversations moïques, et que je passe à cet acte qui me transmet mon énergie, parce qu'il l'inclut en lui. » « Je dors, mais mon cœur veille, comme dit la Sunamite, j'avais besoin de toi pour m'éveiller, car tu ne me suggères que ce que j'attendais d'entendre. Il fallait que je passe par toi pour sortir de ma léthargie et de ma sotte croyance en une autonomie indépendante[5]. »

Si c'est l'hypnotisé qui donne à l'hypnotiseur le pouvoir indispensable pour le libérer de son narcissisme impuissant et autodestructeur[6], ce sera encore l'hypnotisé qui mettra des limites à ce pouvoir. Au cas où la consigne est impossible à exécuter soit physiquement, soit logiquement, soit moralement, ou encore au cas où elle ne convient pas au temps et au lieu de l'hypnotisé, elle sera refusée, rejetée ou plus simplement inentendue. Le jeu de l'hypnose[7] a des limites qui sont fixées par chacun et elles ne sauraient être transgressées. Les hypnothérapeutes apprennent chaque jour dans leur travail qu'il en est bien ainsi, à moins que, ce qui est toujours possible, à force de persévérance et de perversion, l'hypnotisé s'abandonne à une « suggestion au long cours » et préfère se nuire plutôt que de renoncer à la présence et à la sollicitude du thérapeute.

Mais comment expliquer le refus de soumission ou au contraire son acceptation sans discernement ? Pour chacun l'autonomie, comme l'hétéronomie, a une histoire singulière. Il n'y a pas une autonomie en soi, comme définition universelle de l'être humain, qui serait toujours et partout capable de savoir ce qui lui convient. Chacun a fait à sa manière des apprentissages divers et il en est résulté pour lui, selon les cas, des conséquences variables. Les commencements d'une thérapie, les réactions à sa durée, les résultats obtenus ne pourront pas ne pas être fonction de ce qui s'est passé antérieurement pour l'individu. S'il refuse à bon escient, c'est que les hétéronomies précédentes auront forgé une autonomie susceptible d'estimer et de juger de ce qui lui

---

5. Lorsque Bernheim affirme que l'hypnose n'est rien et que tout est suggestion, Freud rétorque que cela ne nous éclaire pas, car il faudrait savoir ce qu'est la suggestion. Mais l'objection ne porte pas. Il n'y a rien à expliquer ; la suggestion est un trait fondamental du rapport entre humains, c'est elle qui les fait communiquer entre eux. Pareille objection ne peut surgir que du point de vue de l'idéologie individualiste.

6. *Cf.* le chapitre « Narcisse et Psyché ou l'illusion de la guérison par la connaissance de soi », p. 19.

7. *Cf.* le chapitre « Exercice de la gratuité », p. 87.

est proposé ou ordonné. Dans le cas contraire, il ne dispose pas de cette capacité ; le thérapeute devra en tenir compte et proposer des apprentissages qui puissent la susciter.

Mais, les choses étant prises dans leur généralité, nous n'avons plus à repousser comme infamants et ignorants de la liberté les procédés, dits autoritaires, des anciens hypnotiseurs. Inutile de prétendre devoir inventer une nouvelle hypnose. Nous ne pouvons faire autrement que ceux qui nous ont précédés, si nous voulons respecter les lois de l'apprentissage et du continuel réapprentissage de l'humain. Les inductions dites indirectes ne sont là que pour préparer la réceptivité du sujet. Il est possible dans ce but de faire les détours les plus longs et en apparence les plus sournois, mais finalement c'est la suggestion directe, même si elle est cachée ou présupposée, qui est seule capable d'effectuer ce qui est nécessaire à l'apprentissage, à savoir un statut d'hétéronomie. L'induction indirecte est un stratagème ; elle devra être reconduite d'une façon ou d'une autre à l'induction directe. Il n'y a donc aucune différence de nature entre la « position haute » qui impose explicitement et la « position basse » qui prend les allures du respect. L'irrespect inclus dans l'impératif ne peut choquer que quiconque ne veut rien savoir des conditions propres à la naissance d'une liberté humaine. Celle-ci, en effet, se découpe toujours sur des cercles d'influence ; elle les reçoit, les affronte et se forge à partir d'eux. L'hypnose n'a donc aucune originalité, si ce n'est celle de proposer en exercice ce trait fondamental de ce qui produit de l'humanité : la dépendance comme source de l'indépendance. Ce trait, notre culture ne peut guère le prôner puisqu'elle doit s'en tenir, sous l'œil soupçonneux des idéologues, à des présupposés individualistes.

Il reste à se demander le sens que peut revêtir le troisième cas de l'expérience proposée par Brosseau. Le premier montrait une réussite, le deuxième un échec, le troisième va chercher à dire comment on peut se relever de l'échec, c'est-à-dire comment faire accepter l'hétéronomie par une autonomie chancelante. Ici ce sont les voies de la modestie qui sont proposées. Je vais faire de mon mieux, c'est-à-dire que je ne suis plus certain de réussir, je dois attendre que vienne d'ailleurs la solution, sans savoir si elle me sera donnée. D'où la place reconnue décisive de l'expectative dans le processus hypnotique. L'attente ou l'expectative [8] sont les corollaires du pas ou du saut qui précède la mise en acte. C'est dans leur temps et leur espace que se mobilisent les forces, alors que la prétention à les posséder les faisait s'écouler hors du champ de l'action. Dans l'attente, l'agent reconnaît qu'il ne peut que recevoir l'énergie qui lui est nécessaire pour faire le pas, qu'il doit donc s'hétéronomiser. Face à lui, face à cette liberté qui hésite à sauter, le thérapeute ne provoque, n'incite et ne suggère en vérité que s'il est lui-même dans l'attente [9]. C'est alors pour ce dernier le temps du respect ou le temps du suprême irrespect parce qu'il veut, dans sa passion du surgissement d'une liberté et dans son impuissance à la produire, que son interlocuteur de lui-même saute le pas. On voit ainsi comment l'impératif hétéronomisant qui caractérise l'hypnose est en même temps son contraire : une mise en demeure qui se tient en retrait et qui admet son incapacité radicale à faire à la place de l'autre.

Une dernière question que se posent souvent ceux qui se prêtent à l'expérience de Brosseau : « Ai-je été hypnotisé lors de cet exercice ou qu'a-t-il fait pour me mettre en état d'hypnose ? » La réponse est désormais très simple : « Tu as été hypnotisé, parce qu'il a formulé une suggestion et que tu as répondu à cette suggestion. » L'hypnose, en effet, est le geste par lequel le Narcisse qui voulait se clore en lui-même est invité à communiquer de nouveau ; elle le remet en circulation dans le champ des événements qui le déconcertaient, le figeaient et le rigidifiaient dans la suffisance. Encore une fois l'induction hypnotique n'est rien d'autre qu'une proposition d'hétéronomie pour que puisse éclore une autonomie authentique.

---

8. *Cf.* le chapitre « L'effet placebo, conséquence d'un rite », p. 191.
9. *Cf.* le chapitre « Je m'attends qu'il changera », p. 111.

XI

COMME UNE CHOSE

Un jour un homme, qui s'était plaint d'angoisses multiformes, conclut la séance par ce commentaire : « Je ne sais plus si je suis le fauteuil ou si c'est le fauteuil qui est moi. » Cette phrase marqua l'achèvement de la cure. Il l'interrompit quelque temps après comme s'il avait trouvé la voie qui lui permettait d'être maintenant tranquille. Devenir une chose ou se confondre avec la chose la plus proche du corps serait alors la clef de ce qui aurait eu raison de ses difficultés. Si bizarre que puisse être une telle expérience aux yeux du public, elle ne l'est pas pour les praticiens de l'hypnose. Ils ont pris l'habitude, sans plus s'en étonner, de la voir apparaître sous des formes diverses. Il n'est pas rare, en effet, d'entendre des formules de ce genre : « Je me sens lourd comme une pierre », ou : « Je ne peux plus bouger, comme si j'étais en bois ou en airain. » Dans tous ces cas, le patient lui-même se ressent comme un objet inanimé.

Mais il arrive que le thérapeute soit perçu lui aussi telle une chose. Léon Chertok raconte qu'une Béatrice le considérait dans l'espace de la séance comme « un élément différencié par rapport aux autres choses, mais un élément qui, en même temps, participe du reste, comme la table, le fauteuil ». Elle ajoutait : « J'ai ce sentiment étrange que "le reste" existe, me fait exister, et que je le fais exister. Je ne

179

me sens plus seulement responsable de moi, mais aussi des choses [1]. » Si donc patient et thérapeute font l'épreuve de telles étrangetés, n'est-il pas souhaitable de s'y arrêter ? Il n'est pas impossible qu'elles puissent éclairer, du point de vue du patient, certains ressorts de la cure et, du point de vue du thérapeute, certaines conditions du succès ou de l'échec.

Il faut d'abord reconnaître que de telles expériences ne sont pas seulement énigmatiques ; elles seront jugées scandaleuses par notre culture. Peut-on aller plus loin dans le ravalement de l'individualité humaine ? Lui faire perdre quelque chose de sa conscience ou modifier l'état de sa conscience, selon l'expression utilisée couramment pour désigner l'hypnose, cela déjà n'est guère tolérable. Mais abolir son statut d'être vivant, sous prétexte de le soigner, cela ne saurait être envisagé, fût-ce un instant. D'ailleurs qui oserait prétendre extraire d'une chose quelque soupçon d'humanité ?

À ces objections nulle réplique n'est envisageable. Mais elles peuvent être prises à revers si l'on montre le bénéfice à tirer de cette opération prétendue condamnable. Le contradicteur admettra aisément, en effet, qu'une des sources du mal de vivre réside dans la complaisance en soi. Nul n'ignore ce qui est arrivé à Narcisse : l'amour de sa propre image l'a mené au suicide. De cette aventure il existe des versions en apparence moins dramatiques, mais tout aussi pernicieuses. L'attention excessive portée à ses faits et gestes, l'analyse indéfinie de ses émotions petites et grandes, le besoin permanent d'être reconnu, la justification à ses propres yeux de ses dires et de ses actes, la plainte qui ne veut cesser, tout cet ensemble ouvre la voie au refus et au déni de la réalité. Mais cela n'est qu'un début ; celui qui s'attarde à lui-même et ne se prête pas chaque jour au jeu

---

1. Léon Chertok, Isabelle Stengers et Didier Gille, *Mémoires d'un hérétique*, Paris, La Découverte, 1990, p. 231.

des événements en vient à s'étioler et à s'anémier. Il a voulu se suffire et se clore, il ne dispose plus que de ses propres forces dont les réserves vont aller s'épuisant. Il voulait ignorer que, pour se fermer sur soi-même de façon durable et efficace, il fallait s'ouvrir au-dehors. Maintenant il n'en peut plus, il est déprimé et implore la délivrance de lui-même. Ainsi donc, pour guérir le Narcisse protéiforme qui se love en chacun, c'est-à-dire pour lui faire perdre toute velléité de regard sur soi, le changer en une chose serait sans nul doute un remède efficace. L'hypnose apparaîtrait alors comme une cure de désintoxication narcissique.

Mais cela ne va pas de soi. Lorsque l'on propose à quelqu'un de bien s'installer dans le fauteuil et de s'en contenter, les objections ne manquent pas de venir au jour. Le patient est gagné par l'impression désagréable d'être pris pour un imbécile. Qui a-t-il de plus idiot que d'être invité à ne plus penser à rien d'autre que d'être là et même d'éteindre sa pensée pour se satisfaire de sa position corporelle ? D'autant qu'à s'avancer sur ce chemin le désa-grément s'accentue pour faire place à l'angoisse de ne plus rien avoir à contrôler, quand ce n'est pas la peur de sentir ses repères s'évanouir ou même la crainte que cette situa-tion autorise toutes sortes d'intrusions. En réalité ces divers sentiments font obstacle à la prise de sa place dans son monde. Il veut bien être là, mais à condition de garder par-devers lui la possibilité de n'y être pas tout à fait, de pouvoir un peu rêver qu'il est ailleurs, de ne pas prendre en charge et à son compte tout et rien d'autre que ce qui lui advient. S'il se bornait purement et simplement à n'être que cette chose assise adossée les bras ballants et les pieds sur le sol, il aurait la sensation de s'absenter du meilleur de lui-même. Pourtant, s'il faisait l'apprentissage de cette réduction, il serait dans un état favorable pour reprendre les fils de son existence et les tisser à nouveau. Trouver sa place et la prendre est la condition de toute vie humaine, mais cela suppose d'abord de reconnaître et d'habiter le volume qui est le sien dans l'espace présent. Donc non seulement devenir une chose met fin au regard sur soi, mais donne la position à partir de laquelle toute action pourra être entreprise.

Mais pourquoi serait-il nécessaire d'aller jusqu'à devenir une chose ? Lorsque quelqu'un, vaille que vaille, a réussi à trouver sa place dans son environnement, même si elle est traversée par des incertitudes, des fuites ou même des illusions, pourquoi faudrait-il le déranger ? Tant que l'équilibre, fût-il instable, peut être retrouvé, cela donc n'est pas nécessaire. Mais, si l'habitude de se tenir à l'écart de son espace et de son temps a transformé la difficulté de vivre en dégoût et en impuissance, force nous est de recourir à de plus grands moyens. Ou bien si un événement détruit la totalité de nos repères, il faut bien nous arrêter pour prendre appui sur ce qui ne peut venir à nous manquer tant que nous avons encore un reste d'existence : notre corps, non plus qui pense et qui sent, car il ne sait plus alors que penser et que sentir, puisque tout est changé, non plus même peut-être un corps qui respire, parce qu'il s'en passerait volontiers, mais un corps qui se réduit au plus élémentaire et qui devient telle une chose inanimée.

Le nécessaire recours à cette extrémité ne devrait pas avoir lieu seulement dans les cas désespérés, car tous les jours nous nous trouvons dans une situation où le changement s'impose, où notre système de références est menacé, où nous sommes déconcertés, contraints de nouveau à l'invention de nos existences. Ce que l'on pourrait nommer l'exercice de la chose inanimée n'est pas en ce sens facultatif ou réservé pour les moments de désarroi. Chaque fois que le soleil se lève, notre vie s'ouvre à nouveau et il nous faut revenir à nos bases pour prendre place de manière assurée.

Mais pourquoi cette base serait-elle la sensation de notre corps devenu une chose ? Parce que c'est de cette manière que se constitue d'abord notre espace et que la constitution de notre espace, préalable au temps, est ce sans quoi notre existence ne serait pas fondée. Une chose, la pierre posée là ne sait rien et ne sent rien, bien qu'elle absorbe déjà au moins le froid et la chaleur, le choc ou le vent. Elle est douée d'un volume et d'un poids qui ne peuvent lui être dérobés, même si elle peut être déplacée ou broyée ; mais là encore elle aura une place, sa place à elle seule. Or c'est par sa place imprenable qu'elle entre en contact avec le sol, avec d'autres pierres ou d'autres matériaux, avec l'air aussi. Ce contact est bien le commencement de la constitution de l'espace. Comme chose nous revenons donc à ce début qui ne peut en aucun cas nous être contesté.

Cependant l'être humain n'est pas une chose. Certes, mais il peut le devenir et c'est cela qui importe pour qu'il puisse être davantage. De cette affirmation, un saut dans une autre culture nous fera peut-être soupçonner le sens. Voici comment s'ouvre le chapitre « Ts'i wou-louen » du Tchouang-tseu :

> « Appuyé sur son accoudoir, le regard perdu dans l'espace, Nan-kouo Tseu-ts'i se vidait doucement de son souffle ; on eût dit qu'il avait perdu son corps. – Comment cela se fait-il ? lui demanda ensuite Yen-tch'eng Tseu-yeou, qui était à son service et se tenait debout devant lui ; peut-on vraiment rendre son corps semblable au bois mort et son esprit pareil à la cendre ? Je vous ai souvent vu appuyé sur votre accoudoir dans le passé, mais jamais de cette manière. – Vous faites bien de poser la question, lui répondit Tseu-ts'i. Vous êtes-vous rendu compte que, tout à l'heure, j'avais perdu mon moi ? Vous avez déjà entendu les flûtes humaines, mais sans doute pas les flûtes terrestres. Et si vous avez entendu les flûtes terrestres, vous n'avez jamais entendu les flûtes célestes[2]. »

Pour participer à l'humain dans son rapport au ciel-terre, c'est-à-dire à l'humain en accord avec la totalité du réel, pour que, de sa place dans son monde, il puisse entendre les sons qui rassemblent, deux conditions conjointes sont

---

2. Traduction de Jean-François Billeter, dans *Philosophie*, n° 44, décembre 1994, p. 5-6.

posées : qu'il se fasse semblable au bois mort et à la cendre, et qu'il perde son moi. Sur cette base une fois bien posée, la construction de l'existence ne tarde pas à se faire. Des patients s'étonnent parfois de ce que, après un certain nombre de séances qui leur ont permis de retrouver leur place, tout se met en place dans leur existence comme par magie. Ils rencontrent par hasard les personnes qui leur ouvrent une voie nouvelle, ils font des démarches qui aboutissent, le climat social ou économique leur est favorable. Il n'y a là évidemment nulle magie : ils avaient trouvé leur place dans leur environnement et l'environnement leur a répondu. Ayant eu la chance d'abandonner leurs habitudes de penser et de sentir en se réduisant à l'état de chose, ils étaient prêts à mettre en œuvre tout ce qui se présentait à eux et que sans doute auparavant ils avaient déjà trouvé sur leur chemin sans pouvoir en tirer bénéfice.

Est-il bien vrai que, de quelque façon, nous ne soyons pas des objets inanimés, soumis, par exemple, dans nos relations et à la base de nos relations, aux lois d'attraction et de répulsion, celles-là mêmes qui s'imposent à ces masses de pierre, les planètes ? Certes la pierre est sans monde[3], mais cela n'empêche pas l'homme d'y participer. Lorsque échoit à un couple le bonheur ou le malheur d'une naissance, les rapports de force entre l'homme et la femme sont de toute façon modifiés à la racine, et cela au tout premier chef parce que l'espace a perdu sa configuration et qu'une autre est advenue. Un effet semblable est constaté lorsque, dans le microcosme d'une famille, l'un de ses membres, sous l'effet d'un événement ou d'une cure, change sa position. Le système des forces y est bouleversé ; et chacun intime au déviant l'ordre de reprendre sa position antérieure, à moins que, dans le meilleur des cas, les autres tenants de la famille n'acceptent de trouver pour eux-mêmes une position relative et relationnelle dans la

___

3. Martin Heidegger, *Les Concepts fondamentaux de la métaphysique*, Paris, Gallimard, 1992, p. 267.

nouvelle constitution de l'espace. En tout cela l'être humain, comme la pierre, est soumis aux lois qui régissent les masses et les distances. La conscience qui se dit clairvoyante peut l'ignorer ; les corps en présence le manifestent.

À partir de ce qui précède la relation thérapeutique peut-elle être comprise dans ce qui la fonde ? En s'asseyant le thérapeute prend sa place, sa place de thérapeute. Mais qu'est-ce que la place du thérapeute ? Est-ce une place de savoir ou de pouvoir, une place de technicien du psychisme, celle d'un connaisseur en âme humaine et en procédés pour opérer des changements ? Inutile d'aller chercher si loin, attardons-nous au plus visible. Le thérapeute ne peut être thérapeute que si d'abord il tient, dans cet espace limité, le volume qui est celui de son corps. La place que prend le thérapeute, la position de son corps, son maintien, comme on disait autrefois, ou sa stature, en un mot sa présence, à l'instar d'un acteur, ne sont pas anodins ; ils sont le noyau autour de quoi va s'organiser la rencontre. Cette place, cette position ou ce positionnement va en effet commander l'édification du système de relations entre thérapeute et thérapisant et par là conditionner le succès ou l'échec du traitement.

En prenant sa position ou, comme on le dit pour des troupes avant la bataille, en prenant position, le thérapeute construit un espace stratégique, car sa position personnelle d'alors, sa position qui lui est propre, qu'il veut et qu'il fait sienne, se définit aussi bien, dans cet instant précis, comme l'exclusion de tout ce qui ne serait pas relatif au thérapisant. Plus il est lui-même, plus il est pour l'autre et par l'autre. Le thérapeute dans cette position n'est en effet alors que thérapeute, c'est-à-dire fonction de celui qui est venu le trouver pour modifier quelque chose dans son existence. En un sens il respecte le thérapisant, puisqu'il le prend comme il est, il

185

prend de lui tout ce qu'il est sans choisir. Mais, en un autre sens, quel irrespect ! Le thérapeute a pris position et en quelque sorte, à l'autre qui se trouve à côté de lui ou en face de lui, il intime l'ordre de faire de même, c'est-à-dire non pas seulement d'avoir une position, mais de la prendre et de l'investir, d'être cette position. Cette exigence peut prendre la forme d'une proposition, d'une invitation, d'une sollicitation, car les formes extérieures du respect sont maintenues. En réalité, c'est le premier coup de force, la première violence de la thérapie, le premier forçage. Ordre est donné au thérapisant d'être juste à sa place, de prendre lui aussi sa position juste, juste sa position, son exacte position à lui, et peu importe que cette position soit lourde ou légère, pétrie d'angoisse ou de tranquillité, méfiante ou confiante. Peu importe, pourvu que ce soit sa position et qu'il y adhère.

Par sa position, le thérapeute impose donc un espace mutuel, qui n'est plus déjà son espace à lui seul. Certes il a commencé à prendre sa position, à se situer dans l'espace qui est le sien, c'est-à-dire que, tout en étant stable, il se meut à l'aise, il est la résultante de la série des vecteurs qui expriment sa position relative à l'autre et de la série des vecteurs qui traduisent la position de l'autre en rapport avec la sienne ou sans rapport avec la sienne (mais, de cette façon négative, encore en rapport). Au fur et à mesure que se déroule la séance, le thérapeute accentue sa propre position, mais il la modifie sans cesse en fonction de la position de son interlocuteur, pour que ce dernier soit amené à prendre lui aussi sa position personnelle, quelle qu'elle puisse être, en d'autres termes pour que l'autre puisse se sentir à l'aise, qu'il puisse être confortablement installé, même dans sa propre position inconfortable. L'espace mutuel crée ainsi un temps mutuel singulier, parce que l'espace est remanié instant après instant selon les transformations que subissent l'un et l'autre. La violence n'est plus seulement le fait du thérapeute, elle devient réciproque, car le thérapisant, dès le second moment, impose la position qu'il a prise et contraint le thérapeute à en tenir compte et à moduler sa position de départ.

C'est pour cette raison que l'espace comme le temps peuvent être dits mutuels. La conception de l'espace et du temps que nous impose la relation thérapeutique n'a plus rien à voir avec l'espace ou le temps de la physique classique, milieux sans influence sur ce qui s'y passe et indépendants de ce qui s'y passe. Ici l'espace et le temps sont constitués par les relations entre les protagonistes. Espace et temps ne sont pas préalables à ces relations. Espace et temps existent parce qu'il y a des positions relatives et des places relationnelles. Positions et places sont, pour reprendre la même image, comme des vecteurs de forces qui composent un champ spatio-temporel. Le temps pour sa part n'est rien d'autre que les positions relatives se modifiant sans cesse relativement les unes aux autres. Il s'ensuit que le temps n'est que la modification successive de l'espace ou la mémoire des modifications spatiales ou encore leur inscription.

D'un autre point de vue espace et temps mutuels précèdent ces positions relatives du thérapeute et du thérapisant, car autrement il ne leur serait pas possible de créer un espace mutuel particulier. Dès qu'il y a humanité, il y a un espace et un temps mutuels humains, il y a un espace habité, il y a un temps du développement humain. Il faut bien qu'il y ait une humanité, c'est-à-dire un temps et un espace mutuels humains, préalables à l'individu, pour que l'individu puisse accéder à l'humanité. C'est la spatialité qui commande, parce qu'il y a d'abord et toujours des corps, parce que ce qui pense est d'abord et finalement le corps, parce que le corps pense en créant son espace en fonction de l'espace des autres corps ou malgré lui. Le temps est second ; il est ce qui garde la trace des espaces antérieurs des corps. Précieux, parce qu'ainsi la danse ne s'éteint pas pour toujours dans l'instant, mais inquiétant, parce qu'il alourdit les corps de leurs espaces oubliés.

De nouveau en quoi consiste la position du thérapeute ? Il était censé prendre corporellement sa position à côté ou en face du thérapisant. Pour que l'espace mutuel et le temps mutuel soient construits, il est nécessaire que le thérapeute se réduise à cette position, à rien d'autre que cette position corporelle, c'est-à-dire, comme on l'a vu, à la manière d'une chose. Que signifie cette réduction ? En ce premier moment, le thérapeute se doit d'être vide, vide de toute pensée, de toute sensation, de tout sentiment, de toute émotion, de tout projet. Qu'il impose l'espace et le temps mutuels permettant aux corps d'être à leur place est une violence assez grande pour qu'il n'y ajoute rien d'autre. Ses soucis, son savoir ou sa culture, son expérience et bien sûr ses angoisses doivent s'effacer afin qu'il puisse être là comme une plante enracinée ou, mieux encore, comme une pierre, c'est-à-dire à la limite extrême de la définition du vivant, en ce point où la vie et la mort se joignent. Le thérapeute, lourd comme la vie, léger comme la mort, une masse sans poids, délivré de la gravité. Ainsi l'espace et le temps imposés au thérapisant ne seront pas pollués d'éléments qui lui sont étrangers et dont il n'a que faire. Pourquoi une plante ou une pierre ? Parce qu'elles ne peuvent fuir, parce qu'elles sont rivées à leur environnement, parce qu'elles sont au degré zéro de la sensation.

Ce n'est qu'un corps, et cependant ce n'est pas le corps d'un quelconque animal, c'est le corps vivant d'un être humain qui est donc pénétré d'esprit humain. Le fait de se réduire à son propre corps n'enlève rien à l'humanité, elle la restaure au contraire dans son économie par rapport à l'entourage. Quand l'esprit n'est plus occupé de ses soucis, de son savoir, de ses peurs ou de ses angoisses, il est prêt à investir le présent et donc tout ce qui constitue ce présent, il est tourné vers l'action au-dehors, il est donc prêt à toutes les formes de relation. Parce qu'il a cessé de se préoccuper et de se contempler, il ne perd plus rien de ses forces ou de son intelligence, il les économise pour les investir dans son rapport aux choses, aux êtres et au monde. Guérir l'esprit, c'est entreprendre le réapprentissage du corps ou son apprentissage à l'égard du monde, qui commence par le retour à la chose.

Cette réduction à son volume et à son poids, cette assimilation à la pierre ou à la plante ne va pas pour le thérapeute sans l'approche d'un abîme. C'est là pourtant la condition nécessaire de sa liberté et de son pouvoir d'inventer. Impression pour lui d'une aisance inconnue et d'une liberté sans souci aucun de l'effet produit. L'allégresse et l'effroi d'une individualité qui n'est pas nécessaire, mais que guette une fragilité extrême. La subtilité du dialogue, la facilité avec laquelle il est entré en transe avec l'autre se payent par la proximité de l'évanouissement. Quelque chose de très difficile à décrire. Image d'une épaisseur infime, comme si entre la créativité de la vie et la venue de la mort il n'y avait pas de distance. Cet exercice est une sorte de fragilisation poussée à sa limite, un total dépouillement qui donne au moindre geste, au moindre mot une intensité insupportable. Défaillir. Il ne s'agit plus de moi. Comment la vie et la mort se conjuguent, pas du tout dans le tragique, mais dans une impossibilité à être distinguées. Il s'en faut d'un rien et c'est sans doute ce rien, ce presque rien qui permet à la vie de se faire jour. La vie ne peut apparaître que si on lui laisse toute la place, que si on ne fait pas obstacle, mais, ne pas faire obstacle, c'est déjà disparaître ou mourir, en tout cas c'est l'effacement. Sans doute est-ce cet effacement pour que quelque chose advienne, se passe, ait lieu qui donne l'impression que la mort est là toute proche, qu'elle ne peut pas ne pas venir, qu'elle va emporter le souffle. L'extrême de la vie qui se renouvelle ne peut pas ne pas être la mort. Effacement, c'est là sans doute le mot le plus précis pour dire cette expérience. Je m'efface pour que, (et je ne sais plus quoi), je m'efface pour laisser toute la place, je ne suis plus dans ma place, je ne m'habite plus, je

189

laisse, je me laisse habiter, je me laisse emporter, mais, si tout est emporté, alors je deviens comme une soie qui s'envole, je m'allège à l'extrême, je vais être emporté. Je ne pourrai pas supporter longtemps cet emportement, cet emportage. Et pourtant c'était bien à force de poids, à force d'être là, à force de présence lourde et sans intention, et même de présence matérielle, absolument bête, absolument sans esprit. Impression même d'avoir transgressé quelque chose, d'avoir touché une limite en me laissant aller à l'oubli de moi. La Chine peut-être permettrait de penser que l'au-delà est en deçà. Mais il ne s'agit pas d'un en deçà, tout simplement de quelque chose qui est là, qui ne se réfléchit un instant que pour se replonger dans l'inconscience afin de pouvoir être en rapport. Il est probable que de ce point un autre type de sensorialité se développe.

XII

L'EFFET PLACEBO,
CONSÉQUENCE D'UN RITE

L'effet placebo nous met face à un scandale : quelque chose existe qui ne devrait pas exister. L'adage scolastique est formel : *sublata causa, tollitur effectus*, si on enlève la cause, l'effet est supprimé. Or voici maintenant annoncé à grands cris qu'un effet se produit sans cause, un effet capital puisqu'il y va de la santé publique, un effet insupportable tout de même, puisqu'il vient narguer la science médicale et sa servante, la pharmacologie. Il y a là deux poids et deux mesures. L'existence de l'effet a été vérifiée par des expérimentations multiples, valables, répétées, tandis que la cause échappe à toutes les investigations. Une substance chimiquement neutre ou insignifiante est, pour guérir bien des maux (analgésique, tranquillisants et stimulants, régulation des fonctions gastriques, mais pas confirmé pour toux, ulcère, cancer) d'une efficacité reconnue. Des effets physiques, qui relèvent donc de la biologie, interprétée par la physico-chimie, apparaissent sans cause du même ordre. La science est bafouée.

Mais voici qui est plus grave, plus grave si du moins les atteintes à la morale sont considérées comme plus sérieuses que celles qui touchent la science : ces substances neutres administrées aux patients leur sont présentées comme des substances actives. Ils ont donc été trompés. Au malade qui

191

est venu le consulter, le médecin prétend donner quelque chose. En fait il a donné rien. Que ce rien soit efficace et qu'il guérisse en certains cas est intolérable pour la conscience avertie. Le cher docteur devrait ressentir une honte redoublée : pseudo-savant, il est devenu un escroc, il s'est fait payer pour des soins illusoires. À la malhonnêteté intellectuelle s'ajoute donc la fraude. Quel spécialiste de l'éthique pourrait lui accorder le pardon ? Légitime donc de flétrir cette pratique par les termes de *deceptive administration*. Dans tous les textes consacrés à l'effet placebo, on retrouve, en effet, la même séquence discursive : il est efficace, mais il échappe à toute compréhension scientifique, il entraîne le responsable qui l'utilise à faire un geste trompeur que la morale réprouve, il doit être interdit. Qu'est-il possible d'objecter à cette argumentation sans faille ? Car un médecin qui se respecte doit agir avec ses patients dans la transparence et il ne peut donc se permettre de leur faire croire des incongruités. Il faut en conclure, au nom de la morale, que le médicament placebo ne doit pas être prescrit. La loi Huriet, en France, exige que, si l'on propose à un patient un placebo, son consentement éclairé soit consigné par écrit.

Il y a cependant un lieu où le placebo ne peut pas ne pas être utilisé, où il doit être pris en compte, c'est le laboratoire. Pour vérifier qu'une substance est réellement active dans telle affection, il est nécessaire de comparer ses effets à ceux d'une substance neutre. Les médecins connaissent mieux que moi la procédure double aveugle dans laquelle des patients, dans l'ignorance, sont divisés en deux groupes dont les uns reçoivent une substance inefficiente et les autres une substance active. Tous les médicaments doivent être soumis en quelque sorte au regard impitoyable du placebo qui devient le juge sourcilleux départageant les bons et les mauvais. Ainsi la pharmacologie scientifique ne peut pas se détacher de l'ancienne pharmacologie, celle qui existait avant la découverte de la chimie et qui n'utilisait que des substances dont l'efficacité aurait dû être nulle. La conclusion s'impose : c'est le placebo et son effet irritant qui circonscrit le domaine proprement scientifique. Le placebo ne relève pas de la science médicale et cependant c'est lui seul qui est capable de la valider. Comme un au-delà ou un en deçà de cette science, c'est lui qui en définit les limites. Situation pour le moins singulière : la science pharmacologique, pour exister, doit s'appuyer sans cesse sur ce qui n'est pas scientifique. Si la science pharmacologique se laissait aller à rejeter le placebo pour des raisons morales, elle se détruirait donc elle-même, parce qu'elle n'aurait plus le moyen de repérer ce qui la distingue et la spécifie ; elle ne pourrait plus établir sa propre scientificité. Bref le placebo non scientifique fonde la scientificité de tout médicament.

Puisqu'il existe un lien indissoluble entre substance neutre et substance active, il est inévitable que le statut du placebo se modifie. En effet, si le médicament actif a besoin du placebo pour se définir, à l'inverse le placebo, dans son existence illusoire, ne va pas cesser de prendre appui sur les résultats incontestables de son partenaire. Le placebo, comme l'écrit Patrick Lemoine, est « un simulacre de comprimé ». Il poursuit : « Généralement, à l'image du caméléon, il reproduit les caractéristiques du leader de la classe thérapeutique qu'il vise à imiter. Telle pharmacie d'hôpital, pour dispenser des placebos d'anxiolytiques, fabriquera des comprimés à base de lactose qui auront la taille et la couleur – bleue – de l'un des plus anciens tranquillisants de la pharmacopée. Un nom, sonnant à peu près comme celui dudit tranquillisant – Equanime, par exemple – lui sera attribué, comme s'il existait dans l'esprit non pas seulement des anxieux, mais surtout de leurs prescripteurs, une véritable imprégnation du chef de file – historique ou commercial – d'une classe thérapeutique [1]. »

La situation se complique. Il n'est plus question de se défausser du placebo et de se contenter de juger son usage immoral, car il est bien là collé à la substance active comme

1. Patrick Lemoine, *Le Mystère du placebo*, Paris, Odile Jacob, 1996, p. 35.

à son envers indispensable. Comme si le placebo ne cessait de se venger de la suffisance de la médecine sérieuse. Puisque la science pharmacologique a besoin de lui, il s'incruste en elle comme un parasite dont elle ne peut venir à bout. Du temps où n'existaient que des pseudo-médicaments, tous en quelque sorte étaient placebos. Mais, depuis que le pseudo est reconnu comme pseudo, au lieu de s'évanouir dans la tromperie, l'inutilité ou la magie, il ne cesse de prospérer et d'obtenir, contre leur gré, la reconnaissance des savants : ils ne peuvent plus se débarrasser de cette proximité peu reluisante. Comme si la science admettait qu'elle avait besoin de la non-science et que la non-science, sans se troubler, puisait dans la science de nouvelles raisons de s'épanouir.

Mais impossible d'oublier que, si l'effet placebo est un mystère, c'est d'abord et avant tout l'étroitesse de vue de la science pharmacologique qui en est responsable. Elle considère cet effet comme irrationnel parce qu'elle est enfermée dans sa propre manière de raisonner. Pour elle doit être considéré comme illusoire et magique ce qu'elle ne peut expliquer par le seul instrument dont elle dispose pour comprendre, à savoir les processus physico-chimiques. Cet effet incontestable n'est irreparable que pour elle, parce qu'elle ne retient de la réalité que ce genre de cause. L'intérêt du placebo réside dans le fait qu'il contraint la science médicale à sortir d'elle-même. Il la met hors d'elle, en ce sens qu'il l'irrite par son cfficacité, mais il la met aussi hors d'elle, en cet autre sens qu'il lui indique une voie plus ouverte pour se penser elle-même, qu'il lui intime l'ordre de se dépasser, qu'il lui fait se souvenir du contexte dans lequel elle travaille.

Le placebo lui rappelle, par exemple, la force de la relation médecin-malade. Qu'ils le veuillent ou non, les savants de cette discipline sont pris au piège. Ils ont tendance à considérer comme des naïfs ou des êtres quelque peu débiles, les personnes qui se laissent prendre à l'efficacité des placebos. Mais de cette naïveté et de cette débilité, les médecins ne sont pas indemnes. Lorsqu'il leur arrive de prescrire des substances, sinon neutres du moins insignifiantes, comme du sucre, des vitamines ou du magnésium, ils savent bien que ces médicaments, qui n'en sont pas, auront une efficacité, même s'ils ne peuvent pas en rendre compte. Ils ont beau dire qu'ils font semblant, ils sont pris dans une croyance semblable à celle de leurs patients. Pour se tirer d'affaire, ils vont vouloir par l'éthique soigner leur désarroi et s'interdire à eux-mêmes l'utilisation de cet effet. Mais l'éthique n'est alors qu'un subterfuge dérisoire pour préserver leur bonne conscience et ne pas déranger leurs manières habituelles de penser et de comprendre.

Mieux que de longues explications, un récit fera comprendre la puissance de l'effet placebo : « La chlorpromazine (Largactil) a obtenu son autorisation de mise sur le marché en 1952 et a rapidement transformé la vie des institutions psychiatriques, permettant la sortie de plusieurs milliers d'aliénés jusque-là réputés incurables. » Le psychiatre français Serge Follin a mis en place une procédure qui serait aujourd'hui interdite. Dans un pavillon ouvert, peuplé de malades chroniques, « à l'insu du personnel et bien entendu des aliénés eux-mêmes, il remplaça subrepticement les gouttes de Largactil par un placebo identique dans sa présentation[2] ». Après plusieurs mois d'expérience, il fut constaté que les effets des placebos étaient semblables à ceux du Largactil.

Si spectaculaire que soit une telle expérience, l'effet placebo ne s'en trouve pas éclairé pour autant. Puisque son effet ne peut pas être sans cause ou du moins sans raison, de quel côté se tourner ? Il est vain de les chercher sous le scalpel ou dans les éprouvettes, car, on l'a vu, l'effet placebo qui excède la science pharmacologique en circonscrit en même temps la limite. Que nous propose la littérature abondante qui s'est penchée sur la question ? Elle nous dit en résumé : si la cause ne peut être physiologique, elle relèvera de la psychologie. « Sans aucun doute, remarque Patrick Lemoine, ce sont bien les médicaments psychotropes qui ont notamment permis aux concepts psychanalytiques de

___
2. *Ibid.*, p. 168-171.

195

pénétrer l'institution psychiatrique. » Irving Kirsch[3], de son côté, sans se référer de manière exclusive à la psychanalyse, propose d'orienter la recherche vers la quête des mécanismes psychologiques. Par là on espère ne pas se départir de la mouvance scientifique. Si l'on réussissait, en effet, à considérer le psychisme humain comme une machine, il serait possible d'y détecter des séries de causes et d'effets. Tout en abandonnant les rivages de la physico-chimie, le modèle déterministe, cher à la science, reprendrait ses droits. Il resterait à montrer comment des causes psychologiques pourraient engendrer des effets physiologiques. Le dualisme esprit-corps instauré et accentué par les sciences serait alors sinon surmonté, du moins serait-il quelque peu effacé. Nous ne pouvons pas nous dégager d'une telle perspective et les progrès envahissants de la mentalité technologique nous invitent même à nous y installer. Mais cela est-il possible en bonne logique et en toute rigueur rationnelle ?

Le terme de mécanisme psychologique est désormais à ce point vulgarisé qu'il est utilisé de manière courante dans les études dites scientifiques sans toutefois susciter l'ombre d'une critique. Personne ne songe à en questionner l'emploi. Ne pourrait-il pas cependant provoquer une méfiance légitime ? Si l'on interroge les dictionnaires, ce substantif et cet adjectif ne semblent guère pouvoir faire bon ménage. Le mécanisme, cette combinaison, cet agencement de pièces montées en vue d'un fonctionnement d'ensemble, évoque les éléments de l'objet fabriqué ; il a pu étendre son emploi pour rendre compte de l'organisation du vivant ou du discours. Mais en tous ces cas, il se réfère au visible : un automate, un corps, des phrases. Pour trouver la mention des « mécanismes psychologiques », il faut abandonner Littré et diverses encyclopédies et attendre la dernière citation du grand Robert. La voici : « Le terme "mécanisme" est utilisé d'emblée par Freud pour connoter le fait que les phéno-

---

3. Irving Kirsch, *Changing Expectations, a Key to Effective Psychotherapy*, Brooks/Cole Publishing Company, Pacific Grove, California.

mènes psychiques présentent des agencements susceptibles d'une observation et d'une analyse scientifique. » Ce sont Laplanche et Pontalis qui parlent ainsi dans le très sérieux *Vocabulaire de la psychanalyse*. Mais où donc a-t-il été possible d'observer et d'analyser scientifiquement des phénomènes psychiques ? Où donc a-t-on vu un moi se libérer de son incompatibilité avec une représentation ? Dans quel laboratoire a-t-on saisi sur le vif le refoulement de certains affects ? Quel astronome a pu soupçonner le big-bang de la séparation entre moi et ça ? Lorsque Freud construisait l'appareil psychique au chapitre VII de *La Science des rêves*, il avait pris soin de souligner qu'il s'agissait là d'une spéculation et qu'il ne fallait pas confondre l'échafaudage qu'il imaginait avec l'édifice réel dont il ne savait rien. Plus tard ces distinctions qui relevaient de l'honnêteté intellectuelle la plus élémentaire ont été oubliées et d'abord par Freud lui-même. Sans plus soupçonner le tour qui leur avait été joué, les psychanalystes et la culture à leur suite ont pris l'image pour la chose. Comment pourrions-nous confondre aujourd'hui une croyance devenue commune avec une vérité scientifique ? Il n'est pas question de dénier à l'œuvre de Freud sa puissance explicative et sa force de conviction, il faut seulement se souvenir que les objets dont il parle ne se manifestent pas comme des phénomènes, qu'ils ne sont pas, à proprement parler, observables et qu'à partir d'eux aucune science ne saurait voir le jour. À une civilisation qui pense l'être humain comme un individu sans corps, Freud a eu le mérite génial de fournir une mythologie recevable qui permettait de donner quelque sens à la vie. Freud est notre Hésiode. Les dieux ne s'appellent plus Zeus, Cronos ou Rhéia mais moi, surmoi ou ça. Comme les anciens Titans, ils se livrent des guerres intestines et ils engendrent des refoulements, des défenses, des investissements. Les combats n'ont plus lieu dans les champs de l'Olympe, mais dans les profondeurs du psychisme, enfer de solitude où si souvent se trouvent confinés l'homme ou la femme d'aujourd'hui.

Par quelle singulière opération en sommes-nous venus

à parler de mécanismes psychologiques ? Gregory Bateson, il y a bien longtemps, avait fait remarquer que les adjectifs dépendant, hostile, anxieux, etc. « ne sont en fait aucunement applicables à l'individu, mais aux transactions entre celui-ci et son environnement matériel et humain [4] ». Il est donc incorrect de parler de qualités psychologiques et, quand on les relie à d'autres, de mécanismes psychologiques, alors que nous ne faisons que décrire des comportements dont il est possible d'interpréter les liens. Comme nous pouvons le voir à la lecture du livre d'Irving Kirsch [5], les mécanismes psychologiques ne sont que des aspects de la vie humaine : cognitif, affectif, actif, relationnel. Nous avons attribué à un psychisme hypothétique les diverses composantes de la façon, pour l'être humain, de se situer dans son monde. Face à une personne inhibée, nous prétendons, par exemple, que son moi se défend des pulsions, alors que nous avons vu seulement la manière dont cette personne se comportait à l'égard des personnes du même sexe ou du sexe opposé et que nous avons constaté comment son attirance pouvait se changer en retrait. Ce n'est pas un psychisme sans corps qui est en action, c'est toute la personne qui se meut dans un contexte déterminé. Si le psychisme n'était pas quelque chose du corps et pouvait en être séparé, il n'y aurait plus un corps, mais un cadavre.

L'intelligence de l'effet placebo est conditionnée par un changement de perspective. L'explication psychologique pourra donc être abandonnée comme inutile. Dans un article [6], Irving Kirsch fait cette remarque décisive : « La difficulté de la compréhension de la relation causale apparente entre les attentes de réponse et la fonction physiologique résulte en partie de la supposition du dualisme esprit-corps, implicite dans la formulation de la question. » Remarque

---

4. Gregory Bateson, *Vers une écologie de l'esprit*, Paris, Seuil, 1977, vol. 1, p. 271.
5. Irving Kirsch, *Changing Expectations...*, *op. cit.*, p. 91.
6. Irving Kirsch, « Response Expectancy as a Determinant of Experience and Behavior », dans *American Psychologist*, novembre 1985, p. 1197.

décisive qui souligne que la solution de notre problème ne peut être trouvée pour ce premier motif, que la question est mal posée, qu'il est donc nécessaire d'adopter une conception moniste ou holiste, parce qu'il n'y a pas de corps humain sans esprit, parce que le corps a besoin de l'esprit pour exister, même si la science physiologique peut un instant oublier ces évidences pour les besoins de sa cause. Malheureusement la force de nos habitudes de pensée est telle que Kirsch lui-même revient dans son livre aux formulations communes. Il écrit, par exemple, pour préparer des réflexions sur l'effet placebo : « Puisque les psychothérapies sont chimiquement neutres, nous savons déjà que leurs effets seront dus à des mécanismes psychologiques[7]. » Pourquoi recourir à de tels termes, alors que l'œuvre de ce chercheur nous oriente dans une autre direction ?

En centrant sa réflexion sur l'*expectancy*, Kirsch ouvre une voie nouvelle, car il établit par là un lien indissociable entre l'intérieur et l'extérieur, entre l'attente et son effectuation, entre l'anticipation d'une action par une personne et ce qui va se passer dans la réalité par l'intermédiaire de son corps. *Expectancy* pourrait se traduire en français par expectative, car il ne s'agit pas seulement d'attente, laquelle peut être trompeuse ou vaine, il s'agit, selon la définition du mot, d'une attente fondée sur des promesses ou des probabilités, c'est-à-dire une attente dont la réalisation est déjà entamée. Mais, puisque le mot expectative a perdu aujourd'hui en français son sens premier et qu'il comporte un doute sur ce qui va arriver, je préfère utiliser, pour traduire *expectancy*, un néologisme : expectation. Quand, en anglais, on dit d'une femme : « *She is expecting a baby* », c'est que déjà elle est enceinte ; son attente s'appuie sur un avenir qui est déjà présent. C'est cette nuance capitale que j'introduis dans le mot expectation. Telle qu'elle est décrite par Kirsch, cette expectation est une expérience unique et triple dont les constituants, subjectif, physiologique et comportemental, sont pris en compte en même

---

7. Irving Kirsch, *Changing Expectations...*, *op. cit.*, p. 39.

temps. Lorsqu'on est dans l'expectation, ce que l'on attend a déjà commencé à exister à la fois pour l'esprit, pour le corps et dans la relation au monde environnant. C'est bien autre chose qu'un mécanisme psychologique qui est à l'œuvre, c'est l'être humain tout entier selon ces trois dimensions.

L'évidence du raisonnement, selon lequel la cause n'étant pas physiologique se doit d'être psychologique, s'évanouit. La psychologie, parce qu'elle nous présente un individu sans corps, donc incapable d'action, n'est d'aucun secours pour lever le mystère du placebo. Mais où donc trouver le chemin d'un éclaircissement ? Un passage du livre de Kirsch, déjà cité, peut nous fournir un nouvel indice. Bien que la puissance des placebos soit reconnue, les cliniciens répugnent à les utiliser, car ils ne veulent pas donner à leurs patients un produit mensonger et par ailleurs ils ne voient pas comment les placebos pourraient être efficaces si ces patients étaient prévenus qu'il leur est prescrit des produits neutres. Or une expérience faite par Park et Covi prouverait le contraire. Quelles que soient les critiques faites aux procédures utilisées, « néanmoins le fait que la plupart des patients se sont conformés aux instructions du traitement placebo non frauduleux et que plusieurs ont attribué plus tard leur amélioration à la prise de "pilules de sucre" suggèrent que les placebos n'ont pas besoin d'être trompeurs pour être efficaces [8]. »

Heureusement Kirsch a pris soin de mentionner les termes exacts utilisés par les expérimentateurs pour proposer aux patients de se soumettre au traitement en question. Il leur fut dit que les pilules étaient des placebos, mais sous la forme suivante : « De nombreuses personnes dans une condition semblable à la vôtre ont été aidées par ce qu'on appelle parfois des "pilules de sucre", et nous estimons que lesdites pilules de sucre peuvent vous aider vous aussi. Savez-vous ce qu'est une pilule de sucre ? Une pilule de sucre est une pilule qui ne contient en elle aucun médica-

8. *Ibid.*, p. 32.

ment. Je pense que cette pilule vous aidera comme elle a aidé tant d'autres. Voulez-vous essayer cette pilule ? »

Comment ne pas estimer décisives ces formulations ? Il est dit en clair que ces pilules ont été testées avec succès par un grand nombre de patients et que la valeur du test devrait pouvoir s'étendre également à l'interlocuteur. Il s'agit donc de faire partager activement une opinion commune. De plus le clinicien joue son savoir et son autorité dans l'affirmation d'un pronostic favorable. Le patient est ainsi prié de ne mettre en question ni l'un ni l'autre. Enfin le passage du « nous » qui représente la communauté médicale au « je » suggère qu'une relation personnelle a été mise en place, que ce n'est pas seulement le corps médical qui se porte garant, mais cet homme ou cette femme qui parle en son nom et qui s'engage avec le patient dans le processus de guérison. Autrement dit cette expérience ne se réduit pas au seul rapport de l'ignorance du procédé par les patients à sa connaissance, du frauduleux au non frauduleux, elle est une vaste entreprise qui met en jeu une série de paramètres. L'efficacité du placebo n'a été possible que par l'entrée des patients dans la communauté des guéris par la science médicale. Est-il possible d'énumérer ces paramètres et de les réunir ensuite sous un seul chef ?

Kirsch nous met encore sur la voie en citant Jérôme Frank, lequel propose une liste de facteurs communs aux diverses psychothérapies :

« 1. Une relation thérapeutique entre un client et un aide socialement reconnu. Le thérapeute est perçu comme ayant une formation spéciale, au moyen de quoi il ou elle a la maîtrise de techniques thérapeutiques spéciales ; cette perception augmente la foi en la compétence de l'aide.

2. La prise du traitement en un lieu spécialement étudié, tel qu'un hôpital, une clinique, un centre de santé universitaire, ou un cabinet. D'après Frank, le cadre lui-même suscite les attentes d'amélioration.

3. Une théorie sur laquelle est fondée la thérapie. Il y a différentes théories pour différentes thérapies. Les théories

psychodynamiques, par exemple, se fondent sur l'idée de conflits inconscients, tandis que les théories comportementales se fondent sur les principes de l'apprentissage. Néanmoins chaque thérapie a quelque théorie, et la théorie inclut la supposition qu'un traitement d'un genre spécifique devrait amener à une amélioration.

4. L'usage d'un rituel ou d'une procédure thérapeutique. Ils varient également d'une thérapie à l'autre, mais ils ont une cohérence avec la théorie de la thérapie [9]. »

Tout est en place maintenant pour mieux comprendre non pas LA cause, mais l'ensemble des causes, raisons ou motifs qui ouvrent à la possibilité de l'effet placebo. Il suffit de souligner que le rituel n'est pas à confiner dans les positions respectives du thérapisant et du thérapeute (assis, couché, en face à face, à côté l'un de l'autre), dans le rythme et le nombre des séances, dans l'utilisation de l'ordonnance, etc., mais qu'il comporte tous les traits qui viennent d'être mentionnés.

Un rite exige d'abord la présence d'un officiant. Ce dernier, comme le fait justement remarquer Jérôme Frank, doit être socialement reconnu. Ce n'est pas sa personne qui est mise en avant et qui lui donne son prestige, c'est sa place dans telle société, c'est donc avant tout sa fonction. Il n'agit pas seul selon son bon plaisir, il représente la société qui a vérifié sa compétence et qui lui a donné l'autorisation d'exercer. Son autorité lui vient de ce qu'il s'est soumis à une formation parfois longue et difficile et qu'il a reçu les titres qui valident cette formation. Si ses qualités personnelles entrent en jeu, elles trouvent le plus souvent leur efficacité par l'intermédiaire de la réputation que ses collègues ou son milieu lui attribuent. Dans un de ses premiers écrits (1890), antérieurs à la découverte de la psychanalyse, Freud notait qu'un médecin à la mode avait beaucoup plus de chances de réussir dans sa pratique qu'un simple débutant inconnu. C'est le peuple ou la foule, c'est la rumeur circu-

---

9. *Ibid.*, p. 47.

lant dans une ville ou dans un pays qui par avance lui accorde un pouvoir. Lui rendre visite et se conformer à ses prescriptions portent à la plus grande puissance cette expectation, cette promesse de résultat dont Irving Kirsch a souligné l'importance (Freud parlait déjà dans le même contexte des effets néfastes de l'attente anxieuse et béné-fiques de l'attente croyante). Même s'il est aujourd'hui plus souvent qu'autrefois soumis à des critiques, le médecin est encore revêtu dans nos sociétés du vêtement des prêtres. Les thérapeutes, munis de leur Ph. D., viennent loin der-rière. Est-ce par hasard que, jusqu'à une époque récente, les portes des sociétés de psychanalyse aux États-Unis étaient ouvertes aux seuls médecins ? Il ne s'agissait pas seulement de protéger un monopole lucratif, il y allait de la dignité des officiants. Seules des modifications économiques et sociales ont pu venir à bout de cette règle. À moins qu'une réaction contre la science et son déterminisme n'ait précipité les patients vers les non-médecins et les médecines parallèles.

Le lieu où est pratiquée la thérapie fait également partie intégrante du rite. Quiconque entre dans un hôpital, un centre de soins universitaire ou le cabinet d'un spécia-liste sort du cadre de sa vie quotidienne. Une certaine solen-nité l'entoure, les voix se font plus sourdes, un certain silence s'impose. Ce n'est pas une église, un temple, une synagogue, ou une mosquée, mais ce n'est plus le boulevard et la rue. On y rencontre l'institution dans un lieu privilégié par cette société, le lieu où l'on va pour des soins et la gué-rison. On n'y dépose pas son psychisme, on ne s'y rend pas pour une réparation de ses mécanismes psychiques, on s'y achemine avec son corps et avec toute son existence menacée. On y vient dramatiquement, non comme specta-teur, mais comme acteur. C'est encore Freud, dans le même article, qui notait, pour l'éventuelle production de miracles, l'importance des lieux où l'on vénère une image miraculeuse, où un personnage saint a promis le soulagement en contre-partie d'un culte. Le cabinet du médecin n'est-il pas lui aussi l'espace privilégié d'une célébration : l'atmosphère feutrée de l'antichambre recueille le patient sur son mal et l'attente, parfois bien longue, aiguise l'espoir d'un mieux-être.

Dans les temps anciens l'effectuation du rite supposait une vision du monde, le plus souvent une cosmologie. Quand l'empereur de Chine pénétrait chaque année dans le temple du soleil, il était là comme intermédiaire entre ciel et terre pour programmer à nouveau les équinoxes et pour établir une fois de plus la suite des saisons. C'est encore à une vision du monde, fût-elle restreinte ou même étriquée, que les thérapeutes en appellent aujourd'hui. Quand Milton H. Erickson proposait à tel patient de parcourir à nouveau les étapes de l'évolution, lui faisant traverser la venue des terres et des mers, des plantes, des animaux et des humains, il savait que, pour guérir quelqu'un du désespoir, rien ne valait mieux que le situer à sa manière dans la succession des temps telle que la pensent les modernes, et lorsque Freud fait repasser l'ontogenèse par la phylogenèse, lorsqu'il marque les époques de l'existence d'un individu et l'invite à se remémorer les stades oral, anal, génital et phallique, il donne à nos existences les plus vastes dimensions que puissent supporter nos contemporains. L'univers que proposent aujourd'hui le comportementalisme ou le cognitivisme apparaît bien étroit. Il ne nous reste plus que quelques gestes et la complexité d'un cerveau. Mais nous devrons nous en contenter pour ritualiser notre pratique.

À ces traits qui valent pour les psychothérapies, le placebo nous rappelle qu'il manque, pour accomplir le rite, un élément essentiel : un signe matériel visible. Émile Coué, le fondateur de la méthode Coué, écrivait au début du siècle : « D'un côté, je voudrais voir inscrire dans le programme des écoles de médecine l'étude théorique et pratique de la suggestion, pour le plus grand bien des malades et des médecins eux-mêmes et, d'un autre côté, j'estime que chaque fois qu'un malade va consulter un médecin, celui-ci doit toujours lui ordonner un ou plusieurs médicaments, quand même ceux-ci ne seraient pas nécessaires. Le malade, en effet, quand il va trouver son docteur, y va pour qu'on lui indique le médicament qui le guérira. Il ne sait pas que le plus souvent, c'est l'hygiène, le régime qui agit ; il y attache peu d'importance. C'est un médicament qu'il lui faut [10]. » Mais pourquoi en est-il ainsi ? Parce que, sans médicaments, le rite n'est pas accompli. Parce que l'homme a un corps, qu'il ne vit pas seulement de paroles, qu'il lui faut aussi du pain. Des expériences ont été faites auprès de médecins. Il leur était demandé, au terme de la consultation, de ne pas donner d'ordonnance quand elle n'était pas nécessaire. Rares sont ceux qui ont pu respecter la consigne. Car, sans prescription, le rite qui leur avait été enseigné dans les écoles et qu'ils avaient charge de reproduire n'aurait pas été accompli.

Si ce qui précède a un sens, il faut en conclure que l'effet placebo ne peut être compris si on le considère isolément. Il ne se réduit pas à l'effet que pourrait avoir une substance physico-chimique en contact avec une autre substance du même ordre, et pas davantage à une petite quantité de matière absorbée par un animal. Le placebo est bien une gélule, une pastille, une pilule. Il est cela, mais donné par une main humaine à un corps humain. Geste lui-même d'une personne qui s'adresse à une autre personne en vue d'accomplir son mieux-être. Et cette relation humaine n'est à son tour qu'un maillon d'une chaîne considérable d'agents : du médecin au pharmacien, du pharmacien à la fabrication industrielle, de cette fabrication au laboratoire et de là jusqu'à l'ensemble des chercheurs d'une discipline pour revenir au malade. Se trouvent au passage intégrées toutes les croyances en l'efficacité de la science. Lorsque le médecin prononce les paroles solennelles de la prescription : « Je te donne cette insignifiance en signe de ta guérison », les institutions médicale, sociale, scientifique sont toutes convoquées et il leur est intimé de produire un résultat.

---

10. Émile Coué, *La Maîtrise de soi-même par l'autosuggestion consciente*, Chez Mme É. Coué, rue Jeanne d'Arc, 198, Nancy, 1935 ; la première édition est de 1913.

Alors en quoi et pourquoi le rite du placebo est-il efficace ? De ce rite, comme des autres, on pourrait dire ce que la tradition chrétienne affirmait du sacrement : il opère ce qu'il signifie. C'est-à-dire qu'il réalise ce dont il fait signe. Lorsqu'on s'assied à la même table et que l'on partage le pain et le vin, on signifie la commensalité et on l'effectue dans le même temps. Lorsqu'on refuse de prendre part au repas avec quiconque ne se réfère pas aux mêmes règles culinaires, on signifie et on effectue dans le même acte l'exclusion nécessaire à tel groupe. Il n'est nul besoin d'interpréter ces rites, de se demander ce qu'ils peuvent bien vouloir dire, car, pour les participants et pour les exclus, l'opération est porteuse de sens ou son sens est opératoire sans intermédiaire de temps ou de pensée. Cela ne veut pas dire que cette signification efficiente relève d'un processus simple. Il est au contraire d'une telle complexité que seuls les initiés peuvent en avoir l'intelligence, c'est-à-dire ceux qui ont assimilé depuis leur enfance ce que des générations successives ont composé et transmis comme signes immédiats de reconnaissance. On a vu que le placebo ne saurait avoir d'efficience que s'il rassemble, en un seul geste, nombre de paramètres valorisés par notre société. Et c'est pourquoi à l'inverse bien des rites enseignés par nos pères ne sont plus opérants parce que leur signification s'est perdue.

Mais un rite n'est efficace que si l'on veut bien y adhérer. Telle est la grandeur et la limite de la condition humaine. Il est possible de conditionner les animaux de telle sorte qu'ils répondent immédiatement aux signes artificiels qui leur sont proposés. Ils effectuent, du moins le plus souvent, ce que l'expérimentateur a voulu leur signifier. Le placebo ne suppose pas une réplique obligée, même si les conditions rituelles ont été respectées. Un nouveau détour par le livre de Kirsch peut éclairer ce point. Il s'ouvre sur une préface. Permettons-nous de la lire à l'envers, c'est-à-dire de sa fin à son commencement. La notion d'expectative qui apparaît au terme est introduite par celle d'anticipation, et la venue de cette dernière est préparée par le terme de croyance, car, s'il y a attente que quelque chose puisse advenir, c'est bien parce que ce quelque chose a été anticipé et que l'on a foi en son avènement. La logique est impeccablement respectée. Mais si l'on remonte encore plus haut dans cette préface, on peut lire deux anecdotes censées donner le ton à l'ensemble du volume. Une femme chatouilleuse raconte que son père la faisait rire ainsi, croyant qu'elle appréciait, tandis qu'elle détestait. « Un jour, dit-elle, alors que j'avais seize ans, *j'ai décidé* [11] que j'en avais assez. Je ne serais plus chatouilleuse. Ce n'était qu'une *décision* que j'avais prise, mais j'avais la certitude que c'était vrai. Je n'étais plus chatouilleuse. » Décision dont la portée ne fut pas mise en échec. Quant à l'auteur qui n'aimait pas la nourriture épicée, mais qui voyait un jour le plaisir qu'y prenaient des amis, *il avait décidé* d'éprouver exactement ce dont eux-mêmes faisaient l'expérience. À partir de ce moment les aliments épicés ne lui furent plus pénibles. Ainsi donc le résultat de l'expectation est fonction de la croyance que l'attente ne sera pas vaine, de la foi en sa réalisation, de la certitude qu'elle aura lieu ; cette certitude à son tour dépend de la décision de changer, de donner à l'existence un autre cours. Plus tard dans l'ouvrage de Kirsch cette décision, indispensable pour rendre compte de l'expectation, n'est plus mentionnée. Il ne faut cependant jamais l'oublier, car elle est, pour l'efficience du rite, le point crucial, la croisée des chemins, l'opérateur qui transforme en réalité les significations incluses dans le cérémonial. Pour le dire d'un mot, si l'effet du placebo n'est pas au rendez-vous, c'est que le désir de guérir n'a pas été assez fort pour se changer en décision et qu'il a même pu faire place à son contraire : le refus.

Un rite n'est jamais efficace en tout temps et en tout lieu. Si la communauté dans laquelle et pour laquelle il a été créé reste stable, il pourra être reproduit à l'identique. Mais si elle est en évolution permanente, comme le sont nos

---

11. C'est moi qui souligne.

sociétés occidentales, le rite devra s'adapter à ce qu'elle est en train de devenir. Cela se vérifie pour les psychothérapies. Kirsch rapporte que les thérapies cognitives ou comportementales sont plus efficaces que les thérapies psychodynamiques ou humanistes [12]. Il en donne plus loin la raison [13] : la supériorité des premières est associée avec les caractéristiques des traitements plus récents, c'est-à-dire un haut degré de structuration, l'enseignement de moyens spécifiques qui peuvent être utilisés en dehors du lieu thérapeutique, un traitement d'une durée limitée. Ces traits répondent de toute évidence aux besoins ressentis par nos contemporains. Ils sentent que, dans un monde sans repères, ils ont besoin d'être guidés et soutenus, que la cure n'est pas une parenthèse dans leur existence, mais qu'elle doit les initier à un art de vivre, qu'elle ne saurait s'étendre sans limites, car le temps presse et la dépendance ininterrompue est devenue insupportable. L'histoire du placebo est soumise, de nos jours, aux mêmes caractéristiques. Son effet s'épuise, s'il ne revêt pas des formes nouvelles. À l'inverse, s'il est dit, dans notre vieille Europe, venir d'Amérique, il a toutes les chances d'être reçu avec faveur comme le dernier avatar de la technologie. Mais la tendance peut se retourner. Les modifications trop rapides que subissent nos sociétés peuvent donner l'avantage aux produits traditionnels dont on pense que des générations ont tiré profit. Alors que la médecine occidentale a pris en Chine une place considérable, jamais les officines qui proposent les remèdes ancestraux n'ont bénéficié d'un tel succès. La mode a toujours été reine et les rites qui permettent de recouvrer la santé ne sauraient se départir de ce modèle.

Pour finir, une tentative de réponse à une objection que vous ne manquerez pas de faire. Parler de rite, n'est-ce pas faire retour à la religion ? Oui et non. Non, car il ne s'agit pas de faire appel à une religion établie, à des croyances

---

12. Irving Kirsch, *Changing Expectations...*, *op. cit.*, p. 48-50.
13. *Ibid.*, p. 94.

particulières, à des pratiques reconnues, à une institution cataloguée comme telle. Oui, parce que l'effet placebo, pour être compris, exige que soit tenu compte de toutes les dimensions de l'être humain. Car il n'est pas un corps qui relève de la seule physiologie, il n'est pas en plus un psychisme qui serait étudié comme une entité distincte, et encore en plus un être marqué par des relations à ses semblables, à quoi l'on peut ajouter un pouvoir de décision sur sa vie et sur sa mort. Il est tout cela d'un seul tenant et il est bien vrai que les religions dignes de ce nom ont chacune à leur manière maintenu les liens entre tous ces aspects, en ont formé un tout organique et prétendu lui donner un sens. Mais le rite ici analysé n'implique ni transcendance, ni dogme, ni administration légiférante ; il se contente d'observer des institutions laïques qui enserrent l'homme dans le plus visible. S'il s'agit de religion, c'est d'une religion qui se contente de ne pas fermer les yeux à ce dont est tissée l'existence humaine, qui se refuse à la découper en morceaux irréconciliables, qui la reçoit et la comprend dans son évidence pour déchiffrer les systèmes de correspondances dans lesquelles elle est prise. L'introduction du rite, imposée pour la compréhension du placebo, réduit la dimension religieuse à l'appréhension de l'existence humaine comme totalité. Admettre et utiliser l'effet placebo, c'est se placer à l'intérieur de cette totalité pour y agir au mieux. Il n'est pas trompé le patient que l'on invite par ce moyen à guérir, c'est-à-dire à recouvrer toutes les forces qui font de lui une personne active dans telle communauté et, à travers elle, dans le monde. Guérir, c'est entrer à nouveau dans le mouvement du monde et y retrouver sa place. L'effet placebo serait notre statue du commandeur comme ombre projetée du savoir-être par quoi les hommes tiennent ensemble.

Que viennent faire ces réflexions sur l'effet placebo dans un livre dont maintes pages traitent de la thérapie utilisant l'hypnose ? D'abord il n'est pas rare dans la littérature consacrée à l'effet placebo de trouver des mentions de l'hypnose. Cette dernière est décrite comme mensongère, parce qu'elle met le patient dans un état où il ne peut se défendre, alors que l'effet placebo n'est pas mensonger, parce que l'on prévient le patient qu'il ne va lui être donné que du sucre. Mais c'est là une distinction qui ne tient pas à l'examen. En acceptant le remède sucre comme véritable remède, le patient accepte évidemment d'être pris dans un système de croyances. Imaginer que toute clarté puisse être faite lors de la prescription du médicament neutre et que par là tout mensonge soit exclu, c'est faire preuve d'un moralisme naïf et d'une conception infantile du rationnel.

L'effet placebo est proche de l'hypnose, parce que l'un et l'autre sont fondés sur l'expectative, sur cette attente dont la promesse a déjà commencé à se faire jour. Il n'y a qu'une façon d'être au cœur de l'humain, c'est d'être tendu vers ce qui vient en creusant le présent qui nous en donne les indices.

Ou encore l'effet placebo, comme l'hypnose, déçoit notre rationalité étriquée, parce que l'un et l'autre sont incapables d'une réponse univoque à la question : quelle est la cause de cet effet ? C'est une population, comme disent les statisticiens, qui fait droit à cette question et c'est donc en acceptant d'entrer dans un système complexe, où une multitude d'aspects de la réalité humaine est à l'œuvre, que l'on a chance de soupçonner d'où peut provenir l'efficacité de l'une et de l'autre.

L'hypnose enfin semble dépourvue du rite qui est indispensable à l'administration de la substance neutre. Mais le rite est présent à l'hypnose parce qu'elle ne peut se détacher d'une insertion dans l'existence quotidienne, que cette existence quotidienne est supposée se référer à un accord qui dépasse l'individu et qu'elle vise à produire une danse parmi les choses et les êtres, danse qui est bien le symbole achevé de tous les rites.

XIII

LE SACRÉ COMME BANAL QUOTIDIEN

Herbert Fingarette donne comme sous-titre à un livre sur Confucius : « Le profane comme sacré[1]. » Mais une telle formule est impensable. Comment le profane peut-il être sacré ? Comment assimiler ces deux termes, alors que l'interdisent aussi bien le sens commun que la littérature savante des linguistes ou des sociologues ? Car le profane est défini avec constance par son irrémédiable opposition au sacré. Puisque tout le monde est d'accord sur ce point, si l'identification proposée par Fingarette peut avoir un sens, force est tout d'abord d'accepter et de développer l'évidence contraire, quitte à la soupçonner et à la questionner au fur et à mesure de son déploiement.

Benveniste, par exemple, qui consacre un chapitre[2] au terme « sacré », ne se soucie pas un instant de fonder sa distinction d'avec le profane. Il la considère pour acquise et cherche uniquement à établir en quels termes cette notion de sacré a été traduite en différentes langues. Il interroge d'abord la grammaire comparée, qui par méthode élimine les développements particuliers pour restituer le fond

_____

1. Herbert Fingarette, *Confucius, The Secular as Sacred*, New York, Harper & Row Publishers, 1972.
2. Émile Benveniste, *Le Vocabulaire des institutions indo-européennes*, tome I, *Pouvoir, droit, religion*, Paris, Minuit, 1969, p. 179-207.

211

commun, et il constate qu'il ne reste, pour dire le sacré, que la notion même de « dieu ». « Celle-ci, écrit-il, est bien attestée sous la forme *deiwos* dont le sens propre est "lumineux" et "céleste" ; en cette qualité, le dieu s'oppose à l'humain qui est "terrestre" (tel est le sens du mot latin *homo*)[3]. » Il ne reste donc que cette notion, mais elle demeure et marque de façon décisive la coupure entre deux domaines séparés. La question est alors de savoir, non plus comment et pourquoi le sacré est distingué du profane, mais comment le vocabulaire religieux de chaque langue a conçu et accentué le fossé entre ces deux régions. À cette fin chaque langue a différencié deux aspects du sacré : « Ce qui est rempli d'une puissance divine ; ce qui est interdit au contact des hommes[4]. » C'est le latin qui, avec le couple *sacer-sanctus*, a tracé avec le plus de clarté la ligne de démarcation. Le *sacrum* est le sacré implicite qui a une valeur mystérieuse, le *sanctum* est ce qui se trouve à la périphérie, mais qui sert à isoler le *sacrum* de tout contact et qui isole, de toute relation humaine, une qualité auguste et néfaste d'origine divine. On retrouve une opposition semblable en grec entre *hieros*, ce qui est animé d'une puissance et d'une agitation sacrée, et *hagios*, ce qui est défendu et ce dont il faut se tenir à l'écart. Dans les langues plus anciennes l'accent est mis sur les forces d'accroissement et de prospérité qui sont de caractère divin et surnaturel et qui ne dépendent pas des moyens ordinaires de l'homme. À la fin de son exposé, Benveniste revient sur la formation de *sanctus* pour conclure : « Il semble que cette notion indo-européenne ait été renouvelée en latin, précisément parce que, à date indo-européenne même, il n'y avait pas de terme unique connotant ces deux aspects du sacré ; mais il existait déjà une dualité de notions que chaque langue a notée à sa manière[5]. »

---

3. *Ibid.*, p. 180.
4. *Ibid.*, p. 207.
5. *Ibid.*, p. 206-207.

212

Plus haut il s'était attardé au rapport entre *sacer* et *sacrificare*, deux termes qui au premier abord ne semblent avoir rien de commun. Pourquoi, en effet, sacrifier veut dire mettre à mort, alors que son sens propre est rendre sacré ? Pour répondre à cette question, Benveniste renvoie au Mémoire d'Hubert et Mauss. « Il montre que le sacrifice est agencé pour que le profane communique avec le divin par l'intermédiaire du prêtre et au moyen de rites. Pour rendre la bête "sacrée", il faut la retrancher du monde des vivants, il faut qu'elle franchisse ce seuil qui sépare les deux univers ; c'est le but de la mise à mort[6]. »

Ce résumé fidèle du Mémoire semble entériner une fois de plus l'évidence de la séparation du profane et du sacré, puisque le sacrifice sous des formes multiples et variées est un fait incontestable. Certes, mais n'est-il pas possible de lire différemment cette histoire et de jeter quelque doute sur la prétendue inéluctable séparation du profane et du sacré ? Si c'est le sacrifice, en effet, par la mise à mort, qui rend sacrée la victime, c'est que le sacré n'existait pas auparavant, qu'il n'est rien d'autre qu'un produit du sacrifice et que ce sacrifice est une invention bien humaine. On répondra qu'il y a du divin préalable au sacrifice et qu'il s'agit seulement par ce moyen d'élever une plante, un animal ou un être humain profanes à la hauteur de ce divin sacré. Mais est-ce bien aussi simple ? Après plus de cent pages qui recensent la diversité des pratiques dans le monde indo-européen, l'*Essai sur la nature et la fonction du sacrifice* ouvre sa conclusion par une prise de position sans ambages :

> « On voit mieux maintenant en quoi consiste selon nous l'unité du système sacrificiel. Elle ne vient pas, comme l'a cru Smith, de ce que toutes les sortes possibles de sacrifices sont sorties d'une forme primitive et simple. Un tel sacrifice n'existe pas. De tous les procédés sacrificiels, les plus généraux, les moins riches en éléments que nous ayons pu atteindre sont ceux de sacralisation et de désacralisation. Or,

---

6. *Ibid.*, p. 188.

en réalité, dans tout sacrifice de désacralisation, si pur qu'il puisse être, nous trouvons toujours une sacralisation de la victime. Inversement, dans tout sacrifice de sacralisation, même le plus caractérisé, une désacralisation est nécessairement impliquée ; car autrement les restes de la victime ne pourraient être utilisés. Ces deux éléments sont donc si étroitement interdépendants que l'un ne peut exister sans l'autre [7]. »

Il est donc clair que, si le sacrifice est capable de faire communiquer le sacré et le profane, c'est qu'il est le moyen de fabriquer du sacré avec du profane – c'est la sacralisation – et du profane avec du sacré, en quoi consiste la désacralisation. Mais pourquoi la désacralisation est-elle nécessaire ? Mauss répond en décrivant les sacrifices agraires. « Les champs, en effet, et leurs produits sont considérés comme éminemment vivants... Il y a en eux un principe religieux... Parfois même on se représente ce principe comme un esprit qui monte la garde autour des terres et des fruits ; il les possède, et c'est cette possession qui constitue leur sainteté. Il faut donc l'éliminer pour que la moisson ou l'usage des fruits soit possible. Mais en même temps, comme il est la vie même du champ, il faut, après l'avoir expulsé, le recréer et le fixer dans la terre dont il fait la fertilité [8]. » La désacralisation, et la sacralisation qui lui fait suite, ne représentent donc rien d'autre que le processus par lequel les humains tentent de s'approprier la vie qu'ils appréhendent sous la forme d'un esprit. La conclusion s'impose : si l'on veut maintenir qu'il existe un univers sacré préalable au sacrifice édifié par les humains, il faut y voir la vie qui fertilise les champs. Mais une restriction s'impose alors : la vie ne devient sacrée ou profane que par l'intervention du sacrifice. Le sacrifice, et donc le sacré qui en découle, doit être considéré comme l'artifice inventé par les Indo-Européens pour espérer prendre le contrôle de la vie qui était hors de leur prise.

---

7. Marcel Mauss, *Œuvres*, tome 1. *Les Fonctions sociales du sacré*, Paris, Minuit, 1968, p. 301.
8. *Ibid.*, p. 274.

Ce mécanisme qui rend compte du sacré est encore mieux perçu quand il préside à la naissance du dieu par le sacrifice. Le dieu et la victime sacrifiée demeurent homogènes. Au départ entre l'esprit du blé, par exemple, et les prémices qui sont offertes, il n'y a pas de distance. Peu à peu lorsque la personnalité de l'esprit s'accentue « les liens qui l'unissent aux champs se relâchent ; et, pour cela, il est nécessaire que la victime tienne de moins près aux choses qu'elle représente[9] ». La gerbe consacrée va recevoir un nom ou être remplacée par un animal. Une différenciation entre la force qui faisait croître la céréale et cette dernière est accomplie quand le génie acquiert une personnalité morale qui commence à exister dans la légende. « C'est ainsi que, peu à peu, l'âme de la vie des champs devient extérieure aux champs et s'individualise[10]. » Une double opération est effectuée : d'une part la vie animatrice du vivant, jusqu'alors vague, impersonnelle et donc insaisissable n'est plus considérée, d'autre part la figure qui représente la vie devient semblable à l'humain et pourra ainsi faire l'objet d'une interlocution.

La production humaine du dieu est si évidente qu'il reste fragile et instable. Il aura besoin pour se maintenir de la périodicité des sacrifices. Sa naissance incertaine doit s'inscrire dans la mémoire pour conférer au dieu une existence durable et continue. « Car, écrit Mauss, les dieux, eux aussi, ont besoin des profanes. Si rien n'était réservé de la moisson, le dieu du blé mourrait... Pour que le sacré subsiste, il faut qu'on lui fasse sa part, et c'est sur la part des profanes que se fait ce prélèvement. Cette ambiguïté est inhérente à la nature même du sacrifice[11]. » Le pouvoir de l'homme sur le dieu est ainsi renforcé.

La visée de cette étrange opération ne fait plus de doute. Bien que le dieu soit encore investi de la puissance

---

9. *Ibid.*, p. 285.
10. *Ibid.*, p. 286.
11. *Ibid.*, p. 305.

de la vie et qu'il ne saurait être abordé sans précautions, sa personnalisation le rend accessible sur un mode intelligible par les humains. Ils vont pouvoir, sinon s'entendre avec lui, du moins pouvoir conclure des marchés. C'est pourquoi les sacrifices revêtent si souvent la forme d'un contrat, dont l'enjeu est toujours finalement le même : la vie. Mais les hommes en l'occurrence sont plus malins que les dieux, ce qui entre parenthèses n'est pas très étonnant, puisque les dieux ont été fabriqués pour pallier l'insuffisance des humains. Plus malins, car ils vont échanger une vie qui les représente, celle d'un animal par exemple, et qui n'est donc pas leur vie, contre la vie qui engrosse leurs champs et leurs cheptels. Plus malins aussi parce que le sacrifice donne au sacrifiant la capacité de diriger la vie et de la réintroduire où bon lui semble. Mauss le souligne à de nombreuses reprises : l'histoire du sacrifice est tout entière traversée par l'utile et l'intérêt.

Il y aurait un cas d'où le calcul égoïste serait absent : celui du sacrifice du dieu. « Car le dieu qui se sacrifie se donne sans retour. C'est que, cette fois, tout intermédiaire a disparu. Le dieu, qui est en même temps le sacrifiant, ne fait qu'un avec la victime et parfois même avec le sacrificateur. Tous les éléments divers qui entrent dans les sacrifices ordinaires rentrent ici les uns dans les autres et se confondent[12]. » Plus d'intermédiaire, plus de séparation entre sacré et profane, entre le dieu et les hommes, donc plus de marchandage possible. Mais cette confusion, poursuit Mauss, n'est vraie que pour des êtres mythiques, c'est-à-dire idéaux. « L'expression la plus haute et comme la limite idéale de l'abnégation sans partage » pourrait bien être un montage consolateur illusoire. En rêvant de cette suprême générosité du dieu, l'être humain ne réussit rien d'autre qu'à persuader le dieu de mourir à sa place. La situation est donc inversée et l'homme n'a plus besoin de mourir pour être en rapport avec le divin. Le dieu a été dupé et son sacrifice est

---

12. *Ibid.*

alors le paradigme de l'escroquerie humaine qui lui souffle : « Donne-moi tout et je te ferai crédit. » Quel moyen plus efficace de se soumettre la vie, si la vie elle-même y renonce pour préférer la mort ? Le sacré, en son accomplissement, serait donc une invention des hommes pour dérober la vie.

Mauss a souligné quel était l'enjeu. Il note dans sa conclusion : « Il n'y a pas lieu d'expliquer longuement pourquoi le profane entre ainsi en relation avec le divin ; c'est qu'il y voit la source même de la vie. Il a donc tout intérêt à s'en approcher puisque c'est là que se trouvent les conditions mêmes de son existence »[13]. L'anthropologue cependant ne peut s'empêcher de poursuivre, reprenant à son compte la logique propre au mythe du sacré : « Mais d'où vient qu'il ne s'en approche qu'en en restant à distance ? D'où vient qu'il ne communique avec le sacré qu'à travers un intermédiaire ? Les effets destructifs du rite expliquent en partie cet étrange procédé. Si les forces religieuses sont le principe même des forces vitales, en elles-mêmes, elles sont de telle nature que le contact en est redoutable au vulgaire. Surtout quand elles atteignent un certain degré d'intensité, elles ne peuvent se concentrer dans un objet profane sans le détruire. » Mauss aurait pu se demander pourquoi le contact du vulgaire avec les forces vitales est redoutable ou pourquoi les Indo-Européens ont procédé de la sorte. De telles questions ne peuvent être évitées et il s'agit maintenant de tenter d'y répondre.

Mauss affirme, et c'est bien le principe qui sous-tend la constitution du sacré, qu'une force est redoutable par cela seul qu'elle est une force[14]. Une telle proposition n'est justi-

---

13. *Ibid.*, p. 303.
14. *Ibid.*, p. 235. Plus tard, avec la notion de *mana*, Mauss ira beaucoup plus loin dans l'intégration de la force au milieu. Mais le *mana* restera, bien qu'immanent, hétérogène au monde sensible, hors du domaine et de l'usage commun. En conséquence, sera magique, par excellence, tout ce qui touche à la mort. *Cf.* « Esquisse d'une théorie générale de la magie », dans *Sociologie et anthropologie*, Paris, PUF, 1950, et coll. « Quadrige », 1997.

fiée que par la manière de se situer à son égard, proposition dont il est possible de retracer la genèse. J'ai d'abord extraposé cette force en un objet auquel je fais face et, comme mon vouloir n'en dispose pas, je considère qu'elle s'oppose à moi ; je suis bientôt entraîné à m'opposer à elle. Plus je me fige dans cette confrontation, ne voulant pas céder un pouce de mon territoire, plus cette force va croître, comme il arrive lorsque, par un barrage, on interdit à l'eau de s'écouler. L'énergie accumulée par ma résistance va revêtir des traits hostiles. De plus, puisque cette force est la puissance de la vie, dont j'ai besoin pour exister mais qui refuse de se donner comme je l'entends, elle va surgir devant moi menaçante jusqu'à devenir la figure de la mort. Pour la satisfaire, il ne me restera qu'à lui proposer ma mort, à moins que je puisse l'apaiser et me la concilier par quelque subterfuge. C'est bien l'objectivation de la vie qui a conduit les Indo-Européens à la craindre et à en faire une puissance maléfique dont seule la mort pouvait les délivrer. Ayant voulu faire de la vie leur esclave, ils étaient devenus les esclaves de la mort.

L'effondrement de la religion et la disparition des dieux nous auraient, pense-t-on, délivrés de cette folie. Est-ce bien certain ? Deux exemples significatifs invitent à constater que le triomphe de la mort n'a rien perdu de sa vivacité. Quand Freud se livre à la spéculation, c'est-à-dire à la production d'un mythe que tant de nos contemporains ont fait leur, il explique que la vie n'a pu se développer que par l'influence de facteurs externes et que son long parcours est venu troubler la quiétude de la mort : « S'il nous est permis d'admettre, comme une expérience ne connaissant pas d'exception, que tout ce qui est vivant meurt pour des raisons internes, faisant retour à l'inorganique, alors nous ne pouvons que dire : le but de toute vie est la mort et, en remontant en arrière, le sans-vie était là antérieurement au vivant. » Toute l'histoire du vivant serait donc marquée, sous l'effet d'une force irreprésentable, par une affligeante obligation d'avoir à prolonger son existence et « à faire des

218

détours toujours plus compliqués pour atteindre à la mort-but[15] ». La mort aurait préféré qu'on la laisse tranquille.

Dans le corpus freudien de tels propos ne sauraient être considérés comme des excroissances furtives. Sont en effet de la même veine le mythe de la fondation de la communauté humaine par le meurtre du père primitif ou celui de l'existence du peuple juif par l'assassinat de Moïse. Ici la culture du sacrifice et du sacré parle directement. Mais ailleurs encore sous une forme détournée. Erwin Strauss fait remarquer que l'hypothèse de la réduction de tension, qui joue un si grand rôle chez Freud, manifeste la même tendance hostile à la vie. Car, au lieu d'être considérés comme des moyens de transmettre la vie, les stimuli intérieurs et extérieurs deviennent des troubles de l'équilibre biologique. En conséquence, « comme l'ensemble du système nerveux, les sens sont un appareil de protection des stimuli[16] ». Le vivant est un mort ; il ne rêve que de retourner à la mort qui l'attend et, d'ici là, pour préserver la paix des morts, il doit se défendre contre toute incitation venue de l'extérieur. À l'instar de ses prédécesseurs dans l'aire indo-européenne, le fondateur de la psychanalyse a donc pensé la vie comme quelque chose de redoutable dont il faut se protéger.

En définissant l'être humain comme être-pour-la-mort, Heidegger accomplit le même geste. Alors que le vulgaire voit mourir, sait qu'il va mourir et ne retient de cette certitude qu'un fait divers ne le concernant pas aujourd'hui, l'humain authentique vit sa propre mort comme un possible à tout instant. « Mourir au sens existential, c'est-à-dire soutenir la possibilité de son impossibilité sans la recouvrir et sans la modifier en un simple événement futur, sans la "réaliser" en une pure effectivité à venir, est à la fois la possibilité la plus propre du *Dasein*, et la possibilité du propre

15. Sigmund Freud, *Œuvres complètes*, tome XV, Paris, PUF, 1996, p. 310.
16. Erwin Strauss, *Du sens des sens*, Grenoble, Jérôme Millon, 1989, p. 226.

en tant que tel, l'origine de toute propriété à soi et de toute ipséité » [17]. Puisque cette position est la seule qui permette à chacun d'être un humain véritable, toute autre préoccupation est secondaire. Rien de ce qui se passe dans le monde ne peut et ne doit l'intéresser. Jamais il ne se trouve impliqué dans ce qui lui arrive. Comme la mort est son seul horizon, sa clôture sur lui-même est irrémédiable. Il a réussi par là à se garder de l'imprévisible et donc de toute vie.

Comment ne pas conclure que, dans cette perspective, c'est la mort qui règne sans partage, puisque l'autre et le monde sont fondés par le rapport que l'humain entretient avec elle. Magnifique avatar de notre culture qui ne voit l'existence humaine que sous les traits d'un individu isolé, jeté dans l'angoisse de sa solitude. Il n'a rien d'autre à comprendre que sa mort, il se méfie de tout ce qui viendrait troubler l'héroïsme de son affrontement avec la mort et s'enferme en lui-même pour se prémunir des changements et des transformations que suppose la vie. Ainsi Heidegger [18], comme Freud et tant d'autres, rejoint à sa manière les inventeurs du sacré. S'ils nous proposent de nous faire déjà morts, de rendre identique l'exister et le mourir, n'est-ce pas pour nous rendre aveugles à notre impuissance radicale, pour nous laisser croire que nous avons triomphé de la puissance de la vie, pour nous faire oublier que nous en avons peur ?

N'y a-t-il aucune autre solution ? Sommes-nous condamnés à confectionner d'autres masques pour nous cacher à nous-mêmes cette peur de la vie et en conséquence notre besoin de la domestiquer ? Si nous voulons entendre

17. Claude Romano, *L'Événement et le monde*, Paris, PUF, 1998, p. 182. Cet exposé de la position de Heidegger, que j'utilise ici, est l'occasion pour l'auteur de développer une autre conception, celle qui prendrait au sérieux l'apriorité originaire de la naissance et qui rendrait compte de l'ouverture de l'être humain à l'imprévisible de l'événement.
18. Évidemment ce n'est pas là tout Heidegger. Dans son cours de l'hiver 1929-1930, il s'était avancé un moment dans une autre direction. *Cf.* Martin Heidegger, *Les Concepts fondamentaux de la métaphysique*, *op. cit.*

une réponse, il faudra quitter nos terres et nous diriger vers l'Orient le plus extrême [19]. Avant de revenir à Confucius, qui a été évoqué au départ, une anecdote extraite du Zhuangtsi favorisera le dépaysement. Malgré leurs différences, ces deux penseurs appartiennent au même monde culturel :

« Lorsque la femme de Zhuangtsi mourut, Huizi (Hui Shi) vint présenter ses condoléances. Il trouva Zhuangtsi accroupi, genoux écartés, occupé à taper sur un pot et à chanter.

Huizi lui dit : "Quand on a vécu avec une personne, élevé des enfants et vieilli avec elle, c'est déjà un comble de ne pas pleurer sa mort, mais que dire de cette façon de taper sur un pot en chantant !"

Zhuangtsi répondit : "Vous vous trompez. Au moment de sa mort, comment n'aurais-je pas senti l'immensité de la perte ? Je me mis alors à remonter à son origine : il fut un temps où il n'y avait pas encore la vie. Non seulement il n'y avait pas la vie, mais il fut un temps où il n'y avait pas de forme. Non seulement il n'y avait pas de forme, mais il fut un temps où il n'y avait pas de *qi*. Mêlé ensemble dans l'amorphe, quelque chose se transforma, et il y eut le *qi*, quelque chose dans le *qi* se transforma et il y eut les formes, quelque chose dans les formes se transforma et il y eut la vie. Or, maintenant, après une autre transformation, elle est allée à la mort, accompagnant ainsi le cycle des quatre saisons, printemps, été, automne, hiver. Au moment où elle se coucha pour dormir dans la plus grande des demeures, je ne pus que la pleurer, mais la pensée me vint que je ne comprenais rien au destin, aussi ai-je cessé de pleurer" [20]. »

---

19. Sur la distance entre ces deux univers culturels, *cf.* Jean-François Billeter, « Pensée occidentale et pensée chinoise : le regard et l'acte », publié dans *Différences, valeurs, hiérarchie*, textes offerts à Louis Dumont, réunis par Jean-Claude Galley, Paris, Éditions de l'École des hautes études en sciences sociales, 1984.

20. Cité par Anne Cheng, *Histoire de la pensée chinoise, op. cit.*, p. 129-130.

Face au plus douloureux événement qui puisse atteindre un être humain, celui de la mort de l'être le plus aimé, Zhuangtsi se replace dans l'histoire de la vie, telle qu'il la conçoit, puis dans le cycle annuel de la nature et, de ce point infime où il se trouve, il donne à sa peine les proportions qui conviennent. La vie n'est pas pour lui un objet en face duquel il se trouve, elle n'est pas arrêtée sous son regard, parce qu'un proche s'en est allé, il ne cherche pas à la défier dans la prétention ou la révolte. Elle est pour lui un mouvement dans lequel il est inclus et par lequel il doit à nouveau se laisser porter. La mort individuelle n'est pas un terme, elle n'est pas le paradigme du but poursuivi par les forces vitales ; elle n'est qu'un moment d'un immense jeu de transformations qui ne cessent jamais. S'il s'était figé dans sa douleur pour en demander compte à quelque instance supérieure, il n'aurait pas manqué de la juger injuste ou terrible. Pour Zhuangtsi, et pour nombre de philosophes chinois après lui, une vie humaine ne peut être abstraite de la vie qui se poursuit chez d'autres humains, pas plus que la vie du monde naturel ne peut être extraite de ce monde pour en faire une entité consistante en elle-même et par là transcendant la réalité visible. Pour eux la force de la vie ne pouvait être détachée de son effectuation et des modifications que subissent en permanence les choses et les êtres. Ce qui nous dépasse n'est pas la Vie, avec une majuscule, qu'il faudrait se concilier, c'est ce qui s'identifie au mouvement de la nature ou du cosmos qui est aussi celui de l'humanité dans lequel chacun doit entrer.

Il n'est pas de plus belle illustration de la fin de la plainte. Impossible d'échapper à la souffrance, à la peine et au chagrin. La vie humaine en est tissée pour chacun et il n'est pas en notre pouvoir d'en interrompre les fils. C'est notre rapport aux variétés du malheur qui est en jeu. Le Tchangtsi nous apprend qu'il y a un temps pour en tenir compte et les respecter, et un temps pour nous resituer dans la totalité de ce qui existe. Tant que nous sommes persuadés que l'individu est la seule valeur, ce qui veut dire tant que

222

nous estimons que notre individualité passe avant tout, puisque c'est par là que nous sommes au monde, il y a de quoi se plaindre de n'être que cela, de quoi se plaindre des désespoirs qui parfois passent la raison. Mais si, à l'inverse, nous jetons un regard même fugitif sur ce qui nous a précédés et sur ce qui viendra ensuite, si notre individualité devient ce qu'elle est, infime et dérisoire, nous pouvons nous réjouir d'être un court instant en ce bref espace les témoins de cette puissance qui traverse les catastrophes et qui poursuit son mouvement. La plainte légitime qui s'exhale de nos cœurs blessés ne pourra pas longtemps excéder l'intensité de la blessure ; elle ira vers l'apaisement et le silence.

Il nous faut revenir maintenant à Fingarette qui, à propos de Confucius, prétendait identifier le profane et le sacré. La déception nous attend, car se mettre délibérément du côté des vivants pour ne voir dans la mort qu'un avatar de la vie, ou ne même plus s'en occuper, va nous faire perdre au passage les couleurs du tragique et les larmes de l'abandon. La porte est ouverte à la banalité des jours. Donc comment le sinologue s'y prend-il pour faire passer dans la tête des Occidentaux que nous sommes quelque chose de cette civilisation qui a tenté de penser le sacré de tout autre façon que nous l'avons fait ? Car Fingarette ne détourne pas les yeux avec pudeur à la vue de ce que de nombreux grands esprits ont considéré comme un moralisme sans éclat. Il commence par mettre l'accent sur la place centrale donnée au rite par le penseur chinois et il prétend nous en faire reconnaître l'importance. *Le rite doit être compris comme le moyen privilégié de l'humanisation par une relation dynamique d'homme à homme.* Ce qui rend une cérémonie sacrée, c'est la participation de tous et de chacun, l'harmonie des gestes qui se répondent sans effort et sans contrainte, la coordination spontanée des mouvements réciproques.

Ainsi défini, le rite ne se distingue pas de la vie quotidienne, du moins lorsqu'elle est humanisée. La moindre rencontre peut devenir sacrée si, d'un côté comme de l'autre, elle n'est pas rapport de forces, régie par les commandements, les stratagèmes et les mensonges ; si elle cherche au contraire la mise en correspondance des interlocuteurs. La vie humaine est tissée de cérémonies, lorsque l'acte accompli engage la totalité des personnes en présence. « Le cérémonial est l'événement premier, irréductible ; le langage ne peut être compris si on l'isole de la pratique conventionnelle dans laquelle il est enraciné ; la pratique conventionnelle ne peut être comprise si on l'isole du langage qui la définit et qui en est une partie [21]. » Lorsque Confucius recommande, lors de l'effectuation d'un rite, la « rectification des termes » ou « l'usage correct de la terminologie », il ne fait pas allusion au respect des formules magiques, mais à la plénitude de l'acte dont le langage doit être conforme aux gestes. C'est cette union des paroles et des mouvements du corps qui donne au rite son efficacité. L'homme se réalise dans le rite parce que, de manière publique, partagée et transparente, il forge l'harmonie et la beauté de la communauté humaine. En ce cas le rite n'est rien de plus que la perfection de l'acte humain au sein d'une interrelation humaine. Le sacré apparaît alors comme l'existence humaine véritable et la distinction entre profane et sacré sera non plus la séparation de deux domaines étrangers l'un à l'autre, mais la différence entre la matière brute et l'objet d'art, entre la potentialité et son effectuation, c'est-à-dire en l'occurrence entre le barbare et le civilisé.

Mais comment peut s'opérer ce passage de l'un à l'autre, en d'autres termes par quel moyen s'effectue la naissance du religieux ou du sacré ? Nullement par un choix, par la prise de conscience ou par l'accès à la responsabilité. Le langage pour exprimer ces réalités n'apparaît pas chez Confucius et chez ses contemporains. Tout est centré pour eux sur le terme de *Tao*, c'est-à-dire sur la Voie. Celle-ci

---

21. Herbert Fingarette, *Confucius, The Secular as Sacred, op. cit.*, p. 14.

exprime l'ordre des choses et des êtres, le mouvement défini du monde dans lequel l'homme est placé. Il n'y a donc pas une autre voie qui serait susceptible d'être préférée. Ce qui s'oppose à la Voie, c'est le chaos. Si par impossible on adoptait le chaos, on serait encore dans la Voie dont le chaos est le préalable obligé. Mais il n'est pas question de choisir entre la Voie et le chaos, comme nos morales nous invitent à choisir entre bien et mal, car, entrer dans la voie, c'est-à-dire s'humaniser, c'est faire retour à la Voie pour mettre fin au chaos. Tout acte humain digne de ce nom a son point de départ dans le désordre, ou dans un désordre quelconque, et doit lui imprimer le mouvement de la Voie. C'est dire que la Voie n'a pas de terme, pas de port du salut ou de demeure où se reposer. Penser que l'on puisse mettre fin au chaos et s'installer dans la Voie reviendrait à croire que la civilisation ou la civilité sont des états stables et que l'acte humain qui fait passer de la barbarie à la culture est devenu inutile. Le sacré est toujours incertain. C'est parce que le sacré, comme *Tao*, est accessible qu'il réclame non pas la mort, mais la plénitude de la vie, comme immersion dans le monde qui se transforme en permanence. Nous n'avons pas le choix ; il nous reste la liberté, celle d'adhérer à la Voie, d'y entrer et d'y marcher, c'est-à-dire de vivre en humain dans l'humanité et dans le monde environnant.

Combien ici nous sommes éloignés de la hantise des Occidentaux d'extraire du monde où elle se manifeste la force de la vie et de tenter d'en capter la puissance pour en tirer avantage. Le sacré avait été créé à cette fin et la rupture avec le profane avait été consommée faisant de la mort le maître absolu. Avec le même besoin de séparation et d'isolement, l'individu jeté dans sa propre mort s'était replié sur lui-même, livré au tragique, à la crise intérieure et à la culpabilité. Au lieu de cela, le désintérêt pour l'homme intérieur et les conflits intérieurs, la mise à l'écart des choix angoissés ou romantiques, le dépassement de l'opposition entre le bien et le mal conduisent à concevoir « une vie dans laquelle la conduite humaine peut être intelligible en termes naturels et cependant être accordée au sacré, une vie dans laquelle les domaines pratique, intellectuel et spirituel sont considérés également et sont harmonisés en un seul acte – l'acte du rite [22] ».

Accomplir le rite, c'est-à-dire marcher dans la Voie qui préexiste à la naissance humaine, n'a rien d'une soumission passive. Il s'agit non de se courber sous la menace d'un destin écrit pour toujours dans le ciel, mais de répondre à la manière dont les choses se passent, à la Voie que suivent les choses. Cette réponse ne saurait être entendue comme res-ponsabilité au sens que nous donnons couramment à ce mot. Je n'ai pas à répondre *de* mes actes de telle sorte que je doive mesurer la clarté et la force de mon intention et que je sois jugé à partir d'eux. Ce sont mes actes qui doivent répondre *à* une Voie habitée par des transformations inces-santes, c'est-à-dire m'accorder à une situation objective-ment établie et organisée pour la rendre plus civilisée. Le sacré ici est aux antipodes d'une sainteté intérieure. « Confucius parle en termes d'action, parce que pour lui l'action et les événements publics sont fondamentaux, et non pas la doctrine ésotérique et les états subjectifs [23]. » Le spirituel n'est pas exprimé en termes de vertu, de bonté, de compassion, de vouloir ou d'émotion. Toute référence au mental ou au psychique est exclue. C'est la personne tout entière qui doit être impliquée et qui l'est de façon visible pour que soit accomplie la cérémonie rituelle, c'est-à-dire l'échange soumis aux conventions et aux institutions [24] qui font de l'homme un être de culture.

L'homme comme individu n'est donc pas sacré ou, ce qui revient au même, il n'a pas droit au respect. Il ne peut

---

22. *Ibid.*, p. 36.
23. *Ibid.*, p. 40.
24. Certains philosophes contemporains entrent aisément dans de telles perspectives. Fingarette renvoie aux thèses de J.-L. Austin, *Quand dire, c'est faire*, Paris, Seuil, 1970. *Cf.* également Vincent Descombes, *Les Institutions du sens*, Paris, Minuit, 1996 et déjà *La Denrée mentale*, Paris, Minuit, 1995, où l'esprit est placé à l'extérieur dans les échanges entre les personnes et non pas dans le flux des représentations.

acquérir ce droit que par l'interrespect, c'est-à-dire par la relation civilisée qu'il donne à d'autres et qu'il reçoit d'eux dans la cérémonie rituelle de l'échange. Que l'individu humain, en tant que tel, soit digne de respect, c'est là pour l'Occident un principe sacro-saint qu'il est sacrilège de mettre en doute. Pourtant ce principe reste formel dans la mesure où il repose sur l'idéalisation de l'individu dont la conséquence inéluctable est son objectivation[25]. N'est-ce pas ce que laisse entrevoir la frénésie technique de notre temps : l'abstraction et l'exaltation de l'individu cohabitent fort bien avec sa réduction à une chose utile ou encombrante. Si le respect est édicté par la généralité d'une loi, il n'y aucune raison qu'il ne passe pas en son contraire : le mépris. À l'inverse, si le sacré n'advient que dans et par son exercice, nul n'est respectable, à moins d'être engagé dans le respect mutuel. Il n'y a de sacré que l'acte de mise en accord des choses et des êtres à l'instant où il est effectué. Le sacré n'est donc pas dans un ailleurs, posé une fois pour toutes ; il exige des participants une vigilance qui à aucun moment ne peut s'assoupir.

Le non-humain est donc ce qui n'est pas encore humain, la matière brute qui doit être éduquée et affinée pour acquérir, dans le geste et la parole, la justesse des accords. Un apprentissage est donc nécessaire. Mais cette justesse n'est pas un secret, elle n'est pas à déchiffrer dans un grimoire. La Voie qui est l'ordre en mouvement ne se dérobe pas aux regards, elle est tout entière visible. Puisque le sacré n'est pas rejeté dans un au-delà, l'invisible ne s'enfuit pas, il est seulement ce que nous n'avons pas encore pris soin de voir et de faire. Le temple de la nature et de

---

25. L'homme en tant qu'individu n'est pas sacré et il ne peut l'être. Que, lors de la cérémonie, un individu tienne une place particulière ou éminente, cela ne fait pas problème, mais qu'il puisse à lui seul représenter la communauté et que victime il puisse tenir lieu du sacrifice pour tous, cette idée n'aurait jamais pu germer dans la tête de quelqu'un qui a vécu peu ou prou dans la mouvance de Confucius. Elle est homogène à une culture qui d'une part conçoit le sacré comme séparé et qui d'autre part donne la prééminence à la représentation aux dépens de l'action.

l'humanité est ouvert et les correspondances qu'il rassemble se trouvent sous nos yeux dans le lieu et le temps où nous sommes. Apprendre le rite est donc chose de tous les jours et qui variera tous les jours. Ce sera, par exemple, s'engager davantage, avec moins de craintes, dans le jeu de la réciprocité, s'adapter par tâtonnements aux différents aspects d'une situation, en acquérir l'intelligence, saisir dans leur subtilité les relations interpersonnelles, prévoir dans le détail les humeurs des participants et les conséquences de l'acte qui est posé en commun. Préparer le sacré, c'est donc faire l'apprentissage de l'humain, c'est « entrer dans de nouvelles situations exigeant de nouvelles formes de conduite, de nouvelles obligations, de nouvelles manières de céder et de prendre. Tant que le rite n'est pas appris, l'existence humaine ne peut être réalisée [26] ».

L'apprentissage n'est jamais terminé, car quelque chose de la subtilité et de la complexité de la situation nous échappe sans cesse, et cependant il se termine à chaque instant par l'acte qui nous fait entrer dans le rite, rite qui reproduit pour chacun dans la communauté humaine l'ordre de la Voie. Or cet acte suppose un saut qui nous fait peur. Nous voulons bien analyser ce qui se passe et imaginer ce qui pourrait se passer, mais nous redoutons d'être emportés, si nous entrons dans le mouvement des choses et des êtres. N'allons-nous pas devenir prisonniers du rite et serviles à l'égard des liens qu'il implique ? Avant d'être passés à l'intérieur du chemin et d'y avoir fait nos premiers pas, nous craignons de ne plus disposer des repères que nous donnait la distance du regard. Choisir la situation qui est imposée apparaît comme une démission et comme un esclavage. À l'inverse, lorsque le pas est franchi, le pouvoir d'adhérer à la situation se révèle identique au pouvoir de la transformer, parce qu'il participe alors à la puissance du chemin qui ne s'arrête jamais. Nul moyen de modifier la situation, si on ne commence pas par s'immerger en elle et, puisque cette

---

26. Herbert Fingarette, *Confucius, The Secular as Sacred, op. cit.,* p. 48.

immersion est active, nous ne subissons plus. Le pouvoir créateur de l'homme atteint la pleine puissance chaque fois qu'il renonce à se vouloir l'origine du pouvoir, c'est-à-dire chaque fois qu'il se place au lieu de son impuissance, là où il reçoit la force de la Voie. Il n'est besoin d'autre explication à l'efficacité de la cérémonie rituelle, que nous avons tendance à dévaloriser en la considérant comme magique.

Il est facile de voir maintenant que ces deux conceptions du sacré commandent des orientations thérapeutiques opposées et qu'elles sont donc dans notre pratique de la plus grande conséquence. La première sépare le sacré du profane, parce qu'elle place l'être humain face à la vie, dont il a besoin et qui en même temps le menace. Il en a peur et, pour guérir cette peur, il va inventer les moyens de la dominer et de lui ravir sa puissance. La vie devenue hostile est un objet à comprendre et à défaire pour être recomposé à volonté. De là, dans notre culture, toute une série de séparations que l'histoire a peu à peu engrangées, celle du ciel et de la terre, celle de l'esprit et du corps, celle de l'individu et de la communauté, celle du sujet et de l'objet. À la source de la maladie humaine, il y a tous ces clivages, mais, parce qu'ils sont pour nous des évidences et comme une seconde nature, il est normal que les thérapies en adoptent le modèle. On cherchera la ou les causes de la maladie, considérée comme un objet parmi d'autres, et on administrera des remèdes. On procédera de la même manière à l'égard des maladies fonctionnelles et on se demandera pourquoi il en est ainsi, essayant de remonter dans le passé pour découvrir la raison des troubles. L'interprétation ou la prise de conscience seront par exemple en psychanalyse les clefs du succès. Mais de telles procédures ne font qu'entériner les séparations et risquent à plus ou moins long terme de les accentuer.

Si nous nous inspirions de l'autre conception du sacré, celle qui ne le distingue pas du profane, alors les séparations et les clivages qui font notre peine pourraient être sans doute atténués. Il s'agirait de penser le symptôme, non plus comme un objet à circonscrire et à réduire, mais comme un arrêt, une défense engendrée par la peur de la vie, une isolation dans un ensemble, une crainte de voir l'énergie circuler dans notre corps et au sein de nos relations aux êtres et aux choses. Le but de la thérapie ne serait pas de comprendre, mais de faire ou de refaire les apprentissages nécessaires au passage les uns dans les autres, et chacun à leur place, de tous les constituants de l'être humain. Non pas aller chercher quelque part une force ou une représentation qui viendrait à bout du symptôme, comme cela arrive lorsqu'un anticorps attaque un antigène, mais faire sauter les barrages qui retenaient la vie, de telle sorte que cette dernière puisse se propager dans la totalité de la personne et que cette personne, ayant trouvé ou retrouvé son intégrité, se mette en accord avec son environnement. Le symptôme est alors compris, non par le truchement d'une interprétation savante, mais, au sens étymologique du mot, pris avec tout le reste. Guérir, grâce à l'interrelation avec le thérapeute, c'est faire tomber les séparations qui sont le fruit des systèmes de protection, c'est faire que tout s'échange en la personne, autour d'elle et avec elle. Il s'agit non plus d'expliquer un phénomène, mais de revenir à la source de toute transformation, de faire un saut dans le flux des forces de vie, de poser un acte qui laisse venir une harmonie qui était déjà là et que, par peur d'être emportés, nous tenions à l'écart.

XIV

EN GUISE D'APOLOGUE

Une petite fille avait décidé que les mots étaient rares. Non, bien sûr, elle n'ignorait pas, de la hauteur de ses huit années accomplies, que les dictionnaires existaient. Elle avait vu sa mère en tourner les pages, lorsque, croisés ou fléchés, les mots absorbaient son attention. Ce n'est pas qu'il n'y ait pas beaucoup de mots et qu'elle fasse mine de nier l'existence de beaucoup de mots, mais elle voulait qu'ils fussent rares, rares comme les choses chères, non pas chères selon les règles de la monnaie, mais chères parce que chéries. Lorsqu'elle ouvrait sa boîte à bijoux, elle comptait les pacotilles que ses amies lui offraient pour son anniversaire. Nullement des objets précieux, comme les colliers ou les bagues de sa mère, mais, pour elle, si nombreux qu'ils soient, accumulés pendant tout ce long temps de vie, ils étaient bien plus précieux, bien plus rares ; rares d'avoir été maintes fois touchés, palpés, nommés avec patience.

Que s'était-il passé dans son enfance ? lui demandaient les psychologues interrogés par les parents inquiets. Quel traumatisme avait-elle subi pour en être venue à cette extrémité ? Elle avait déclaré qu'elle n'avait nulle envie de jouer les martyrs analysés. La réponse était pour elle évidente. Rien d'autre que ceci : dès les premiers mois de son séjour dans le ventre originaire, elle avait subi le vacarme

231

de mots égrenés en chapelets infinis et, même la nuit, le bonheur de sa mère se formulait à voix haute et sans terme. La petite fille était certes indulgente à l'égard de cette tendresse intempestive, mais elle avait jugé que c'en était trop. D'où sa détermination, sans doute quelque peu obsessionnelle, de se servir des mots avec moins de désinvolture et de sans-gêne. En vérité, elle était allée plus loin, sans doute un peu trop loin, jusqu'à bannir l'aisance et se munir d'une immense précaution. Pour elle désormais les mots étaient rares, ils seraient rares, ils devraient être rares, parce qu'elle voulait les émettre avec un soin passionné. De cela elle estimait n'avoir nul besoin de guérir.

Mais elle se demandait pourquoi elle devait se faire croire qu'il n'y avait pas beaucoup de mots. Elle se répondait que, lorsqu'une denrée était en abondance, on n'y faisait plus attention. Elle avait vu à la télévision comment les hommes politiques parlaient, parlaient très bien comme elle n'aurait pas pu le faire, faisaient des discours sans buter sur aucun mot, ce qu'elle jugeait admirable, parce qu'elle-même cherchait souvent ses mots et souvent ne les trouvait pas. Mais ces discours ressemblaient fort au geste des agriculteurs – cela aussi elle l'avait vu à la télévision – déversant dans les rues des villes des tonnes de pêches qu'ils ne pouvaient pas vendre à un bon prix, mais que par là ils dévaluaient encore davantage, comme les politiques qui se plaignent de ne pas être entendus, alors que leur bouche est devenue un déversoir de mots défraîchis, qui ne signifient plus rien et qui ont plutôt tendance à endormir.

Elle avait donc fait ainsi une double découverte qui justifiait la règle d'avarice à laquelle elle s'était promise de ne jamais déroger. Si l'on considérait les mots comme une denrée rarissime, on était obligé de faire très attention à leur sens. Cette réponse à la question, elle le sentait, n'était pas assez précise, car elle reconnaissait que les hommes politiques ne faisaient pas de faute de français, qu'ils utilisaient donc les mots dans leur sens, dans le sens que la langue donne ordinairement à ces mots. Il s'agissait de quelque chose de plus subtil. L'avare de mots est soucieux de faire surgir un sens, une signification, une intelligence des faits et des situations. Les bavards politiques n'expliquent rien, n'ouvrent pas à la nouveauté d'un sens, n'éclairent pas l'obscurité de l'existence. Elle avait cru pouvoir se contenter pendant des mois de parsemer ses journées de quelques mots qu'elle laissait tomber de sa bouche comme des pétales de couleurs diverses apportés par le vent, sur les chemins, après la floraison. Elle estimait que cette méthode était à la fois très respectueuse des mots et suffisante pour se faire comprendre. Mais ses amies de l'école, et même ses parents, l'avaient prise pour une attardée. Par exemple, quand elle disait « table » en insistant bien sur le a pour faire sentir qu'il s'agissait de quelque chose d'étendu, de large, de spacieux, on ne savait jamais si elle parlait de la table de la cuisine ou de celle de multiplication. Plus tard elle avait appris que c'était encore beaucoup plus compliqué, que l'on pouvait évoquer, entre beaucoup d'autres significations, la table de l'enclume ou les tables de la loi. Avec ce simple mot lancé, tout un monde proliférait, s'agitait, se déchaînait : les artisans de la forge, les maîtresses de maison, les joueurs de trictrac, les musiciens avec leur guitare ou leur luth, les graveurs, les diamantaires, les banquiers et les prophètes, car tous pouvaient exciper d'une table. Quelle avalanche ! La rareté d'un simple mot bien prononcé se ruait sur la petite fille comme en une troupe de prétentieux dont chacun réclamait la place d'honneur. Comment venir à bout, pensait-elle, de l'effet pervers de cette avarice à laquelle pourtant elle demeurait attachée plus que jamais ? Dans sa colère, elle affirmait encore que personne ne pourrait la faire dévier de sa résolution. Au petit matin elle avait rêvé d'un feu d'artifice. Le dieu de la nuit lui faisait comprendre qu'elle pouvait transformer en jeu d'étoiles la bombe de sens que les méchants avaient fait éclater sous ses pieds pour lui faire peur et pour la décourager de poursuivre son entreprise.

La seconde découverte avait accentué sa détermination. Que l'on puisse utiliser les mots pour endormir – car l'opération des politiques n'avait pas d'autre fin –, c'était à ses yeux un scandale insupportable. Cette expérience avait été décisive – même si elle se souvenait à l'inverse que dans le liquide maternel le bavardage de sa mère avait le don de l'empêcher de dormir. Elle avait écarté cette objection en estimant qu'il s'agissait alors d'un bruit ou même, pour tout dire, d'un vacarme, et donc pas de cette douce voix de la lumière du jour qui nous susurre d'émerger peu à peu du royaume des songes. Elle voulait que le langage humain soit fait pour réveiller, pas réveiller en sursaut, mais pour éveiller l'esprit, pour aiguiser l'attention, pour affiner le sens par les sens. En constellant ses journées de mots rares, elle avait maintes fois constaté qu'elle obligeait ses interlocuteurs – du moins ceux qui étaient bienveillants – à tendre l'oreille, à écarquiller les yeux, à bander leur corps. C'est cela qu'elle voulait pour que les mots soient respectés. Mais elle n'était pas tout à fait rassurée, car certains, de plus en plus nombreux, se fatiguaient de la voir répandre sa rareté avec tant de soin. Ils la disaient précieuse et donc un peu ridicule. Pour tout avouer, pour tout s'avouer à elle-même, elle avait constaté avec effroi qu'ils avaient même tendance à s'endormir. Alors elle s'était mise à réfléchir. Il devait y avoir plusieurs sortes de sommeil, un sommeil qui endort et un endormissement qui réveille. Mais n'était-il pas un peu osé de faire jouer les mots de cette façon ou n'était-ce là qu'un simple jeu de mots ? Pourquoi, après tout, son avarice de mots, qui devait éveiller, n'aurait pas quelque chose à voir avec le sommeil, un bon sommeil réparateur ? Car enfin il faut dormir son comptant pour se réveiller du bon pied. D'ailleurs entre les mots dont « elle parsemait les jours comme autant de pétales tombés sur le chemin », il y avait des temps d'arrêt, des soupirs de musiciens, des bâillements et quelque ombre de sommeil. Elle réfléchissait. Mais, plus elle réfléchissait, plus sa pensée s'embrouillait. Comment concilier l'avarice qui réveille avec celle qui endort, qui serait donc du côté du sommeil et du repos qui se ferment sur eux-mêmes et qui retirent alors l'envie de parler ? Plus d'une fois, à la recherche de la rareté, elle avait été aspirée par un fond d'obscurité, l'abîme d'un chaos dont justement parfois pouvait surgir le mot exact. Mais tout cela restait assez confus. Elle se sentait troublée, vaguement inquiète.

Ce trouble et cette inquiétude l'avaient contrainte à inventer quelque chose et à tester une autre stratégie. Elle s'était résolue à faire des phrases. Le problème était le suivant : comment faire des phrases pour que les mots résonnent d'un bon sens, d'un sens juste ou plutôt éclatent d'un sens épanoui, gonflé de sève, luxuriant ? Il s'agissait d'apprendre à sertir un mot dans une phrase. Pour s'y entraîner, elle avait pensé que le bon moyen était de se promener dans Paris et de passer des heures devant les vitrines des meilleurs bijoutiers. Ceux de la place Vendôme lui avaient paru incomparables. Elle connaissait par cœur, c'est-à-dire par les yeux du cœur, les styles qui différenciaient chacun d'eux. Chercher ce qui n'avait l'air de rien, ce qui avait l'air de rien, ce qui devait passer inaperçu, tant c'était bien là où il fallait qu'il soit, intégré à la main, au cou, au buste, ce qui pouvait être, dans l'éclat, au plus près de l'avarice, comme les mots qui explosent d'angoisse ou de plaisir, mais qui rentrent dans leur secret par la proximité paisible d'un sens qui ne saurait être entendu par n'importe qui. Chaumet ça n'avait l'air de rien, parce que le rien ne pouvait donner aucun air. Des phrases qui se forgent avec une belle matière lumineuse et qui s'éteignent dans la banalité du propos. Et puis le contraire de l'avarice : Van Cleef, c'était trop, impossible de ne pas en rester à la richesse imposante qui jamais ne s'estompe et ne se cèle, un style trop voyant que manient ceux que l'on ne peut s'empêcher de nommer écrivains. Elle préférait entre tous Mauboussin : le respect suprême, celui qui vraiment n'a l'air de rien, qui reste en silence, comme l'émeraude de sa mère quand fiancée elle était encore étudiante et que personne ne remarquait, alliage de l'or et de la pierre, de l'or blanc plus discret encore parce que l'on pouvait le prendre pour de l'acier. Regardant la vitrine, elle savait déjà quel doigt le porte et quel visage inattentif, parce qu'il n'a nul besoin de parure ou que cette parure le répète, un mot qui passe inapprécié parmi d'autres et qui dit seulement la chose à dire. Une avarice somptueuse tout entière dans le voilement et le retrait. Sobre avarice des poètes.

Elle avait parlé à son père de son apprentissage auprès des bijoutiers pour atteindre à l'avarice des mots. Il l'avait mise en garde en lui citant Mallarmé : « L'enfantillage de la littérature jusqu'ici a été de croire, par exemple, que de choisir un certain nombre de pierres précieuses et en mettre les noms sur le papier, même très bien, c'était faire des pierres précieuses. Eh bien ! Non ! La poésie consistant à créer, il faut prendre dans l'âme humaine des états, des lueurs d'une pureté si absolue que, bien chantés et bien mis en lumière, cela constitue en effet les joyaux de l'homme : là, il y a symbole, il y a création, et le mot poésie a ici son sens : c'est, en somme, la seule création humaine possible. Et si, véritablement, les pierres précieuses dont on se pare ne manifestent pas un état d'âme, c'est indûment qu'on s'en pare... La femme, par exemple, cette éternelle voleuse... »

– Mais, papa, arrête. Qui est cet ignoble Mallarmé dont tu me cites un passage ?

– Je pense que tu l'aimeras. D'abord son œuvre est rare. Si on met de côté sa participation aux journaux de mode, il nous en reste quelques centaines de pages. Mais c'est surtout sa façon très précieuse d'utiliser les mots qui l'apparente à l'avarice que tu cultives. Parfois on se demande s'il écrit des phrases. Dans certains poèmes il faut attendre longtemps pour trouver le verbe principal qui peut aller jusqu'à passer inaperçu, comme dans *Sainte* par exemple. Essaie de chercher dans les huit premiers vers ; tu ne trouveras qu'un malheureux petit verbe être à la troisième personne du singulier. Et, dans les huit suivants, rien de plus. Ce qui compte, ce sont les substantifs, les mots dont « tu parsemais tes journées en les laissant tomber de ta bouche comme des pétales aux diverses couleurs » ; les verbes sont réduits au statut d'adjectif. Comme tu l'as déjà appris à l'école, les verbes expriment une action, donc un mouvement, une force qui se montre et se déploie. Or c'est cela dont je suppose que ton avarice veut se garder : surtout retenir les mots, contenir leur richesse, garder intact leur énergie, que rien n'en sorte et ne se répande au-dehors.

– Mais pourquoi ce titre de *Sainte* ?

– Si tu veux, on y reviendra une autre fois. Je crois que nous n'avons pas suffisamment parlé des quelques lignes que je t'ai citées.

– De toute façon je voulais t'interroger là-dessus, parce que je trouve inadmissible de dire : « La femme, par exemple, cette éternelle voleuse. » Ce « par exemple », qui l'introduit dans une multitude, est le comble du mépris.

– Je ne serais pas étonné que des psychanalystes désœuvrés fassent une recherche approfondie et scientifique pour démontrer que Mallarmé était misogyne. Cela ferait partie de ces travaux savants qui, à grand renfort de linguistique ou de révolution quantique, et payés par le gouvernement, s'il vous plaît, veulent prouver ce que tout le monde sait depuis toujours. Car il va falloir que tu t'y fasses, ma petite chérie, tous les hommes sont misogynes, comme toutes les femmes sont misandres. C'est pourquoi ça ne vaut pas la peine d'en parler.

– Tout de même, qu'est-ce que raconte Mallarmé, qu'est-ce que cette histoire d'état d'âme ?

– Si c'est le mot âme qui te trouble ou qui ne répond à rien dans ta culture d'enfant d'aujourd'hui, il y a d'autres manières de dire la même chose. Ce qu'exige Mallarmé, c'est un tout cohérent. Les parures authentiques n'ajoutent rien. En quelque sorte elles ne parent pas, parce qu'elles ne cachent pas, elles ne détournent pas l'attention, elles se doivent au contraire si conformes, si suiveuses et suivantes des femmes qui les portent, qu'elles se rendent invisibles, incapables d'être distinguées. Il n'y a pas le corps, les mains, le visage de la femme et puis, par-dessus, pour faire oublier ce corps, ces mains, ce visage, une coiffure, des vêtements, des bagues, des colliers, des boucles. Voleuse, celle qui se pare de ce qui la dépare, de ce qui accentue la distance entre ce qu'elle est dans son port, dans son maintien, dans son allure et ce dont elle s'affuble. Tu vois ce que je veux dire ? Que les parures soient encore et déjà son corps.

– Si je comprends bien, ce que demande ton Mallarmé, c'est d'introduire l'avarice dans tous les gestes, de telle sorte que le langage ne soit jamais à part du corps, qu'il en sorte comme la rosée du matin au soleil levant.

– Exact. Impossible d'atteindre à l'avarice des mots sans accéder à l'avarice des gestes. Je me souviens avoir vu à Tai Shan, dans un square, des Chinois tournant autour des arbres. Quand je dis que j'ai vu, c'est faux. Car ils procédaient avec une telle lenteur qu'il était impossible de percevoir leur déplacement et pourtant ils se déplaçaient. Ils me faisaient penser à des plantes que l'on voit grandir au cours des semaines ou des mois et dont toutefois la croissance échappe à nos regards. Les touristes qui cherchaient à les imiter montraient leur ridicule. Au lieu d'une souplesse invisible à se mouvoir, des corps tendus, crispés, sans équilibre, qui allaient de saccade en saccade. Aristote, que tu liras un jour, définit le vivant par la sensation et le mouvement. Il inclut, dans la catégorie du vivant, les plantes ; elles n'ont pas la faculté de locomotion, mais elles se meuvent par la croissance. Tout irait mieux, si les hommes retrouvaient la vie sous la forme de la plante : se mouvoir sans bouger et parler dans le silence.

– Tu voudrais que l'on se taise et que l'on ne parle plus que par gestes. Est-ce que tu m'invites à devenir une demeurée qui n'a plus l'usage de la parole et qui ne peut parler que par signes, qui serait alors moins qu'un animal ? Ce n'est pas du tout ainsi que je veux pratiquer mon avarice des mots.

– Rassure-toi, je n'ai aucune intention de ce genre. Il s'agit de quelque chose de beaucoup plus rusé, de beaucoup plus élevé, probablement d'inaccessible. L'avarice dont tu rêves – et je dis bien rêver – est un idéal et, comme tout idéal, elle est dangereuse. Il faudrait pouvoir l'atteindre comme la chose la plus banale, la plus évidente, la plus quotidienne. L'important, tu vois, n'est pas la vérité, mais la justesse. Je crois que c'est cela que tu aspires à pratiquer par l'intermédiaire de ton avarice. Juste, pas comme la justice, mais comme le ton. Au nom de la vérité les plus grands crimes ont été commis, crimes qui tuent les corps, mais crimes, peut-être plus graves encore, contre l'intelligence. Dans ma jeunesse, j'aimais bien répéter la formule attribuée à Aristote (mais je pense que c'est une fausse attribution, car Aristote ne s'est jamais éloigné de l'observable, du réel le plus visible, il était obsédé par la justesse, de plus il n'a jamais manqué de respect à l'égard de Platon ; il a même attendu la mort de celui-ci pour commencer à exposer ses propres idées). Tu m'excuses de cette digression, voici la formule : « *Amicus Plato, magis amica veritas* », comme s'il fallait abandonner les amis qui ne se conforment pas à ce que nous estimons être la vérité. Je pense maintenant que cette formule est une abomination. Si la vérité ne va pas avec l'amitié, alors c'est elle qu'il faut fuir. Avec la justesse, rien de pareil. Un ton juste est celui qui est en accord et, plus il est juste, plus l'accord s'étend de proche en proche à tout ce qui existe. Celui qui chante faux, qui parle faux, qui agit faux, celui-là s'exclut de l'accord et c'est à ce moment qu'il risque de pervertir l'amitié.

– Je trouve que tu t'éloignes du sujet. Explique-moi encore pourquoi l'avarice des mots a besoin de l'avarice des gestes.

– Si je te comprends, il me semble que l'avarice devrait se définir comme un extrême retrait. Il s'agirait d'exclure tout ce qui dépasse, tout ce qui se montre, tout ce qui n'est pas fondu. Atteindre à quelque chose qui ne peut se percevoir et qui est plus essentiel que la parole ou le geste, que la nomination et le déplacement dans l'espace, mais en même temps quelque chose qui les rend possibles. Personne ne s'est attardé, à ma connaissance, au fait qu'Aristote, comme je te le disais, inclut les plantes parmi les vivants. C'est là un trait génial comme il y en a tant dans son œuvre. La plante est douée de sensation et de mouvement. Mais le sentir est ici dépourvu de la faculté d'imagination, il ne comporte que le toucher nécessaire au nourrissement. Quant à sa capacité de mouvement, elle ignore la locomotion et se limite à la croissance et à la corruption. Ton avarice devrait te permettre d'accéder à ce dépouillement de la plante et ainsi tu serais au plus près de ce qui fait la vie : le toucher, la génération et la déchéance. Impossible d'atteindre la vie en tant que vie, parce que ce serait tout de suite la mort. Mais il doit être possible, d'avarice en avarice, de se réduire à la forme première de la vie, à sa manifestation élémentaire, celle de la plante. Se mettre en position de croissance et donc accepter la déchéance de tout ce qui entrave la poussée de la vie. Être une racine qui puise le suc dans la terre, un tronc qui laisse passer la sève, une feuille qui capte le rayonnement du soleil. Comme si l'on remontait peu à peu de l'estuaire d'un fleuve, en passant par les rivières qui l'ont formé, jusqu'au filet d'eau initial qui révèle la présence de la source. On ne sait pas d'où elle vient, et il serait téméraire de chercher à le savoir, mais on peut accueillir sa venue.

– Tout cela est bien beau, mais quel rapport avec l'avarice des mots qui seule m'intéresse ?

– Quand il m'arrive d'avoir une journée tranquille pour écrire, tu me vois de temps à autre m'interrompre et sortir pour aller faire une promenade. C'est que le flot des idées s'est interrompu et la peine que l'on se donne ne peut rien contre la sécheresse ; il faut attendre que la pluie revienne et que l'eau coule à nouveau. La marche remplit cet office. Car, pour penser, il faut ne plus penser, ou repousser les pensées dans le corps pour les rendre imprenables. Comme l'avare qui enfouit ses richesses en sa cassette et la ferme avec méthode pour qu'il n'en sorte rien. Et s'il ne peut les faire rentrer parce qu'elles s'affolent en rêveries, en bon avare rusé, il fait comme s'il ne les voyait pas pour les préserver des voleurs mieux encore que si elles étaient sous

240

clef. Marcher, c'est se rendre présent à son corps, le mettre en mouvement, l'habiter de telle sorte que l'intérieur et l'extérieur soient une seule et même chose. Il n'y a plus alors de pensée que celle du corps, il n'y a plus de corps que la pensée.

– Mais qu'est-ce que ça veut dire ? La pensée est toujours distincte du corps.

– C'est peut-être ce que tu entends dire autour de toi, mais ce n'est pas conforme à ce que ton avarice te souffle à l'oreille tous les jours. Je vais te dire quelque chose que toi seule peux savourer à partir de ton expérience : il n'y a de pensée que du corps. Bien sûr il y a des gens qui ont des tas d'idées, il y a des cerveaux qui fonctionnent comme des ordinateurs, il y a même des politiques qui veulent tout régenter à partir de ce qu'ils appellent leur intelligence. Je parle de la pensée qui fait agir l'être humain dans son humanité, la pensée des poètes et des créateurs en science, en philosophie, en littérature, en art, en musique. Le philosophe Gao Panlong (1562-1626) l'a dit en une seule phrase : « C'est l'ensemble corporel, c'est le corps tout entier qui est l'esprit. » Tu as bien entendu : non pas « qui est esprit », mais « qui est l'esprit ». L'esprit, c'est le corps tout entier. L'esprit, c'est ce qui fait que le corps est entier, et il ne peut pas être distingué de cette entièreté. Quand tu rends le corps entier par la marche, une marche pleine, absorbée, suffisante, alors il est l'esprit. La pensée retrouve sa force et recommence à se déployer, les mots justes affluent en abondance, les phrases te parviennent bien ficelées et bien ciselées. L'avare de mots est un avare de pensées, l'avare de pensées est un avare de corps, l'avare de corps est celui qui ne montre plus rien, parce que, dans sa plénitude, il accède à la banalité. La plus sûre cachette de l'avarice, c'est l'ordinaire des jours. Tu le sais bien, ton avarice de mots est une façon de les concentrer et de décupler leur puissance.

– Dis-moi encore ce que je devrais faire pour expérimenter cette avarice généreuse.

241

– J'ai rencontré en Chine un sage que, par moquerie ou par respect, ses proches avaient nommé Confucius. Il se concentrait, se concentrait, se concentrait, il nommait cela la perte des mots, il les faisait disparaître comme s'il n'en avait jamais possédé, il les cachait ainsi aux regards des autres et plus encore, pour que la cachette soit invisible, à ses propres yeux. Il n'y avait jamais eu de mots, jamais n'avait existé le langage au point que l'on pouvait s'en passer et que toujours on s'en était passé. Ce n'était pas le degré zéro du langage, c'était son effacement pour toujours et depuis toujours. Pour pouvoir penser, pour pouvoir commencer à penser de tout son corps, pour que la pensée sorte enfin de tous les pores de sa peau, qu'elle suinte comme la sueur produite par un bel été sur une route de campagne sans trop de platanes, un corps de pensée qui s'exhale comme l'odeur des feuillages, imperceptible parce que si sûr, si imprenable, si enfermé dans sa propre substance qu'elle peut se répandre partout sans jamais être perçue, bien celée à celui-là même qui la respire.

– Tu veux dire une odeur d'avarice, comme j'ai entendu grand-mère parler d'odeur de sainteté. L'autre jour, quand ton ami sinologue est venu dîner à la maison, il a parlé de Confucius, le vrai de je ne sais pas combien de siècles du début. Il disait que les Occidentaux ne pouvaient pas comprendre la banalité de ce qu'il écrivait, moi je dirais, une très forte odeur de banalité. Il disait que l'on ne comprenait rien, parce que cette banalité des propos était une manière habile et souple de renvoyer chacun à sa propre odeur. Si Confucius avait senti lui-même quelque chose, il aurait empêché son interlocuteur de se sentir lui-même. Tu ne crois pas que l'on pourrait dire que, avec l'avarice de l'odeur, on peut tout goûter, avec l'avarice du silence les mots sont beaucoup plus forts, avec l'avarice du recueillement on peut déployer son action dans toutes les directions, avec l'avarice de l'énergie on devient un hercule. Que le plus visible devienne l'invisible et que l'invisible devienne à son tour évident, patent, reconnaissable, incontestable. Il n'y a plus que l'évidence d'une présence qui ne se voit pas, comme les sages que l'on ne peut jamais reconnaître, qui ne se font jamais reconnaître comme sages.

– Si tu continues à me réjouir par de tels propos, je crois que je vais devoir devenir avare de ma fille pour l'enfoncer dans le bonheur de la solitude et lui permettre de s'ouvrir à la multitude de ses chemins.

– Je sais que nous parlons depuis longtemps, tu dois commencer à être fatigué. Mais je voudrais tout de même que tu me dises un peu du *Sainte* de Mallarmé. Je t'ai demandé pourquoi il l'appelait comme ça.

– Mallarmé est le plus retors des poètes. Écrivant ce poème pour souhaiter sa fête à une Cécile de ses amis, il allait de soi qu'il évoque l'image traditionnelle de la sainte jouant de la viole, sous la protection d'un ange, un livre ouvert à ses pieds. Comme s'il se contentait de décrire la *Sainte Cécile* de Saraceni. Ce serait mal connaître Mallarmé que de s'attendre à ce qu'il nous raconte une histoire. Le sacré de l'image pieuse se délite jusqu'au ridicule. La sainte est « pâle » comme la mort, elle joue de la harpe, mais la harpe est l'aile de l'ange, un « plumage instrumental ». Le précieux « santal » se « dédore », le chant d'église « ruisselle », tout est réduit à la vulgarité d'une vitrine de luthier. Et le poème, dont certains disent que c'est l'un des plus beaux de Mallarmé, se termine par un oxymoron facile : « Musicienne du silence. » Tu as pensé longtemps que l'avarice consistait dans l'économie extrême des mots. Celle de Mallarmé fait rentrer tout le religieux dans le chatoiement de tous les sens – la vision à la fenêtre, l'odeur du santal, le frôlement des cordes, l'écoute du rien – pour les cacher dans le dérisoire de l'usure du temps et du vide des sons et des mots. Ne plus faire exploser la richesse du sens par la rareté des paroles, mais la perdre par des mots qui s'entre-détruisent et que les torsions de la syntaxe exaspèrent.

Je ne vous raconterai pas l'histoire de la petite fille jusqu'au jour où elle est devenue grande, devenue femme.

Avec les prémices que vous savez et qu'il faut dire un peu étranges – il faut même aller jusqu'à le dire, un peu folles – on pouvait s'attendre à un grand malheur. Mais, comme le pire n'est pas toujours sûr, c'est le bonheur qui vint au rendez-vous. Car, des rendez-vous, elle en eut de nombreux et des meilleurs. Elle fut aimée. Et savez-vous pour quelle raison ? Vous vous en doutez bien un peu. Ce fut grâce à son avarice. Non plus seulement l'avarice des mots, où sa pratique des poètes lui avait permis de toucher à la perfection, ni l'avarice des gestes, acquise par de longues années de fréquentation des maîtres du Tai-Chi. Non, bien mieux encore, ou tout au moins pour couronner ce corps d'avarice qu'elle était devenue : l'avarice des désirs.

Je sens que vous allez virer au gris de la morale et me jeter à la figure une brassée d'*anekou kai apekou*. Vous n'y êtes pas du tout, car l'avarice des désirs est l'avarice de l'interprétation. Elle ne fut pas indifférente à la satisfaction de ses désirs, simplement elle était préparée à ne l'avoir jamais. Elle savait attendre, non pas que quelqu'un vienne enfin la combler, mais que son attente soit à tel point parfaite que le tout et le rien s'échangent, se confortent, se ressemblent et s'identifient. Il y avait bien longtemps qu'elle n'interprétait plus ; un fait était un fait. Elle avait vu s'éloigner les constructions faciles que les romans ou le savoir des psychologues proposaient en vue de tout comprendre de ce qui pouvait se passer entre les femmes et les hommes, elle avait fait cesser ses ruminations sur les griefs et sur les manquements de tel ou tel, puis s'était laissée tomber dans le factuel et dans l'évidence. Il y avait seulement des choses qui se passaient ainsi. Elle ne voyait pas pourquoi elle prendrait encore la posture de la victime ou de la délaissée. Elle était comme ça et les autres aussi étaient comme ça.

L'avarice de l'interprétation avait décuplé l'avarice de ses désirs, leur formidable puissance cachée. Elle sentait qu'il y avait en elle des désirs tellement forts, tellement remplis de jus comme les raisins après un été flambant de chaleur et d'un bon vent du nord, qu'elle voulait les garder intacts, pas du tout pour n'en faire goûter personne, mais parce qu'elle savait que personne ne pourrait les goûter. Elle ne le reprochait à quiconque ; ils étaient ainsi, ils ne pouvaient pas et voilà tout. Elle ne le regrettait pas, puisque la vie avait cette forme et qu'elle n'avait pas l'intention de refaire le monde.

Non seulement elle n'exigeait rien des hommes qu'elle rencontrait, mais elle n'en attendait rien, c'est pourquoi elle était toujours disponible, disponible instant sur instant, pas par suffisance, mais par désespoir définitif. Son avarice de désir était seulement la fin, la mise à l'écart, le tournement de page de l'espoir qu'un jour, par quelqu'un, l'espérance pourrait être remplie. Son désespoir l'avait conduite à redoubler d'avarice. Elle avait été prête alors à prendre les plus petites gouttes d'affection, de tendresse, d'amour comme quelque chose d'inattendu, de non dû, comme le rare soleil d'automne, comme l'inexplicable fraîcheur d'été dans les déserts humides du Sud.

Son désespoir et les malheurs que la vie s'était chargée de lui octroyer largement (dont elle avait été nantie, pas plus que d'autres, mais autant que d'autres) lui avaient permis d'accumuler tant de joies qu'elle en avait toujours à donner et à revendre, pas pour obtenir quelque chose en retour, mais parce que ça débordait. Il faut bien que l'avarice s'allège de loin en loin de ce qu'elle a gardé, empilé, entassé durant les semaines et les mois. Son désespoir n'avait rien de commun avec la mélancolie ou avec cette hypocondrie qui se plaint toujours. De quoi se plaindre quand on a préservé une telle plénitude et de quoi encore avoir besoin ? Elle était prête au hasard, à la multitude des choses infimes, les seules qui puissent combler. Elle était comme une voile qui se déshabitue des tempêtes pour apprécier la caresse de la moindre brise. La continuité qu'elle avait établie avec tout, lui permettait d'interrompre sans heurt.

Elle se réjouissait en secret d'avoir cultivé, au long de la douceur et de la dureté des jours, la vertu d'avarice.

PETIT GUIDE DU CHANGEMENT

*Regulae ad directionem mutationis ordine
geometrico demonstratae*

*RÈGLE I : Le changement de la relation à soi, aux autres et
à l'environnement est en proportion inverse de la volonté de
changement.*

Démonstration : Le changement est un mouvement qui va
d'un état à un autre. Il est donc impossible d'accéder au
second si l'on n'est pas d'abord passé par le premier. Mais
cette opération ne va pas de soi, car il n'est pas naturel à
l'être humain d'être pleinement là où il est. Donc pour commencer à changer, il lui faudra d'abord s'assurer qu'il a
investi le point de départ. Il ne doit donc pas se soucier de
changer. CQFD.
Explications : 1. Il s'agit en effet de prendre la situation
telle qu'elle est dans tous ses registres et toutes ses dimensions. Donc endosser le malaise, la difficulté, la souffrance,
le symptôme. Il s'agit de prendre sa place, toute sa place,
telle qu'elle est imposée par l'histoire, par les autres, par les
circonstances et ne rien vouloir en modifier. Le but de l'opération est de retourner le signe du rapport à la situation : au
lieu de la passivité, l'activité.

2. Et, pour être sûr d'avoir adopté la situation, la penser
comme durable et même sans fin, c'est-à-dire vérifier l'indifférence au résultat du processus de changement. Se mettre
en égale balance à l'égard des contraires qui pourraient
advenir, à savoir l'efficacité ou l'inefficacité de la cure. Cette
indifférence a pour but de faire cesser toute crispation dans
la recherche du but, car cette crispation inhibe l'énergie qui
sera nécessaire au changement éventuel. Se libérer de la
volonté et du désir de changer ouvre à la légèreté de la force.

3. Pour être sûr de l'indifférence au résultat, se préparer à ce que, grâce à la cure, la mauvaise situation actuelle s'aggrave. Ceci a pour but de prévenir les réactions négatives au changement. Il n'y a pas, en effet, de modification des habitudes de penser, de sentir ou d'agir sans quelque dommage, sans perte des avantages du *statu quo*. Quelque mort est toujours l'accompagnatrice de la vie. Un changement ne pourra donc être accompli, si vive reste la peur des inconvénients et des peines inhérentes. L'impossibilité de changer vient de la peur de devoir bouleverser trop de choses dans l'existence.

Corollaire : Induire l'hypnose, c'est mettre quelqu'un en état de malléabilité via la confusion. La malléabilité à l'égard du thérapeute s'appelle suggestibilité ; la malléabilité à l'égard de soi et de sa propre existence se nomme disponibilité.

RÈGLE II : Pour modifier la relation à soi, aux autres et à l'environnement, il faut s'en retirer. La force de la modification sera proportionnelle à l'ampleur et à l'intensité du retrait.

Démonstration : La raison du malaise, de la souffrance ou du symptôme est la mauvaise qualité de la relation à soi, aux autres et à l'environnement. Pour modifier cette qualité, il est nécessaire de refondre correctement cette relation. Mais refondre cette relation suppose que l'on fasse retour à l'origine de toute relation et que cette origine soit donnée en tant que telle. Ce qui postule l'arrêt de toute effectuation de la relation, c'est-à-dire le retrait du sans-relation. CQFD.

Étapes du processus : 1. Se couper de toutes les afférences sensorielles, affectives, intellectuelles. Ceci est obtenu par l'induction qui crée un état de confusion de telle sorte que la personne ne peut plus percevoir, se souvenir ou utiliser ses apprentissages antérieurs.

2. Les capacités de perception, de mémoire et d'apprentissage sont alors réduites à l'état de capacité en tant que

capacité, parce que ne s'accomplit aucune effectuation de ces capacités dans la relation à soi, aux autres et à l'environnement. Les capacités sont tenues en suspens. Mais ce suspens n'est pas à interpréter comme un vide intérieur. L'impression de vide naît d'un trop-plein ou d'une complexité tels que rien de particulier n'y est choisi.

3. Les capacités ainsi libérées de toute effectuation relationnelle deviennent actives pour elles-mêmes, à l'instar de ce qui se passe dans le sommeil paradoxal, et peuvent jouer entre elles selon la modalité du possible, c'est-à-dire qu'elles peuvent communiquer entre elles, se réassocier de multiples façons et produire une réorganisation de tout le système de perception, de mémoire et d'apprentissage.

4. Cette potentialité généralisée met la personne sous tension, lui permet de se régénérer et lui fait atteindre un degré maximum de puissance qui est pour l'heure sans détermination.

Corollaire : Le retrait qui, pour une personne, conditionne le changement n'est possible que par le retrait d'une autre personne. En d'autres termes le retrait du patient est toujours une réponse au retrait préalable du thérapeute. Le retrait est un privilège de l'être humain, mais il faut que ce privilège soit manifeste chez un autre pour que la possibilité en soit offerte. De même que l'humanité précède toujours chaque humain à sa naissance et l'invite à y prendre place, de même la négligence de toute détermination, qui caractérise le retrait, ne saurait être effectuée si personne n'en indiquait le chemin.

RÈGLE III : *Le retrait est un suspens des capacités personnelles et il est égal à l'attente de la modification.*

Démonstration : Le retrait a libéré les capacités de toute effectuation pour les reconduire à l'état de possible. Le mouvement de retrait doit être compris maintenant non comme un retour en arrière, mais comme une négligence provisoire qui prépare une nouvelle relation. C'est en ce sens qu'il devient suspens. En effet, puisque les capacités sont capacités de relation à soi, aux autres et à l'environnement, cet état de potentialité est potentialité de réalisation effective. Le renouvellement des capacités effectué grâce au retrait est donc déjà en puissance un mode de penser, de sentir et d'agir autrement cette relation. En d'autres termes la concentration, autre nom du retrait, est déjà l'expansion possible. Les capacités dans le suspens sont tendues vers le changement à réaliser. Le retrait comme suspens est devenu l'attention à ce qui pourrait advenir, soit l'attente d'une relation modifiée. CQFD.

Corollaire 1 : Il ne peut être question de s'attarder à cette expérience du retrait, comme si elle allait nous livrer la quintessence de l'humain ou de son origine. Elle n'a de sens et d'intérêt que reconduite à sa fin, c'est-à-dire à la modification de l'existence. Cette règle est donc superflue en tant qu'elle ne fait qu'expliciter le contenu du retrait. Mais elle n'est pas superflue, car il arrive que le retrait soit goûté pour lui-même et que sa répétition soit recherchée en vue d'une prétendue entrée dans l'au-delà de l'humain.

Corollaire 2 : L'attente de ce qui n'est pas encore advenu ne serait pas supportable sans la proximité de l'attente du thérapeute. Une remarque semblable a été faite dans le corollaire de la règle II. La situation est ici quelque peu différente. Devant être maintenue pendant une certaine durée en direction d'un espace indéterminé, l'attente est très souvent génératrice d'angoisse. Si le thérapeute n'est pas tranquille dans cette attente au cours de laquelle il ne peut ni rien dire ni rien faire à la place du patient, il redoublera l'angoisse de ce dernier et lui rendra l'attente impossible.

RÈGLE IV : La résistance au changement, c'est-à-dire la relation non modifiée, mesure l'intensité et l'ampleur de l'attente.

Démonstration : L'attente, née du retrait, est déjà, en tant que possible, la recomposition cohérente de l'univers du patient, elle en est l'harmonie préfigurée. Mais par ailleurs l'attente, lorsqu'elle revient aux déterminations de l'existence, retrouve la relation qu'elle va devoir modifier, mais qui ne l'est pas encore. Un conflit est inévitable entre cette harmonie possible, mais déjà réelle comme possible, et ce qui fait obstacle à son effectuation, à savoir la difficulté, le malaise ou le symptôme. Donc l'attente dévoile au grand jour ce qui n'est pas compatible avec l'harmonie dont elle est porteuse. L'attente souligne les contours de la résistance au changement, mais, de son côté, la résistance donne la mesure de l'intensité et de l'ampleur de l'attente. Car si les capacités, renouvelées dans le retrait et mises en suspens dans l'attente, ne sont pas assez fortes ou assez étendues pour encercler et dissoudre cette résistance, le changement n'aura pas lieu. À l'inverse, si les capacités renouvelées ont assez d'intensité et d'ampleur pour venir à bout de la résistance, celle-ci disparaîtra. L'attente provoque donc la résistance et à son tour la résistance révèle la qualité de l'attente. CQFD.

Scolie : Le corollaire 1 de la règle précédente avait indiqué que le retrait, qui est devenu l'attente, n'est jamais gratuit. Il n'existe, en effet, que dans son rapport à la relation qui doit être modifiée. Le thérapeute ne doit donc jamais se contenter de produire un retrait même intense ; il doit se souvenir sans cesse du but de la cure ou de la séance et le rappeler à bon escient afin de mettre en contact l'attente et la relation à chaque étape de la dissolution de la résistance. Car le retrait peut n'être qu'illusoire.

RÈGLE V : *Le mouvement spatial et temporel de l'attente est homogène à la modification.*

Démonstration : L'attente se répand dans le présent à partir du futur et elle s'étend aux points cardinaux des composantes de l'existence. Elle est non plus du côté du retrait, c'est-à-dire de la fermeture, mais de l'ouverture ou de

251

l'effectuation. Elle devient l'expectative qui réalise déjà ce qui est attendu, à la manière de l'imagination sans la projection de laquelle aucune réalisation n'est possible, mais avec laquelle la modification est déjà accomplie en puissance. Pour que la modification se réalise en acte, il suffit donc de déployer l'attente. CQFD.

Étapes du déploiement : 1. Se mettre en attente sans but précis pour accentuer la force puisée dans le retrait et donner une forme à l'espace du futur. Entrer dans une complexité qui dépasse et dont il n'est pas question de faire l'analyse des éléments.

2. Imaginer la solution de la difficulté, de la peine, du problème. Le retrait a permis à l'imagination, libérée des effectuations, de fonctionner à plein régime. Elle va pouvoir se rendre homogène à une nouvelle configuration.

3. Supposer le problème résolu et attendre que les conditions de cette solution apparaissent, de telle sorte que soit donné aujourd'hui le possible actuel à décider et à réaliser en vue de s'acheminer vers la solution.

4. Attendre que se fasse ce qui est à faire. Si l'on se trouve dans l'incapacité de le faire, le laisser se faire. C'est-à-dire être tendu vers le possible réalisable afin qu'il modifie la personne pour qu'elle soit apte à le réaliser.

5. Faire retour, autant de fois qu'il sera nécessaire, de la modification attendue à l'attente et de l'attente au retrait. Et aller en sens inverse du retrait à l'attente, puis à la modification à partir du possible.

6. Le mouvement d'aller et retour est le changement accompli, parce qu'il fait accéder à la mobilité généralisée. Le changement n'est jamais accompli puisque la réalité intérieure et extérieure ne sont jamais stables. Toutefois à chaque instant l'accomplissement du changement est l'absorption dans l'action. Cette absorption fait l'unité de la parole, du corps, de l'entourage et de la situation.

Corollaire : Le rôle du thérapeute est ici capital ; il doit rendre manifeste par sa position corporelle (laquelle inclut tous les aspects de sa personne) en quoi consiste cette attente en apparence vide, mais qui est déjà pleine de la transformation future. Le thérapeute s'installe dans la simple assurance de son existence, à la fois ouverte et fermée, tendue vers la provocation de l'existence du patient, quelque forme qu'elle puisse prendre.

RÈGLE VI : Le changement est la transformation de l'identité en singularité, c'est-à-dire de ce que l'on ne veut pas changer en ce que l'on ne peut pas changer.

Démonstration : L'identité est composée de tous les items dont peut se targuer un individu : son origine, son pays, son histoire, ses symptômes. La définition qu'il se donne en eux le rigidifie parce qu'ils sont le lieu de sa maîtrise et de sa suffisance. La singularité apparaît chaque fois que l'identité est négligée. Elle est comme le style : évidente et insaisissable. Elle suppose le risque de la solitude irrémédiable, de ce qui est estimé comme menace de mort et, bien que donnée une fois pour toutes, elle n'est appréhendée que par les autres, jamais par soi. La perte, pour le patient, de son identité, qu'il ne veut pas changer, est nécessaire pour que soient abandonnés les repères habituels qui constituaient son rapport non modifié à soi, aux autres et à l'environnement et pour qu'il laisse advenir, à travers ce qui lui est donné en propre et qu'il ne peut pas changer, une nouvelle configuration de son monde. CQFD.

TABLE

DU MÊME AUTEUR

Comment faire rire un paranoïaque ?, Paris, Odile Jacob, 1996.
Qu'est-ce que l'hypnose ?, Paris, Minuit, 1994.
Influence, Paris, Minuit, 1990.
Lacan, de l'équivoque à l'impasse, Paris, Minuit, 1986.
Le Bal masqué de Giacomo Casanova : 1725-1798, Paris, Minuit, 1984.
Elle ne le lâche plus, Paris, Minuit, 1980.
Un destin si funeste, Paris, Minuit, 1976.

CET OUVRAGE A ÉTÉ TRANSCODÉ
ET ACHEVÉ D'IMPRIMER SUR ROTO-PAGE
PAR L'IMPRIMERIE FLOCH À MAYENNE
EN DÉCEMBRE 1999

N° d'impression : 47271.
N° d'édition : 7381-0758-X.
Dépôt légal : décembre 1999.

Imprimé en France